D1586703

GRAMADACH GAN STRÓ!

Eagrán 3

Éamonn Ó Dónaill

© Gaelchultúr 2008, 2011, 2013

ISBN: 978-0-9563614-8-6

Grianghraif: iStockphoto
Dearadh: Gaelchultúr
Eagarthóireacht: Aodh Ó Gallchóir
Ábhar breise d'eagrán 3: Éamonn Ó Dónaill, Helen Hegarty agus Aodh Ó Gallchóir
Cartúin: Jean Russell (jeanrussell4@yahoo.ie) (pictiúir); Éamonn Ó Dónaill (téacs)
Clúdach: Sinéad McKenna (sinedesign.net) agus Gaelchultúr

Is féidir cóipeanna breise den leabhar seo a cheannach díreach ó:

Gaelchultúr
11 Sráid an Chláraigh
Baile Átha Cliath 2
Éire
(353) (1) 484 5220
www.gaelchultur.com
www.ranganna.com

Tá an leabhar ar díol ar www.siopa.ie chomh maith.

Tá leagan ar líne de *Gramadach gan Stró!* le fáil ar shuíomh ríomhfhoghlama Ghaelchultúir, www.ranganna.com. Is féidir triail a bhaint saor in aisce as aonad samplach den leagan seo ar líne.

Gach ceart ar cosaint. Ní ceadmhach aon chuid den fhoilseachán seo a atáirgeadh, a chur i gcomhad athfhála, ná a tharchur ar aon mhodh ná slí, bíodh sin leictreonach, meicniúil, bunaithe ar fhótachóipeáil, ar thaifeadadh nó eile gan cead a fháil roimh ré ón bhfoilsitheoir.

Clár Ábhair

Buíochas

Ba mhaith leis an údar buíochas a ghabháil leis na daoine seo a leanas:

Antain Mag Shamhráin, a chuir moltaí luachmhara ar fáil

Jean Russell, a tharraing na cartúin atá le feiceáil sa leabhar

a chomhghleacaithe i nGaelchultúr, go háirithe Aodh Ó Gallchóir, Helen Hegarty agus Darren Ó Rodaigh

Réamhrá

Tá an-rath ar *Gramadach gan Stró!* ó foilsíodh an leabhar den chéad uair in 2008. Díoladh 10,000 cóip den chéad dá eagrán agus anois tá an tríú heagrán seo foilsithe ag Gaelchultúr. Dírítear ann ar roinnt gnéithe den ghramadach nach raibh aon eolas tugtha fúthu sa chéad eagrán ná sa dara ceann agus tá neart ceachtanna breise curtha ar fáil freisin.

Fuair an t-údar moltaí agus aiseolas luachmhar ó go leor de lucht úsáidte an chéad dá eagrán agus d'fhéach sé le roinnt mhaith de na moltaí sin a chur san áireamh agus an tríú heagrán á ullmhú aige.

Tá *Gramadach gan Stró!* dírithe ar dhaoine a bhfuil caighdeán réasúnta maith bainte amach acu sa Ghaeilge labhartha cheana féin ach ar mian leo feabhas a chur ar a gcuid gramadaí. Tá sé oiriúnach dóibh siúd nach dtuigeann leabhair ghramadaí de ghnáth agus a gcuireann rialacha casta mearbhall orthu.

Ní fhéachtar sa leabhar seo le cur síos cuimsitheach a thabhairt ar ghramadach na Gaeilge; tá na gnéithe is lárnaí den ghramadach sin roghnaithe ag an údar agus tá siad curtha i láthair go soiléir gonta. Ní bhaintear úsáid as téarmaíocht chasta ach tugtar neart samplaí chun patrúin éagsúla a léiriú.

Is graiméar feidhmiúil é *Gramadach gan Stró!* ina bhfuil béim láidir curtha ar an tslí a n-úsáidtear an Ghaeilge sa scríobh agus sa chaint laethúil. Tá na habairtí atá le fáil sna míniúcháin agus sna ceachtanna úsáideach agus nádúrtha, agus seachnaítear an drochnós a bhaineann le go leor leabhar gramadaí, is é sin, abairtí a chur ar fáil a bhfuil sé mar aidhm leo riail éigin a léiriú seachas léargas a thabhairt ar úsáid laethúil na teanga.

An Caighdeán Athbhreithnithe

In 2012, foilsíodh *Gramadach na Gaeilge: An Caighdeán Oifigiúil, Caighdeán Athbhreithnithe* (COA), ar leagan leasaithe é den Chaighdeán a cuireadh ar fáil i 1958. Bheartaigh Rannóg an Aistriúcháin an t-eagrán nua seo a réiteach "d'fhonn rialacha áirithe a choigeartú nó a leathnú agus d'fhonn tuilleadh soiléirithe a thabhairt ar roinnt rialacha eile" (www.oireachtas.ie).

Tá go leor de lucht labhartha na Gaeilge den tuairim, áfach, go bhfuil athscríobh rómhór déanta ar an gCaighdeán, go bhfuiltear imithe i dtreo na castachta agus na doiléire. Tá an iomarca leaganacha ceadaithe i gcás gnéithe áirithe den ghramadach (na briathra agus réamhfhocail shimplí + ainmfhocail, cuir i gcás), agus is cinnte go gcuirfidh sé sin idir mhearbhall agus lagmhisneach ar roinnt mhaith daoine. Rachadh sé dian ar fiú an cainteoir is cumasaí Gaeilge cuid de na rialacha atá le fáil sa COA a thuiscint, go háirithe na cinn a bhaineann leis an séimhiú agus leis na huimhreacha.

Mar gheall ar na laigí a bhaineann leis an COA, rinne Gaelchultúr cinneadh neamhaird a thabhairt ar go leor de na moltaí atá le fáil ann agus an t-eagrán nua de *Gramadach gan Stró!* á réiteach againn. Níl na rialacha atá le fáil san eagrán seo ag teacht salach ar an COA; is é atá déanta againn ná níos lú leaganacha a lua i gcás gnéithe éagsúla den ghramadach ná mar atá luaite sa Chaighdeán.

Tá súil againn go rachaidh an cur chuige atá ag Gaelchultúr i dtaca leis an COA chun tairbhe do lucht úsáidte *Gramadach gan Stró!* agus go gcabhróidh an leabhar seo leo rialacha a thuiscint atá curtha i láthair ar bhealach an-chasta i bhfoilseachán Rannóg an Aistriúcháin.

'Gramadach gan Stró!' a úsáid

Nuair a bheidh na rialacha ag baint le gné áirithe den ghramadach léite agat, bain triail as an gcleachtadh nó as na cleachtaí atá ag teacht díreach ina ndiaidh. Tá freagraí na gceachtanna go léir le fáil i ndeireadh an leabhair ach ná féach ar na freagraí sin go dtí go mbeidh an ceacht iomlán déanta agat.

Má bhíonn tú ag déanamh ceachta le duine eile, i gcomhthéacs ranga cuir i gcás, b'fhiú do dhuine amháin agaibh na freagraí a chur ar fáil agus an duine eile iad a sheiceáil sa rannóg "Freagraí na gCleachtaí" i ndeireadh an leabhair.

Leagan ar líne

Tá leagan ar líne den leabhar seo forbartha ag Gaelchultúr agus tá sé le fáil ar shuíomh ríomhfhoghlama na cuideachta, www.ranganna.com. Is ionann an míniú ar an ngramadach atá le fáil sa leabhar seo agus an míniú atá le fáil ar an suíomh ach tá ceachtanna difriúla le fáil ar líne.

Tá na ceachtanna in *Gramadach gan Stró!* ar líne idirghníomhach; nuair a bhíonn ceacht déanta agat is féidir leat an cnaipe "Seol" a bhrú agus aiseolas a fháil láithreach. Cuirtear in iúl duit cad iad na freagraí a bhí ceart agat agus cad iad na freagraí a bhí mícheart agat, tugtar scór duit agus cuirtear na freagraí cearta ar fáil.

Eolas a Aimsiú go Gasta sa Leabhar

Go minic ní bhíonn daoine in ann eolas a aimsiú i ngraiméar de bhrí nach mbíonn siad eolach ar an téarmaíocht a bhaineann leis an ngramadach. Moltar dóibhsean a bhfuil an deacracht sin acu an tábla seo thíos a úsáid mar threoir agus eolas á lorg acu in *Gramadach gan Stró!*.

Gné nó gnéithe den ghramadach	Samplaí	Áit sa leabhar
An t-alt **an** roimh an ainmfhocal uatha/inscne ainmfhocal	an fear an bhean an t-óstán an amharclann an sagart an tsráid	Aonad 2
Iolra na n-ainmfhocal	na hiarratais na freastalaithe	Aonad 2
An foclóir a úsáid	bileog **bileog**, *f.* (*gs.* **-oige**, *npl.* ~a, *gpl.* ~)	Aonad 2
Réamhfhocal simplí roimh ainmfhocal	le hAnna roimh dheireadh na seachtaine idir bhuachaillí agus chailíní	Aonad 3
Réamhfhocail shimplí agus an t-alt	ar an mbus san fhuinneog	Aonad 4
An tuiseal gairmeach	a Shéamais A Shinéad a stór	Aonad 5
An tuiseal ginideach uimhir uatha	carr Thomáis os comhair an tí	Aonad 6
An tuiseal ginideach uimhir iolra	foilsiú na dtuarascálacha ionadaithe na nIodálach	Aonad 6
Ainmfhocal cinnte	Béal Feirste an múinteoir gach buachaill	Aonad 6
Foirm an ainmnigh in ionad an ghinidigh	os comhair theach an mhúinteora fadhbanna mhuintir na háite	Aonad 6
An aidiacht san uimhir uatha	fear deas bean dheas	Aonad 7
An aidiacht san uimhir iolra	amhráin dheasa laethanta breátha	Aonad 7
Na réimíreanna **an-** agus **ró-**	an-mhaith an-deas róshean ró-íseal	Aonad 7
Na haidiachtaí taispeántacha	an tseachtain seo an duine sin	Aonad 7
An aidiacht sa tuiseal ginideach uimhir uatha	ag barr an leathanaigh bháin ag barr na bileoige báine	Aonad 8

An aidiacht sa tuiseal ginideach uimhir iolra	ag cur na gceisteanna deacra i gcoinne na n-athruithe móra	Aonad 8
Breischéim na haidiachta	níos suimiúla ní ba theo	Aonad 9
Sárchéim na haidiachta	an duine is sine an moladh ab fhearr	Aonad 9
An modh ordaitheach	nigh do lámha nígí bhur n-aghaidh ná tagaigí isteach go fóill	Aonad 10
Na forainmneacha pearsanta	mé, tú, sé, sí, etc.	Aonad 10
An briathar san aimsir chaite	chuaigh mé d'imigh sí An ndeachaigh siad …?	Aonad 11
Na maoluimhreacha	a haon, a dó, a trí, etc.	Aonad 12
Na bunuimhreacha	dhá chathaoir ceithre oíche sé bliana seacht gcinn déag 23 bád/bhád	Aonad 12
An briathar san aimsir láithreach	téim ceannaímid An bhfeiceann sí …?	Aonad 13
Dátaí/na horduimhreacha	ar an 12 Feabhra an chéad fhear an chéad chailín an tríú háit	Aonad 14
Suíomh agus gluaiseacht	isteach istigh anonn thall ó thuaidh aneas	Aonad 15
Laethanta na seachtaine/cúrsaí ama	Dé Luain ar an Máirt oíche Déardaoin Dé Domhnaigh seo caite coicís ó inniu	Aonad 15
An clásal coibhneasta	an bhean a bhí anseo an fear a raibh a mhac ar scoil liom Cén fáth a ndeachaigh …?	Aonad 16
Na huimhreacha pearsanta	beirt mhac triúr iníonacha cúig pháiste dhéag	Aonad 17
An briathar san aimsir fháistineach	rachaidh tú sábhálfaimid An bhfeicfidh sibh …?	Aonad 18

Aidiachtaí sealbhacha	mo mháthair d'athair ár n-uncail	Aonad 19
Cónaí/suí/seasamh	i mo chónaí i do shuí vs ag suí ina seasamh vs ag seasamh	Aonad 19
Na forainmneacha réamhfhoclacha	Tá muinín agam aisti. Chroith sí lámh orm.	Aonad 20
An chopail **is**	Is dochtúir í Aoife. An múinteoir é Brian? Is ea. Ba ise an duine ba shine. Ar dhaoine deasa iad?	Aonad 21
An modh coinníollach/ **má** agus **dá**	rachainn d'fheicfeá An rachfá dá mbeadh an t-airgead agat? má bhíonn dá n-íosfá	Aonad 22
An briathar saor	gortaíodh triúr Glantar an seomra gach lá. An dtabharfar deis eile di?	Aonad 23
An t-ainm briathartha	ag déanamh ag moladh	Aonad 24
An aidiacht bhriathartha	seolta fógartha	Aonad 24
An briathar san aimsir ghnáthchaite	Théinn ansin gach samhradh. Shábhálaimis a lán airgid do na laethanta saoire.	Aonad 25

Aonad 1: Téarmaíocht na Gramadaí

San aonad seo foghlaimeoidh tú faoi na nithe seo:

- téarmaíocht na gramadaí

- caol le caol, leathan le leathan

Caol le caol, leathan le leathan

Leabharlanna Poibli Chathair Bhaile Átha Cliath
Dublin City Public Libraries

Téarmaíocht na gramadaí

Ainmfhocal
Focal a úsáidtear le tagairt do dhuine, rud, áit nó coincheap.

> *Samplaí:*   Gearóidín, fear, bóthar, Baile Átha Cliath, áilleacht

Tá uimhir uatha (ceann amháin) agus uimhir iolra (níos mó ná ceann amháin) ag beagnach gach ainmfhocal.

> *Samplaí:*   *Uatha*   *Iolra*
> aiste   aistí
> scoil   scoileanna

Alt
An fhoirm **an** is mó a úsáidtear san uimhir uatha agus an fhoirm **na** a úsáidtear san uimhir iolra. Úsáidtear **na** chomh maith roimh ainmfhocail bhaininscneacha sa tuiseal ginideach, uimhir uatha.

> *Sampla:*   an fhuinneog   barr na fuinneoige

Aidiacht
Focal a thugann níos mó eolais faoi ainmfhocal.

> *Samplaí:*   deas, mór, fada, dathúil

Leanann an aidiacht an t-ainmfhocal de ghnáth.

> an scoil **nua**

Briathar
Focal a úsáidtear chun a rá céard atá á dhéanamh nó céard atá ag tarlú. Úsáidtear briathar chun bail/riocht/staid a chur in iúl chomh maith.

> *Samplaí:*   Ólann siad an iomarca.
> Tá sí sona sásta.

Réamhfhocal simplí
Focal aonair a théann roimh ainmfhocal lena nascadh le foca(i)l eile i gclásal.

> *Samplaí:*   ar, ag, as, ó, le

Réamhfhocal comhshuite
Bíonn dhá chuid sa réamhfhocal comhshuite: réamhfhocal simplí agus ainmfhocal.

> *Samplaí:*   os comhair, in aice, in aghaidh

Leanann an tuiseal ginideach na réamhfhocail chomhshuite.

> *Samplaí:*   an teach   os comhair an tí
> an fharraige   in aice na farraige

Forainm
Focal a úsáidtear in áit ainmfhocail.

> *Samplaí:*   sé, mé, ise, iad, tusa

Forainm réamhfhoclach
Nuair a chuirtear réamhfhocal simplí (e.g. **le**, **ar**, **as**) agus forainm (e.g. **mé**, **tusa**, **iad**) le chéile, bíonn forainm réamhfhoclach i gceist.

> *Samplaí:*   ar + mé = orm
> ag + sé = aige
> le + sibh = libh
> roimh + iad = rompu

Gutaí agus consain
Seo iad na gutaí: a, e, i, o, u

Seo iad na consain atá sa Ghaeilge: b, c, d, f, g, l, m, n, p, r, s, t
(bíonn na consain **j**, **v** agus **x** i gceist
i bhfocail iasachta áirithe ón mBéarla)

 Cleachtadh 1.1

Cuir na focail atá le fáil thíos sna colúin chearta.

Ainmfhocal	Aidiacht	Briathar	Réamh-fhocal simplí	Réamh-fhocal comhshuite	Forainm	Forainm réamh-fhoclach

de bharr   sibh

téigh   dubh   asam   óstán   ar feadh   i   dathúil

roimpi   le   te   aici   ar chúl   chuala   leis   ar   daor

shuigh   sean   sí   in aice   bialann   feicim

iad   Diarmaid

Caol le caol, leathan le leathan

Is féidir le gach consan sa Ghaeilge a bheith caol nó leathan.

Má thagann na gutaí **e** nó **i** roimh chonsan nó ina dhiaidh, deirtear gur *consan caol* é.

> *Samplaí:*   Fraincis (is consan caol é an **s** mar go bhfuil an litir **i** roimhe)
> líne (is consan caol é an **l** mar go bhfuil an litir **i** ina dhiaidh)

Má thagann na gutaí **a**, **o** nó **u** roimh chonsan nó ina dhiaidh, deirtear gur *consan leathan* é.

> *Samplaí:*   bóthar (is consan leathan é an **r** mar go bhfuil an litir **a** roimhe)
> lón (is consan leathan é an **l** mar go bhfuil an litir **o** ina dhiaidh)

Nuair a bhíonn consan idir dhá ghuta, is gnách go gcaithfidh an dá ghuta araon a bheith caol nó leathan. Ní gnách go mbíonn caol agus leathan ann le chéile. Má bhíonn guta caol roimh an gconsan, is gnách go gcaithfidh guta caol a bheith ina dhiaidh chomh maith; ach má bhíonn guta leathan roimh an gconsan, is gnách go gcaithfidh guta leathan a bheith ina dhiaidh freisin. "Caol le caol, leathan le leathan", a thugtar air seo.

> *Samplaí:*   feiceáil (caol le caol)   fágáil (leathan le leathan)

Gutaí gairide agus gutaí fada
Tá dhá chineál guta sa Ghaeilge: gutaí gairide agus gutaí fada.

> gutaí gairide: a, e, i, o, u
> gutaí fada: á, é, í, ó, ú

 Cleachtadh 1.2

Cuir in iúl cé acu caol nó leathan atá na consain a bhfuil líne fúthu thíos.

Samplaí: póg   tá an **p** agus an **g** leathan

              feiceáil   tá an **f**, an **c** agus an **l** caol

1. deireadh   _____

2. focal   _____

3. poiblí   _____

4. Spáinnis   _____

5. scrúdú   _____

6. comhad   _____

Cleachtadh 1.3

Roghnaigh an deireadh ceart i gcás gach ainm bhriathartha thíos.

1. *marking:*   ag marc_____   eáil ☐   áil ☐

2. *collecting:*   ag bail_____   iú ☐   ú ☐

3. *finishing:*   ag críochn_____   iú ☐   ú ☐

4. *correcting:*   ag ceart_____   iú ☐   ú ☐

5. *fixing:*   ag deis_____   iú ☐   ú ☐

6. *refusing:*   ag diúlt_____   iú ☐   ú ☐

7. *naming:*   ag ainmn_____   iú ☐   ú ☐

8. *lifting:*   ag tóg_____   eáil ☐   áil ☐

9. *seeing:*   ag feic_____   eáil ☐   áil ☐

10. *crying:*   ag caoin_____   eadh ☐   adh ☐

11. *turning:*   ag cas_____   eadh ☐   adh ☐

12. *teaching:*   ag múin_____   eadh ☐   adh ☐

13. *practising:*   ag cleacht_____   eadh ☐   adh ☐

14. *scattering:*   ag scaip_____   eadh ☐   adh ☐

15. *looking:*   ag féach_____   int ☐   aint ☐

16. *understanding:*   ag tuisc_____   int ☐   aint ☐

Cleachtadh 1.4

Roghnaigh an deireadh ceart i gcás gach briathair thíos.

1. feic   feic_____ mé   fidh ☐   faidh ☐

2. dún   dún_____ tú   fidh ☐   faidh ☐

3. mol   mol_____ sé   fidh ☐   faidh ☐

4. imigh   im_____ sí   eoidh ☐   óidh   ☐

5. ceannaigh   ceann_____   eoimid ☐   óimid ☐

6. tabhair   tabhar_____ mé   fidh ☐   faidh ☐

7. taispeáin   taispeán_____ sé   fidh ☐   faidh ☐

8. imir   imr_____ siad   eoidh ☐   óidh   ☐

9. fill   fill_____ tú   fidh ☐   faidh ☐

10. scríobh   scríobh_____   fimid ☐   faimid ☐

Aonad 2: An tAinmfhocal 1 (An Tuiseal Ainmneach Uatha agus Iolra)

San aonad seo foghlaimeoidh tú faoi na nithe seo:

- tuisil an ainmfhocail

- an t-alt roimh an ainmfhocal sa tuiseal ainmneach/cuspóireach uatha

- treoracha chun inscne ainmfhocal a aithint

- foirm uatha an ainmfhocail agus ciall iolra i gceist

- comhfhocail

- lagiolraí agus tréaniolraí

- athruithe tosaigh san uimhir iolra

- an fleiscín

- deireadh na n-ainmfhocal sa tuiseal ainmneach iolra

- an foclóir a úsáid

Am lóin i mbialann an díograiseora

Na tuisil

Tá na tuisil seo a leanas ag an ainmfhocal sa Ghaeilge:

- ainmneach/cuspóireach
- ginideach
- gairmeach
- tabharthach

An tuiseal ainmneach agus an tuiseal cuspóireach

Is ionann foirm don tuiseal ainmneach agus don tuiseal cuspóireach sa Ghaeilge.

Bíonn ainmfhocal nó forainm (e.g. **sé, sí**) sa tuiseal ainmneach má bhíonn sé ina ainmní ag briathar/abairt, i.e. má chuireann sé in iúl cén duine nó cén rud a rinne an gníomh atá i gceist sa bhriathar.

> Tháinig **Síle** inné ach d'imigh **sí** ar maidin arís.
> Tagann **an fear** sin anseo ar saoire go minic.

Bíonn ainmfhocal nó forainm sa tuiseal cuspóireach nuair a bhíonn sé ina chuspóir san abairt, i.e. nuair a chuireann sé in iúl cén duine nó cén rud a ndéantar an gníomh air.

> Thóg mé **an leabhar** agus chuir mé i mo mhála **é**.

An tuiseal ginideach

Nuair a bhíonn ainmfhocal á cháiliú ag ainmfhocal eile gan réamhfhocal ar bith a bheith eatarthu, bíonn an dara hainmfhocal (an cáilitheoir) sa tuiseal ginideach. Is minic a chuireann an ginideach seilbh in iúl ach bíonn feidhm aidiachtúil ag an nginideach in amanna, agus úsáidtear i ndiaidh an ainm bhriathartha é fosta.

> teach Sheáin
> bróga leathair
> ag caitheamh an airgid

An tuiseal gairmeach

Úsáidtear an tuiseal gairmeach nuair a bhítear ag caint le duine.

> a Mharcais, a mhic, a Shiobhán

An tuiseal tabharthach

Bíonn ainmfhocal sa tuiseal tabharthach nuair a bhíonn réamhfhocal simplí + an t-alt roimhe; ní athraíonn deireadh ainmfhocail anois tar éis **ar an, ag an**, etc. ach athraíonn túschonsain ina ndiaidh, mar a fheicfimid ar ball.

> D'iarr mé airgead ar an mbean/ar an bhean.

An t-alt roimh an ainmfhocal sa tuiseal ainmneach/cuspóireach uatha

	Firinscneach	*Baininscneach*
(a) Ainmfhocail dar tús guta	an **t**-easpag	an iris
(b) Ainmfhocail dar tús consan	an bainisteoir	an **bh**ean
(c) Ainmfhocail dar tús **s**	an sagart	an **ts**iúr
		Ní féidir **t** a chur roimh **sc-, sf-, sm-, sp-, st-**
(d) Ainmfhocail dar tús **d** nó **t**	an duine	an deirfiúr
	an tionscadal	an tine

Ná déan dearmad *nach* séimhítear ainmfhocail bhaininscneacha dar tús **d** ná **t** sa tuiseal ainmneach/cuspóireach

---

Cleachtadh 2.1

*Cuir an t-alt **an** roimh na hainmfhocail seo agus athraigh iad más gá*.*

1. agallamh (fir.) _____
2. srón (bain.) _____
3. cáis (bain.) _____
4. ceardlann (bain.) _____
5. aischothú (fir.) _____
6. forbairt (bain.) _____
7. iarracht (bain.) _____
8. iarratas (fir.) _____
9. taithí (bain.) _____
10. irisleabhar (fir.) _____

11. gairmscoil (bain.) _____
12. ábhar (fir.) _____
13. aincheist (bain.) _____
14. Béarla (fir.) _____
15. Sualainnis (bain.) _____
16. aonarán (fir.) _____
17. uachtarlann (bain.) _____
18. meánaicme (bain.) _____
19. meánleibhéal (fir.) _____
20. scamhóg (bain.) _____

*I gcás gach ainmfhocail, cuir ceist ort féin cén focal thuas a bhfuil sé cosúil leis (mar shampla, tá **agallamh** cosúil le **easpag** mar go bhfuil guta ag a thosach agus go bhfuil sé firinscneach – mar sin, nuair a chuirtear an t-alt **an** roimhe is gá **t**- a chur roimh an **a**).

Treoracha chun inscne ainmfhocal a aithint

Go minic, tugann deireadh ainmfhocail leid dúinn faoi inscne an fhocail sin. Níl sna treoracha thíos ach cinn ghinearálta – féach san fhoclóir má bhíonn tú in amhras faoi inscne ainmfhocail.

Ainmfhocail Fhirinscneacha: Deirí		
Deireadh	**Samplaí**	**Eisceachtaí**
-amh	cúnamh, trealamh	fréamh, neamh, screamh
-(a)ire	iascaire, ailtire	aire (*care*), faire, pónaire, trócaire
-al	asal, pobal	coinneal, fabhal, meitheal, speal
-án	amhrán, cosán	
-as	breithiúnas, iarratas	cluas, maitheas, mias
-(e)acht*	ceacht, fuacht	créacht, léacht, uacht
-(é)ad	buiséad, seaicéad	téad, fead, nead, scread
-(e)adh	geimhreadh, samhradh	
-éal	béal, scéal	
-éar	féar, páipéar	méar, sméar
-éir**	báicéir, siúinéir	céir, cléir, comhréir, mistéir, spéir
-eo	ceo, treo	
-eoir	múinteoir, feirmeoir	beoir, deoir, treoir
-ín	cailín, toitín	aintín, braillín, ealaín, muinín, vacsaín
-(i)ú	athrú, síniú	
-óir	ambasadóir, cúntóir	altóir, catagóir, éagóir, glóir, onóir, purgadóir, seanmóir, tóir
-ste	coiste, páiste	aiste, timpiste, tubaiste
-úir	saighdiúir, dochtúir	búir, stiúir, úir
-ún	botún, príosún	
-úr	casúr, pictiúr	deirfiúr, siúr
-ús	folús, parlús	

*ainmfhocail aonsiollacha **nuair a bhíonn gairmeacha i gceist

Ainmfhocail Bhaininscneacha: Deirí		
Deireadh	**Samplaí**	**Eisceachtaí**
-(a)id	sochraid, conclúid	bréid, méid, namhaid
-áid	earráid, sráid	
-(a)íl	feadaíl, próifíl	
-áil	anáil, péinteáil	
-ailt	fuascailt, oscailt	
-(a)int	seachaint, tuiscint	sáirsint
-áint	taispeáint, tiomáint	
-(a)íocht*	iomaíocht, filíocht	
-(a)irt	scairt, ardchúirt	
-chan	athbheochan, beochan	meáchan
-(e)acht*	gluaiseacht, beannacht	ansmacht, bunreacht, comhlacht, complacht, fanacht, gnólacht, imeacht
-(e)áil	próiseáil, sábháil	
-eog/-óg	spideog, bábóg	dallamullóg
-ic	fisic, spuaic	cic, clinic, feic, reic, seic, tic
-il	áibhéil, barúil	raidhfil, saitsil, uncail
-ilt	eitilt, míorúilt	
-im	coiscéim, éirim	droim, greim, im
-in	glúin, síocháin	cliamhain, gamhain
-ine	glaine, uaine	cine, duine, gine, niúmóine
-ip	cóip, teip	
-irm	gairm, stoirm	
-is/-ís	uirlis, coicís	giúistís
-it	geit, póit	seit
-lann	bialann, léachtlann	anlann, salann
-óid	agóid, éabhlóid	biogóid
-úil	barúil, súil	
-úint	canúint, géarleanúint	
Tíortha	an Astráil, an Fhrainc, an Iodáil	
Aibhneacha	an Bhóinn, an Éirne, an tSionainn	
Teangacha	an Fhraincis, an Ghaeilge, an Iodáilis	an Béarla

*ainmfhocail ilsiollacha

Cleachtadh 2.2

Cuir an t-alt roimh na hainmfhocail seo agus athraigh iad más gá.

1. cearnóg	_____	11. beoir	_____
2. íoclann	_____	12. sáirsint	_____
3. cairéal	_____	13. oiliúint	_____
4. bainis	_____	14. idirghabháil	_____
5. ardán	_____	15. iarratasóir	_____
6. garáiste	_____	16. ciaróg	_____
7. comhghéilleadh	_____	17. cosaint	_____
8. Ungáiris	_____	18. aibhléis	_____
9. oinniún	_____	19. paróiste	_____
10. bileog	_____	20. siúr	_____

Cleachtadh 2.3

Cuir an t-alt roimh na hainmfhocail seo agus athraigh iad más gá.

1. píobaire	_____	11. séasúr	_____
2. clólann	_____	12. cartún	_____
3. athmhúscailt	_____	13. ospidéal	_____
4. éacht	_____	14. éagóir	_____
5. creidiúint	_____	15. filíocht	_____
6. comhlacht	_____	16. aiste	_____
7. ealaíontóir	_____	17. béar	_____
8. saint	_____	18. Araibis	_____
9. folcadán	_____	19. anlann	_____
10. gairleog	_____	20. contúirt	_____

Ciall iolra

Uaireanta sa Ghaeilge baintear úsáid as foirm uatha an ainmfhocail nuair a bhíonn ciall iolra i gceist.

I ndiaidh na mbunuimhreacha:	cúig shiopa; sé theach tábhairne
I ndiaidh **cúpla**:	cúpla duine; cúpla punt
I ndiaidh **cá mhéad/cé mhéad**:	cá mhéad duine?; cé mhéad peann?

Comhfhocail

Ainmfhocail, aidiachtaí agus réimíreanna is mó a úsáidtear chun comhfhocail a chumadh.

> lámhleabhar
> ardfhear
> drochdhuine

Nuair a chuirtear dhá ainmfhocal le chéile chun comhfhocal a chumadh, is iondúil gurb í an dara cuid den chomhfhocal a chinneann a inscne agus a infhilleadh.

Sampla 1:
sráid (baininscneach) + baile (firinscneach) = sráidbhaile
Tá an comhfhocal **sráidbhaile** firinscneach de bhrí gur ainmfhocal firinscneach an dara cuid de.

Seo mar a scríobhtar é sa tuiseal ainmneach agus sa tuiseal ginideach faoi seach:

> an sráidbhaile
> ar imeall an tsráidbhaile

Sampla 2:
meán (firinscneach) + scoil (baininscneach) = meánscoil
Tá an comhfhocal **meánscoil** baininscneach de bhrí gur ainmfhocal baininscneach an dara cuid de.

Seo mar a scríobhtar é sa tuiseal ainmneach agus sa tuiseal ginideach faoi seach:

> an mheánscoil
> geataí na meánscoile

Séimhítear túschonsan an dara (tríú, etc.) mír de chomhfhocal mura dtagann péire de na litreacha **d, n, t, l, s** le chéile ag an nascphointe:

> ainmfhocal, carrchlós
> ach
> státseirbhíseach, cúldoras

Ní bhíonn fleiscín idir na míreanna i gcomhfhocal dhá mhír de ghnáth ach amháin nuair a thagann na litreacha céanna le chéile ag an nascphointe.

> lámh-mhaisiú
> droch-chaint

Bíonn fleiscín i gceist nuair a bhíonn trí mhír i gcomhfhocal.

> sin-seanathair
> iar-bhunscoil

Cleachtadh 2.4

Cuir na míreanna le chéile chun focal amháin a chumadh.

1. (droch) (bia) _____

2. (droch) (cuimhne) _____

3. múinteoir (iar) (bun) (oideachas) _____

4. ar (dearg) (buile) _____

5. (sean) (saighdiúir) _____

6. (príomh) (cigire) _____

7. (leas) (príomh) (cigire) _____

8. (spot) (duais) _____

9. (príomh) (sráid) _____

10. (príomh) (moltaí) _____

Iolra na n-ainmfhocal

Lagiolraí agus tréaniolraí

Lagiolraí
Deirtear go bhfuil lagiolra ag ainmfhocal:
(a) má chríochnaíonn an tuiseal ainmneach iolra ar chonsan caol, e.g. **-in, -ir, -is**.
nó
(b) má chuirtear **-a** leis an tuiseal ainmneach uatha chun an tuiseal ainmneach iolra a chumadh.

Samplaí de (a):	*Tuiseal ainmneach uatha*	*Tuiseal ainmneach iolra*
	ball	baill
	dualgas	dualgais
	iarratas	iarratais
	teaghlach	teaghlaigh

Samplaí de (b):	*Tuiseal ainmneach uatha*	*Tuiseal ainmneach iolra*
	beart	bearta
	bileog	bileoga
	dialann	dialanna
	leabharlann	leabharlanna

Bíonn an fhoirm chéanna i gceist sa tuiseal ginideach iolra agus sa tuiseal ainmneach uatha i gcás ainmfhocal a bhfuil lagiolra acu.

Tuiseal ainmneach uatha	*Tuiseal ginideach iolra*
fear	a lán fear
ball	vótaí na mball
iarratas	ag plé na n-iarratas

Nuair a bhíonn lagiolra ag ainmfhocal, bíonn dhá iontráil i gceist don uimhir iolra in *Foclóir Gaeilge–Béarla* Néill Uí Dhónaill: an tuiseal ainmneach iolra (*npl.*) agus an tuiseal ginideach iolra (*gpl.*).

Sampla: fear
fear, *m.* (*gs. & npl.* **-ir**, *gpl.* **~**)

Cuireann an tilde (~) in iúl go bhfuil an fhoirm chéanna i gceist sa tuiseal ginideach iolra is atá sa tuiseal ainmneach uatha.

Tréaniolraí
Na hainmfhocail eile go léir nach bhfuil cosúil le (a) nó (b) thuas, tá tréaniolra acu agus is í an fhoirm chéanna atá acu i ngach tuiseal san uimhir iolra.

Samplaí: *Uatha*   *Iolra*
              briathar   briathra
              cruinniú   cruinnithe
              doras   doirse
              fadhb   fadhbanna
              feidhm   feidhmeanna
              tuarascáil   tuarascálacha

Nuair a bhíonn tréaniolra ag ainmfhocal, ní bhíonn ach iontráil amháin i gceist don uimhir iolra in *Foclóir Gaeilge–Béarla* Néill Uí Dhónaill agus na litreacha *pl.* (*plural*) ag teacht roimpi.

Sampla: fadhb
             fadhb, *f.* (*gs.* **faidhbe**, *pl.* **~anna**)

 Cleachtadh 2.5

Scríobh síos foirm iolra gach ainmfhocail thíos agus cuir in iúl cé acu lagiolra nó tréaniolra atá aige.

Féach in Foclóir Gaeilge–Béarla *Néill Uí Dhónaill mura bhfuil tú cinnte cén uimhir iolra atá ag ainmfhocal. Gheobhaidh tú foirm iolra gach ainmfhocail tar éis na litreacha* npl. (*nominative plural*) *nó* pl. (*plural*) *san fhoclóir.*

1. ábhar   _____   lagiolra ☐   tréaniolra ☐

2. ollscoil   _____   lagiolra ☐   tréaniolra ☐

3. scrúdú   _____   lagiolra ☐   tréaniolra ☐

4. baile   _____   lagiolra ☐   tréaniolra ☐

5. cathair   _____   lagiolra ☐   tréaniolra ☐

6. sráid   _____   lagiolra ☐   tréaniolra ☐

7. cearnóg   _____   lagiolra ☐   tréaniolra ☐

8. seoladh   _____   lagiolra ☐   tréaniolra ☐

9. post   _____   lagiolra ☐   tréaniolra ☐

10. úinéir   _____   lagiolra ☐   tréaniolra ☐

11. folcadán   _____   lagiolra ☐   tréaniolra ☐

12. leaba   _____   lagiolra ☐   tréaniolra ☐

13. leithreas   _____   lagiolra ☐   tréaniolra ☐

14. scáthán   _____   lagiolra ☐   tréaniolra ☐

15. traein   _____   lagiolra ☐   tréaniolra ☐

Cleachtadh 2.6

Scríobh síos foirm iolra gach ainmfhocail thíos agus cuir in iúl cé acu lagiolra nó tréaniolra atá aige.

1. áiléar _____ lagiolra ☐ tréaniolra ☐

2. tógálaí _____ lagiolra ☐ tréaniolra ☐

3. dualgas _____ lagiolra ☐ tréaniolra ☐

4. uair _____ lagiolra ☐ tréaniolra ☐

5. íoslach _____ lagiolra ☐ tréaniolra ☐

6. oifigeach _____ lagiolra ☐ tréaniolra ☐

7. oifig _____ lagiolra ☐ tréaniolra ☐

8. léacht _____ lagiolra ☐ tréaniolra ☐

9. cumann _____ lagiolra ☐ tréaniolra ☐

10. slí _____ lagiolra ☐ tréaniolra ☐

11. iarratas _____ lagiolra ☐ tréaniolra ☐

12. ticéad _____ lagiolra ☐ tréaniolra ☐

13. freastalaí _____ lagiolra ☐ tréaniolra ☐

14. deirfiúr _____ lagiolra ☐ tréaniolra ☐

15. deartháir _____ lagiolra ☐ tréaniolra ☐

Athruithe tosaigh san uimhir iolra

Ní shéimhítear túschonsan ainmfhocail san iolra i ndiaidh **na**, fiú má tá an t-ainmfhocal baininscneach.

Samplaí:	*Uatha*	*Iolra*
	an mheánscoil	na meánscoileanna
	an teach	na tithe

Cuirtear **h** roimh ghutaí sa tuiseal ainmneach agus cuspóireach iolra.

Samplaí:	*Uatha*	*Iolra*
	an t-ógánach	na hógánaigh
	an t-ábhar	na hábhair

An fleiscín

Ní chuirtear fleiscín riamh idir **h** agus guta ná idir **t** agus **s**.

Samplaí: na héin
                na hiarsmalanna
                an tsráid
                an tsaotharlann

Sa tuiseal ainmneach/cuspóireach uatha, cuirtear **t-** roimh ainmfhocal firinscneach dar tús guta beag.

Samplaí: an t-athair
                an t-aisteoir

Ní chuirtear fleiscín idir **t** agus ceannlitir ar guta é.

Samplaí: an tEaspag Ó Dálaigh
                an tAthair Liam Ó Murchú

Bíonn fleiscín idir **n** agus guta beag ach ní bhíonn idir **n** agus guta mór.

Samplaí: Bhí ár **n**-athair as baile.
                Cuireadh moill ar ár **n**-iarratas.
                ach
                Ár **n**Athair atá ar neamh
                tréithe na **n**Iodálach

 Cleachtadh 2.7

Cuir gach ainmfhocal san uimhir iolra. Tabhair faoi deara go bhfuil an t-alt i gceist an t-am seo.

1. an t-ábhar   na _____
2. an conradh   na _____
3. an cinneadh   na _____
4. an fóram   na _____
5. an chathair   na _____
6. an moladh   na _____
7. an fhreagracht   na _____
8. an foilseachán   na _____
9. an institiúid   na _____
10. an próiseas   na _____
11. an phríomhcheist   na _____
12. an rialtas   na _____
13. an t-ionadaí   na _____
14. an cruinniú   na _____
15. an cháipéis   na _____

Cleachtadh 2.8

*Cuir an t-alt **an** nó **na** roimh gach ainmfhocal agus athraigh tús an ainmfhocail más gá. Ní gá aon athrú a dhéanamh ar dheireadh aon cheann de na hainmfhocail.*

1. an + údarás   _____

2. an + easpag   _____

3. an + Uachtarán Éamon de Valera   _____

4. an + iarratas   _____

5. an + Údarás um Ardoideachas   _____

6. an + seamróg   _____

7. na + iarrachtaí   _____

8. na + Iodálaigh   _____

9. fadhbanna na + Éireannach   _____

10. óráidí na + iarrthóirí   _____

Deireadh na n-ainmfhocal sa tuiseal ainmneach iolra

Tá ainmfhocail na Gaeilge roinnte i gcúig ghrúpa éagsúla ar a dtugtar díochlaontaí. Tá níos mó eolais le fáil in Aguisín 1 mar gheall ar na cúig dhíochlaonadh.

Tá eolas le fáil anseo thíos faoi dheireadh na n-ainmfhocal san uimhir iolra sna díochlaontaí éagsúla. Níl anseo ach treoir ghinearálta; má tá tú in amhras faoi fhoirm iolra ainmfhocail, féach in *Foclóir Gaeilge–Béarla* Uí Dhónaill agus aimseoidh tú an t-eolas sin tar éis an ghiorrúcháin *pl.* nó *npl.*

An chéad díochlaonadh

Grúpa 1
Ainmfhocail fhirinscneacha a chríochnaíonn ar chonsan caol sa tuiseal ainmneach iolra:

        an t-ábhar   na hábhair
        an bacach   na bacaigh
        an sagart   na sagairt

Samplaí eile:
aerfort, agallamh, aingeal, aistear, amadán, amhrán, anlann, árasán, bád, banc, bord, botún, buicéad, buidéal, captaen, casúr, ceann, ceantar, clár, clog, clúdach, cnoc, corp, costas, cumann, cupán, dall, diabhal, dinnéar, droichead, dualgas, dúshlán, éan, earrach, easpag, eitleán, fear, focal, fómhar, gabhar, gadhar, galar, garsún, gearán, gluaisteán, gort, inneall, iolar, leabhar, mac, marcach, meáchan, mianach, milleán, milliún, milseán, náisiún, naomh, nóiméad, oifigeach, oileán, óstán, othar, páipéar, peann, pictiúr, pinsean, pobal, poll, portach, post, príosún, puball, rásúr, ráiteas, rialtas, rothar, rún, sailéad, saothar, scamall, scannán, scáthán, seaicéad, séasúr, séipéal, simléar, síntiús, sionnach, siosúr, sliotar, stáisiún, stát, suíochán, suipéar, taoiseach, tarbh, teaghlach, teileafón, ticéad, tinneas, tinteán, tionscal, tolg, tórramh, turas, uan, údar, urlár

Grúpa 2
Ainmfhocail fhirinscneacha a chríochnaíonn ar **-a** san ainmneach iolra:

        an ceart   na cearta
        an t-úll   na húlla
        an fiach   na fiacha

Samplaí eile:
barr, bruas, cleas, each, giall, gob, nod, riasc, sábh

Grúpa 3
Ainmfhocail fhirinscneacha a chríochnaíonn ar **-ta** i ngach tuiseal san uimhir iolra:

an dán	na dánta
an lón	na lónta
an síol	na síolta

Samplaí eile:
braon, ceol, cuan, díon, fál, gaol, geall, líon, míol, néal, rian, rón, scéal, seál, seol, srian, stól

Grúpa 4
Ainmfhocail fhirinscneacha a chríochnaíonn ar **-(a)í** i ngach tuiseal san uimhir iolra:

an bealach	na bealaí
an t-éadach	na héadaí
an soitheach	na soithí

Samplaí eile:
árthach, caladh, cladach, cogadh, cuireadh, deireadh, geimhreadh, margadh, mullach, orlach, samhradh, ualach

Grúpa 5
Ainmfhocail fhirinscneacha a chríochnaíonn ar **-anna** i ngach tuiseal san uimhir iolra:

an bás	na básanna
an carr	na carranna

Samplaí eile:
blas, cás, frog, gléas, leigheas, luas, marc, nós, rós, spás, stad, taobh

Iolraí eile sa chéad díochlaonadh
aonach/aontaí, beithíoch/beithígh, boladh/bolaithe, bóthar/bóithre, breitheamh/breithiúna, briathar/briathra, cineál/cineálacha, claíomh/claimhte, cliabh/cléibh, cloigeann/cloigne, craiceann/craicne, cúram/cúraimí, doras/doirse, dorn/doirne, fealsamh/fealsúna, figiúr/figiúirí, gaiscíoch/gaiscígh, glór/glórtha, gníomh/gníomhartha, iasc/éisc, laoch/laochra, leanbh/leanaí, leiceann/leicne, muileann/muilte, ollamh/ollúna, praghas/praghsanna, saghas/saghsanna, smaoineamh/smaointe, solas/soilse, tobar/toibreacha, toradh/torthaí, uasal/uaisle

An dara díochlaonadh

Grúpa 1
Ainmfhocail bhaininscneacha a chríochnaíonn ar **-a** sa tuiseal ainmneach iolra:

an bhaintreach	na baintreacha
an chos	na cosa
an tslat	na slata

Samplaí eile:
aeróg, adharc, amharclann, bábóg, beach, bos, bratach, bréag, brídeog, bróg, cailleach, caor, casóg, cealg, cearc, cearnóg, ciotóg, cláirseach, clann, cloch, cluas, cnámh, críoch, cruach, crúb, cuach, cuileog, curach, dealbh, dealg,

dialann, driseog, duilleog, fáinleog, féasóg, fuinneog, fuiseog, gaoth, géag, gealach, gealt, girseach, lámh, lann, long, lúb, luch, méar, mias, muc, ordóg, pancóg, póg, sceach, scamhóg, scornach, scuab, seamróg, síóg, slat, sméar, speal, spideog, spúnóg, sreang, srón, subh, téad

Grúpa 2
Ainmfhocail bhaininscneacha a chríochnaíonn ar **-í** i ngach tuiseal san uimhir iolra:

an abairt	na habairtí
an liathróid	na liathróidí
an tsochraid	na sochraidí

Samplaí eile:
agóid, aicíd, aimsir, aisling, ascaill, braillín, cáipéis, constaic, contúirt, diallait, eaglais, earráid, feithid, foraois, intinn, iris, lámhainn, léaráid, míorúilt, oifig, óráid, reilig, scríbhinn, seachtain, teoiric, tuairisc, uirlis, úsáid

Grúpa 3
Ainmfhocail bhaininscneacha a chríochnaíonn ar **-(e)anna** i ngach tuiseal san uimhir iolra:

an aois	na haoiseanna
an fhuaim	na fuaimeanna
an fhadhb	na fadhbanna

Samplaí eile:
aidhm, áis, áit, breab, breith, buaic, cailc, caint, cáis, céim, ceird, ceist, cóip, coir, cuairt, cuilt, cúirt, cúis, deis, dóigh, duais, fead, feidhm, feis, léim, luibh, mír, móid, náid, nimh, páirc, páirt, péint, péist, scéim, scoil, scoilt, seift, smig, spuaic, sráid, stailc, treibh, uaigh

Grúpa 4
Ainmfhocail bhaininscneacha a chríochnaíonn ar **-(e)acha** i ngach tuiseal san uimhir iolra:

an charraig	na carraigeacha
an iníon	na hiníonacha
an stoirm	na stoirmeacha

Samplaí eile:
bainis, béic, ceirt, cistin, craobh, feirm, foirm, fréamh, gairm, iall, lánúin, maidin, nead, stiall, uain

Grúpa 5
Ainmfhocail bhaininscneacha a chríochnaíonn ar **-ta** i ngach tuiseal san uimhir iolra:

an bhuíon	na buíonta
an phian	na pianta

Samplaí eile:
bruíon, grian, mian, tonn

Grúpa 6
Ainmfhocail bhaininscneacha a chríochnaíonn ar **-te** i ngach tuiseal san uimhir iolra:

an aill	na haillte
an choill	na coillte

Samplaí eile:
linn, saill, scrín, slinn

Iolraí eile sa dara díochlaonadh
aoir/aortha, caibidil/caibidlí, cill/cealla, coinneal/coinnle, culaith/cultacha, deoir/deora, ealaín/ealaíona, fiacail/
fiacla, foireann/foirne, glúin/glúine, gualainn/guaillí, inis/insí, paidir/paidreacha, roinn/ranna, scian/sceana,
seoid/seoda, sliabh/sléibhte, spéir/spéartha, tír/tíortha, tréith/tréithe, uair/uaireanta, ubh/uibheacha

An tríú díochlaonadh

Grúpa 1
Ainmfhocail atá firinscneach den chuid is mó, a chríochnaíonn ar **-éir, -eoir, -óir** nó **-úir** san uimhir uatha agus
a gcuirtear **-í** leo i ngach tuiseal san uimhir iolra. Is gairmeacha beatha go leor acu:

an búistéir	na búistéirí
an ceoltóir	na ceoltóirí
an dochtúir	na dochtúirí

Samplaí eile:
aisteoir, altóir (baininscneach), bádóir, báicéir, bearbóir, cainteoir, clódóir, cúntóir, doirseoir, éisteoir, fiaclóir,
iarrthóir, moltóir, múinteoir, péintéir, rinceoir, saighdiúir, seanmóir (baininscneach), siopadóir, siúinéir, táilliúir,
úinéir

Grúpa 2
Ainmfhocail fhirinscneacha agus bhaininscneacha a chríochnaíonn ar **-(a)í** i ngach tuiseal san uimhir iolra:

an aidiacht	na haidiachtaí
an ghluaiseacht	na gluaiseachtaí
an íobairt	na híobairtí

Samplaí eile:
beannacht, cáilíocht, comhlacht, cumhacht, dréacht, éacht, éifeacht, iarracht, iasacht, imeacht, impireacht,
íocaíocht, léacht, mallacht, mionn, poblacht, rámh, rás, ríocht, roth, rud

Grúpa 3
Ainmfhocail fhirinscneacha agus bhaininscneacha a chríochnaíonn ar **-anna** i ngach tuiseal san uimhir iolra:

an dath	na dathanna
an leacht	na leachtanna
an sos	na sosanna

Samplaí eile:
acht, am, áth, bior, bladhm, bláth, both, cath, ceacht, cead, cíos, crios, cruth, dream, eas, fáth, guth, loch, locht,
luach, lus, modh, neacht, racht, rang, reacht, scáth, scread, seal, snáth, sruth, taom, tocht, tráth, ucht

Iolraí eile sa tríú díochlaonadh
admháil/admhálacha, anam/anamacha, banríon/banríonacha, barúil/barúlacha, béas/béasa, bliain/blianta,
canáil/canálacha, cion/cionta, cith/ceathanna, conradh/conarthaí, cuid/codanna, dreas/dreasa, droim/dromanna,
éagóir/éagóracha, fíon/fíonta, gamhain/gamhna, gleann/gleannta, greim/greamanna, leann/leannta, onóir/
onóracha, samhail/samhlacha, síleáil/síleálacha, slios/sleasa, tóin/tóineanna

An ceathrú díochlaonadh

Grúpa 1
Ainmfhocail fhirinscneacha a chríochnaíonn ar **-ín** san uimhir uatha agus ar **-í** i ngach tuiseal san uimhir iolra:

an cailín	na cailíní
an féirín	na féiríní
an toitín	na toitíní

Samplaí eile:
báidín, bairín, báisín, builín, caipín, ceirnín, cipín, coinín, crúiscín, dreoilín, fáiscín, gairdín, gríscín, ispín, mirlín, naipcín, nóinín, ribín, rísín, sabhaircín, sicín, silín, slisín

Grúpa 2
Ainmfhocail atá firinscneach den chuid is mó, a chríochnaíonn ar **-a** san uimhir uatha agus ar **-í** i ngach tuiseal san uimhir iolra:

an bata	na bataí
an t-earra	na hearraí
an siopa	na siopaí

Samplaí eile:
anfa, babhta, balla, banaltra (baininscneach), bearna (baininscneach), bosca, cáca, canna, cárta, céachta, céadfa, ceárta (baininscneach), cófra, cónra (baininscneach), cóta, damhsa, dalta, dáta, dráma, eachtra (baininscneach), eala (baininscneach), fána (baininscneach), féasta, fógra, freagra, garda, geata, giota, gúna, gunna, guta, halla, hata, lampa, liosta, madra, mála, mala (baininscneach), masla, mata, mianra, nóta, ola (baininscneach), osna (baininscneach), peata, pionta, píopa, píosa, planda, pláta, póca, pota, práta, prionsa, ráca, ráfla, ráta, rópa, scála, scata, sciorta, seomra, siamsa, slabhra, stábla, stoca, tábla

Grúpa 3
Ainmfhocail fhirinscneacha agus bhaininscneacha a chríochnaíonn ar **-e** san uimhir uatha agus ar **-í** i ngach tuiseal san uimhir iolra:

an béile	na béilí
an t-oráiste	na horáistí
an páiste	na páistí

Samplaí eile:
ailtire, aire, áirse (baininscneach), aiste (baininscneach), aoire, bairille, bríste, buille, ceapaire, céile, cigire, ciste, cleite, cluiche, cnaipe, cócaire, coinne (baininscneach), coiste, coláiste, cuimhne (baininscneach), cuisle (baininscneach), dréimire, dúiche (baininscneach), éide (baininscneach), faiche (baininscneach), fáinne, farraige (baininscneach), fiaile (baininscneach), file, gáire, garáiste, gloine (baininscneach), iascaire, maide, oide, paiste, paróiste, péire, pointe, pónaire (baininscneach), ráithe (baininscneach), rince, rógaire, staighre, taibhse (baininscneach), táille (baininscneach), taoide (baininscneach), tairne, taisme, teachtaire, timire, timpiste (baininscneach), tóirse, tuáille, tubaiste (baininscneach), uisce

Grúpa 4
Ainmfhocail fhirinscneacha agus bhaininscneacha a chríochnaíonn ar **-e** san uimhir uatha agus ar **-te** i ngach tuiseal san uimhir iolra:

an baile	na bailte
an fhéile	na féilte

Samplaí eile:
léine, líne, míle, sloinne, tine, tuile

Grúpa 5
Ainmfhocail fhirinscneacha a chríochnaíonn ar **-(a)í** san uimhir uatha agus ar **-(a)ithe** i ngach tuiseal san uimhir iolra:

an t-ainmhí	na hainmhithe
an gadaí	na gadaithe
an t-oibrí	na hoibrithe

Samplaí eile:
ceannaí, ceardaí, céilí, céimí, cleasaí, Críostaí, eolaí, fostaí, gréasaí, moncaí, ní, rothaí, rúnaí, scéalaí, tiománaí, turcaí

Grúpa 6
Ainmfhocail fhirinscneacha agus bhaininscneacha a chríochnaíonn ar ghuta san uimhir uatha agus a gcuirtear **-nna** leo i ngach tuiseal san uimhir iolra:

an brú	na brúnna
an cú	na cúnna
an glao	na glaonna

Samplaí eile:
ae, bá, bia, bua, ceo, cnó, feá, fia, fleá, fogha, grua, íomhá, má, meá, lao, liú, nia, pá, rogha, sleá, stua, sú, trá, tua

Grúpa 7
Ainmfhocail fhirinscneacha agus bhaininscneacha a gcuirtear **-(e)anna** leo i ngach tuiseal san uimhir iolra:

an bus	na busanna
an pas	na pasanna
an seic	na seiceanna

Samplaí eile:
ceant, cé, cré, gé, plean, ré, seans, snáithe, sonc, sraoth, stop, téacs

Iolraí eile sa cheathrú díochlaonadh
achainí/achainíocha, ainm/ainmneacha, aoi/aíonna, brí/bríonna, bruach/bruacha, cine/ciníocha, claí/claíocha, cneá/cneácha, comhrá/comhráite, contae/contaetha, draoi/draoithe, duine/daoine, easna/easnacha, finné/finnéithe, ga/gathanna, gabha/gaibhne, giorria/giorriacha, gné/gnéithe, gnó/gnóthaí, máistir/máistrí, ministir/ministrí, oíche/oícheanta, reith/reithe, saoi/saoithe, slí/slite, teanga/teangacha, uncail/uncailí

An cúigiú díochlaonadh

Grúpa 1
Ainmfhocail bhaininscneacha a chríochnaíonn ar chonsan caol (**-il**, **-in** nó **-ir**) san uimhir uatha. Leathnaítear an consan caol sin i ngach tuiseal san uimhir iolra agus cuirtear **-acha** leis na hainmfhocail.

an riail	na rialacha
an cháin	na cánacha
an treoir	na treoracha

Samplaí eile:
beoir, céir, coróin, cráin, dair, draein, láir, stiúir, traein, triail

Grúpa 2
Ainmfhocail bhaininscneacha a choimrítear i ngach tuiseal san uimhir iolra agus a gcuirtear **-(e)acha** leo.

an chathair	na cathracha
an eochair	na heochracha
an uimhir	na huimhreacha

Samplaí eile:
ithir, lasair, litir, mainistir

Iolraí eile sa chúigiú díochlaonadh
abhainn/aibhneacha, athair/aithreacha, bráthair/bráithre, cara/cairde, caora/caoirigh, cathaoir/cathaoireacha, comharsa/comharsana, ionga/ingne, lacha/lachain, máthair/máithreacha, monarcha/monarchana, namhaid/naimhde, pearsa/pearsana, siúr/siúracha, teorainn/teorainneacha

Ainmfhocail neamhrialta

bean/mná, bó/ba, dia/déithe, lá/laethanta, leaba/leapacha, mí/míonna, talamh/tailte, teach/tithe

Cleachtadh 2.9

Scríobh foirm iolra na n-ainmfhocal seo. Baineann siad leis an gcéad díochlaonadh nó leis an dara díochlaonadh.

1. an t-inneall   na _____
2. an marcach   na _____
3. an dialann   na _____
4. an fhoraois   na _____
5. an breitheamh   na _____
6. an praghas   na _____
7. an bhaintreach   na _____
8. an tslat   na _____
9. an ticéad   na _____

10. an cleas   na _____
11. an fhiacail   na _____
12. an gníomh   na _____
13. an cogadh   na _____
14. an tseoid   na _____
15. an ubh   na _____
16. an stól   na _____
17. an roinn   na _____
18. an chaibidil   na _____

Cleachtadh 2.10

Scríobh foirm iolra na n-ainmfhocal seo. Baineann siad leis an tríú díochlaonadh, leis an gceathrú díochlaonadh nó leis an gcúigiú díochlaonadh.

1. an rás	na _____	10. an namhaid	na _____
2. an eala	na _____	11. an gnó	na _____
3. an cháin	na _____	12. an traein	na _____
4. an eochair	na _____	13. an t-aoi	na _____
5. an leacht	na _____	14. an rúnaí	na _____
6. an léacht	na _____	15. an tóin	na _____
7. an t-athair	na _____	16. an mhainistir	na _____
8. an contae	na _____	17. an tuile	na _____
9. an léine	na _____	18. an íomhá	na _____

 Cleachtadh 2.11

Scríobh foirm iolra na n-ainmfhocal seo. Baineann siad leis na díochlaontaí éagsúla.

1. an scuab	na _____	10. an pictiúr	na _____
2. an bhratach	na _____	11. an soitheach	na _____
3. an treibh	na _____	12. an téad	na _____
4. an sábh	na _____	13. an cuan	na _____
5. an cháis	na _____	14. an conradh	na _____
6. an mhaidin	na _____	15. an tonn	na _____
7. an chláirseach	na _____	16. an laoch	na _____
8. an chuid	na _____	17. an gabha	na _____
9. an chill	na _____	18. an mhonarcha	na _____

Cleachtadh 2.12

Scríobh foirm iolra na n-ainmfhocal seo. Baineann siad leis na díochlaontaí éagsúla.

1. an t-ollamh	na _____		10. an chistin	na _____
2. an bhainis	na _____		11. an tiománaí	na _____
3. an síol	na _____		12. an fhéile	na _____
4. an scian	na _____		13. an chaora	na _____
5. an dréacht	na _____		14. an ealaín	na _____
6. an chanáil	na _____		15. an roth	na _____
7. an tsíleáil	na _____		16. an tobar	na _____
8. an cúram	na _____		17. an leaba	na _____
9. an sloinne	na _____		18. an claí	na _____

An foclóir a úsáid

Ba cheart go mbeadh cóip agat de phríomhfhoclóir na Gaeilge, *Foclóir Gaeilge–Béarla* le Niall Ó Dónaill, agus go mbainfeá úsáid as *i gcónaí* agus tú ag scríobh na teanga.

Tá sé tábhachtach go mbeadh a fhios agat cé acu firinscneach nó baininscneach atá ainmfhocal agus tú á úsáid san uimhir uatha. Tá an t-eolas seo agus eolas tábhachtach eile le fáil i bhfoclóir Uí Dhónaill.

Abair go bhfuil tú ar tí an focal **clann** a scríobh, go mbeidh an t-alt **an** ag teacht roimhe agus go mbeidh sé sa tuiseal ainmneach. Tá fadhb agat, áfach: níl tú cinnte ar cheart duit séimhiú a chur ar an **c** nó nár cheart. Chun an fhadhb áirithe seo a réiteach, níl le déanamh agat ach an focal a chuardach san fhoclóir thuasluaite.

Seo an t-eolas a thabharfar duit:

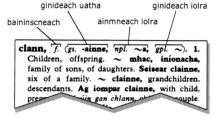

Ós rud é go bhfuil an focal baininscneach agus go bhfuil consan ag a thús, beidh séimhiú i gceist:

> an **ch**lann

Tá a fhios agat chomh maith céard ba cheart a scríobh san ainmneach iolra:

> na clann**a**

Lena chois sin, tá a fhios agat foirm an ainmfhocail sa ghinideach uatha agus iolra:

> athair na clainne (ginideach uatha)
> aithreacha na gclann (ginideach iolra)

Nóta
Ná déan dearmad ar an bpointe tábhachtach seo faoi fhoclóir Uí Dhónaill:

> *f.* = feminine (baininscneach)/*m.* = masculine (firinscneach)

Cleachtadh 2.13

Bain úsáid as an eolas thíos as an bhfoclóir chun na bearnaí a líonadh sa ghreille.

1. bileog
   bileog, *f.* (*gs.* -**oige**, *npl.* ~**a**, *gpl.* ~)

2. seoid
   seoid, *f.* (*gs.* ~**e**, *npl.* -**oda**, *gpl.* -**od**)

3. breitheamh
   breitheamh, *m.* (*gs.* -**thimh**, *pl.* -**thiúna**)

4. oifigeach
   oifigeach, *m.* (*gs. & npl.* -**gigh**, *gpl.* ~)

5. coir
   coir, *f.* (*gs.* ~**e**, *pl.* ~**eanna**)

6. ainmniúchán
   ainmniúchán, *m.* (*gs. & npl.* -**áin**, *gpl.* ~)

	Ainmneach uatha	Ginideach uatha	Ainmneach iolra	Ginideach iolra
bileog	an _____	dath na bile_____	na _____	dath na m_____
seoid	an _____	praghas na s_____	na _____	úinéir na _____
breitheamh	an _____	obair an bh_____	na _____	cruinniú na m_____
oifigeach	an _____	pá an oifig_____	na h_____	obair na n-_____
coir	an _____	tar éis na co_____	na _____	ag plé na g_____
ainmniúchán	an _____	de bharr an a_____	na h_____	de bharr na n-_____

Aonad 3: Réamhfhocail Shimplí

San aonad seo foghlaimeoidh tú faoi na nithe seo:

- réamhfhocail shimplí roimh ainmfhocail dar tús consan

- réamhfhocail shimplí roimh ainmfhocail dar tús guta

Réamhfhocail shimplí roimh ainmfhocail dar tús consan

de, do, faoi, mar, ó, roimh, trí	ag, amhail, as, chuig, chun, dar, go, go dtí, le, murach, os, seachas	ar, gan, idir, thar, um	i
Séimhítear ainmfhocal a leanann iad.	Ní shéimhítear ainmfhocal a leanann iad.	Séimhítear ainmfhocal a leanann iad *cuid den am.*	Uraítear ainmfhocal a leanann é.
Fuair mé grianghraf **de** Shíle sa bhosca.	Bhí an t-airgead **ag** fear an tí.	**Séimhiú** D'iarr mé síob **ar** thuismitheoirí Aoife.	Tá cónaí uirthi **i** gCorcaigh anois.
Thug mé an t-airgead **do** Mhicheál.	**As** Maigh Eo ó dhúchas mé.	Sin leabhar **gan** mhaith.	Chaith sé trí oíche **i** mBaile Átha Cliath.
D'inis sé scéal dom **faoi** thaibhsí.	Chuir mé an bille **chuig** Séamas.	Bhí **idir** chailíní agus bhuachaillí i láthair.	
Bhí sí ag obair ansin **mar** fhreastalaí.	Rachaidh mé leat **go** Corcaigh amárach.	Shiúil sí **thar** theach Shéamais.	
Feicfidh mé tú **roimh** dheireadh na seachtaine.	Abair **le** Máirín go raibh mé ag cur a tuairisce.	Feicfidh mé tú **um** Cháisc.	
	Bhí siad ar fad ansin **seachas** Dónall.	**Gan séimhiú** Bhí siad **ar** meisce aréir.	
		D'fhág sé mé **gan** pingin rua.	
		Stop mé **idir** Doire agus Muineachán.	
		Caitheadh **thar** bord amach iad.	
		Obair an Údaráis **um** Bóithre Náisiúnta.	

Na réamhfhocail shimplí ar, gan, idir, thar, um, i, in, trí

Ar

Leanann séimhiú **ar** nuair is *ionad áirithe* a bhíonn i gceist.

> Bhí an geansaí nua ar Phádraig inniu.
> Bhí sé thuas ar bharr an tí.

Ní leanann séimhiú **ar**:

- nuair is *ionad ginearálta* a bhíonn i gceist: ar muir, ar bord
- nuair a bhíonn staid nó coinníoll i gceist: ar ceal, ar meisce, ar siúl, ar crith
- nuair is am a bhíonn i gceist: ar ball, ar maidin

Gan

Séimhítear ainmfhocail aonair dar tús **b, c, g, m** nó **p** i ndiaidh **gan**.

gan chead, gan mhúineadh

Ní shéimhítear na túschonsain **d, f*, s** ná **t** tar éis **gan**.

gan sos, gan tuairisc

*eisceachtaí: gan fhios, gan fháil

Ní shéimhítear ainmfhocal i ndiaidh **gan** má leanann aidiacht nó fochlásal nó ainm dílis é.

gan phingin
ach
gan pingin rua

gan bhriseadh
ach
gan briseadh ar bith a fháil

gan Máire

Idir

Leanann séimhiú **idir** nuair a bhíonn "araon" (*both*) nó liosta i gceist.

Bhí idir bhuachaillí agus chailíní i láthair.

Ní leanann séimhiú **idir** nuair a bhíonn "eatarthu", spás ná am i gceist.

argóint idir beirt pholaiteoirí
idir Baile Átha Cliath agus Corcaigh
idir meán oíche agus meán lae

Ní shéimhítear ainmfhocal a thagann i ndiaidh **agus** (nó **is**) má thosaíonn sé le **d, s** nó **t**.

idir shúgradh is dáiríre
idir chléir is tuath

Thar

Leanann séimhiú **thar** uaireanta, go háirithe nuair a thagann ainmfhocal dílis nó ainmfhocal cinnte ina dhiaidh.

Shiúil sí thar Pheadar gan labhairt leis.
Rith sé thar fhuinneog an tí.
D'imigh ceann de na clocha thar cheann Thaidhg.

Ní leanann séimhiú **thar** nuair a leanann ainmfhocal éiginnte gan cháiliú é a bhfuil brí ghinearálta leis.

Má bhím ag dul thar bráid, buailfidh mé isteach chugat.
Tá mé ag labhairt thar ceann an choiste anseo anocht.

Um
Is iad na consain a shéimhítear tar éis **um** ná **c**, **d**, **f**, **g**, **s** agus **t**.

> Beidh sí anseo um **th**ráthnóna.
> ach
> an Institiúid um Bainistíocht Uisce agus an Chomhshaoil

I agus in
Scríobhtar **i** roimh chonsan de ghnáth.

> i mBaile Átha Cliath, i gCorcaigh

Úsáidtear an fhoirm **in** roimh ghuta agus roimh theideal leabhair, scannáin, cláir teilifíse, etc.

> Tá sé ina chónaí in Eochaill anois.
> Fuair sí páirt in *Fair City*.

Úsáidtear **in** sna cásanna seo chomh maith:

> in bhur gcónaí
> in dhá pháirt

Baintear úsáid as **in** roimh áitainmneacha thar lear (seachas ainmneacha tíortha) nach bhfuil leagan Gaeilge díobh ann.

> in San Francisco agus in Rennes
> ach
> i mBostún agus i Londain

Trí
Úsáidtear **trí** roimh ainmfhocail agus leis an bhfoirm iolra den alt.

> trí **fh**uinneog an tí
> Rith siad trí na páirceanna.

Úsáidtear **tríd** leis an alt uatha – níl sé ceart é a úsáid leis an alt iolra (**na**).

> Thiomáin mé tríd an mbaile.
> ach
> Thiomáin mé trí na sráideanna.

Na baill bheatha

Úsáidtear **ar** le baill bheatha atá taobh amuigh den chorp.

> Tá gruaig fhada ar Shíle anois.
> Tá cosa an-fhada ar Mháirtín.

An réamhfhocal **ag** a úsáidtear i gcás bhaill inmheánacha an choirp.

> Tá droch-chroí ag Susan.
> Níl radharc na súl go rómhaith ag Caoimhe.
> Tá drochfhiacla ag Dáithí.

Réamhfhocail shimplí roimh ainmfhocail dar tús guta

go, le	ag, amhail, ar, as, chuig, chun, dar, faoi, gan, idir, in, mar, murach, ó, roimh, seachas, trí, um	de, do
Cuirtear **h** roimh ainmfhocail dar tús guta a leanann iad.	Bíonn túsghuta an ainmfhocail lom ina ndiaidh.	Coimrítear na réamhfhocail seo roimh ghuta nó **f** + guta.
Chuaigh sí **go h**Aontroim don deireadh seachtaine. Bhuail mé **le h**Anna ar an tsráid inné.	Ghlaoigh mé **ar** úinéir an árasáin. Ná gabh ansin **gan** airgead. Stop mé uair amháin **idir** Eochaill agus Baile Átha Luain. Tá sí ina cónaí **in** Éirinn le bliain anois.	Thug sí grianghraf **d'**Anna dom. Thug sí cupán tae **d'fhear** an phoist. Tabhair an t-airgead **d'**Éamonn.

Cleachtadh 3.1

Athraigh na focail idir lúibíní más gá.

1. Duine gan (maith) _____ is ea é.

2. Bhí sí ar (deargbhuile) _____ liom.

3. Tá sé ag obair ansin ar (conradh) _____ agus tá árasán ar (cíos) _____ aige in aice láimhe.

4. Murach (Bríd) _____ ní bheadh aon teagmháil aige le daoine.

5. Chuaigh siad go (Albain) _____, agus go (Sasana) _____ ina dhiaidh sin.

6. Is le (Áine) _____ an leabhar sin.

7. Ar mhiste leat na litreacha seo a thabhairt do (Mícheál) _____ agus (do) (Eoin) _____, le do thoil?

8. Bhí idir (páistí) _____ agus (múinteoirí) _____ ansin.

9. Níor cheart é sin a dhéanamh gan (cúis) _____ mhaith.

10. Is páistí gan (múineadh) _____ iad.

11. Bím gnóthach go maith ó (Samhain) _____ go (Aibreán) _____.

12. Beidh mé ar ais roimh (deireadh) _____ mhí na Bealtaine.

13. Bhí gach duine ansin seachas (Máire) _____.

14. Chaith sé tamall (i) (Tiobraid Árann) _____ agus (i) (Eochaill) _____.

15. Stop mé uair amháin idir (Gaillimh) _____ agus (Sligeach) _____.

Cleachtadh 3.2

Athraigh na focail idir lúibíní más gá.

1. Chuir mé an litir chéanna chuig (Eoghan) _____ agus chuig (Diarmuid) _____.

2. Is as (Albain) _____ ó dhúchas í ach tá cónaí uirthi anois i (Doire) _____.

3. Bhí an tUachtarán ansin le fáilte a chur roimh (foireann) _____ rugbaí na hAstráile.

4. Ar chuala tú faoi (Mairéad) _____? Tá sí ag obair mar (bainisteoir) _____ san ollmhargadh nua sin.

5. Táim ag dul go (Eochaill) _____ agus go (Gaillimh) _____ amárach.

6. Tá sé i gceist agam an obair sin a fhágáil faoi (Anna) _____ agus faoi (Mícheál) _____.

7. As (Baile) _____ Átha Cliath ó dhúchas í ach bhog an teaghlach go (Gaillimh) _____ nuair a bhí sí deich mbliana d'aois.

8. Chaith mé tamall ag obair mar (freastalaí) _____ agus ansin mar (amhránaí) _____ le grúpa rac-cheoil sula ndeachaigh mé chun na hollscoile.

9. Bhuail mé le (Máirín) _____ agus le (Úna) _____ ar an tsráid ar maidin.

10. Fuair mé cártaí ó (Dónall) _____ agus ó (Mairéad) _____ inné.

11. Tá mé féin agus Nóirín ag dul chuig (ceolchoirm) _____ i (Béal) _____ Feirste.

12. Tá eagla air roimh (muintir) _____ na háite.

13. Tá thar (mí) _____ caite aici i gConamara.

14. Bhí eagla orm go dtitfeadh sí thar (bord) _____.

15. Tá sí ag obair (i) _____ dhá áit éagsúla.

 Cleachtadh 3.3

Críochnaigh na haistriúcháin trí na bearnaí a líonadh.

1. *Where do you live?*

Cén áit a bhfuil sibh ____ _____ gcónaí?

2. *She told me she was working in Paris.*

Dúirt sí liom go raibh sí ag obair ____ _____.

3. *I spent three years in Texas.*

Chaith mé trí bliana ____ _____.

4. *Don't go there without Peadar.*

Ná téigh ansin gan _____.

5. *He was shaking with the cold and Mairéad had to leave him home.*

Bhí sé ar _____ leis an bhfuacht agus bhí ar _____ é a fhágáil sa bhaile.

6. *She looked through the keyhole.*

D'fhéach sí trí _____ na heochrach.

7. *Are you and Linda the same age?*

An bhfuil tú féin agus Linda ar _____?

8. *He came in without my noticing.*

Tháinig sé isteach i ngan _____ dom.

9. *I asked Siobhán for a favour.*

D'iarr mé gar ar _____.

10. *Ciara has nice eyes.*

Tá súile deasa ____ Ciara.

Aonad 4: Réamhfhocail Shimplí agus an tAlt

San aonad seo foghlaimeoidh tú faoi na nithe seo:

- réamhfhocail shimplí leis an alt uatha

- réamhfhocail shimplí agus an t-alt uatha roimh ainmfhocail dar tús **s**

- réamhfhocail shimplí agus an t-alt uatha i nGaeilge Uladh

- réamhfhocail shimplí leis an alt iolra

Na réamhfhocail agus an t-alt uatha

Seo mar a bhíonn na réamhfhocail leis an alt uatha:

ag an, ar an, as an, chuig an, den, don, faoin, leis an, ón, roimh an, sa(n), thar an, tríd an, um an

Grúpa 1
ag an, ar an, as an, chuig an, faoin, leis an, ón, roimh an, thar an, tríd an

	Na consain b, c, f, g agus p Uraítear iad	Na consain d agus t Ní uraítear iad	Na gutaí (a, e, i, o, u) Ní athraíonn siad
ag an ar an as an chuig an faoin leis an ón roimh an thar an tríd an	ag an mbus ar an gcathaoir as an bPortaingéil chuig an ngarda faoin bhfuinneog leis an ngaoth ón bhfreastalaí roimh an gCáisc thar an mballa tríd an bpáirc	ag an dochtúir ar an túr as an doirteal chuig an timpiste faoin doras leis an trealamh ón deachtóir roimh an tógálaí thar an doras tríd an teach	ag an óstán ar an ollscoil as an Eoraip chuig an urlabhraí faoin uisce leis an úinéir ón aiste roimh an Aoine thar an uisce tríd an ollscoil

Grúpa 2
den, don, sa(n)

	Na consain b, c, f, g, m agus p Séimhítear iad	Na consain d agus t Ní shéimhítear iad	Na gutaí (a, e, i, o, u) agus f + guta Ní athraíonn na gutaí Séimhítear f
den	den mhí	den téarma	den úll
don	don bhainisteoir	don deartháir	don aiste
sa	sa ghairdín	sa taighde	-------------
san (roimh ghutaí agus f + guta)	-------------	-------------	san óstán san fhuinneog

Focail dar tús s

Cuirtear **t** roimh ainmfhocail bhaininscneacha dar tús **s** + guta nó dar tús **sl-, sn-, sr-** i ndiaidh na réamhfhocal thuas.

Firinscneach	*Baininscneach*
ag an sagart	ag an tsiúr
ar an seanfhear	ar an tseanbhean
roimh an samhradh	roimh an tsochraid
sa siopa	sa tSeapáin

Réamhfhocail shimplí agus an t-alt uatha: Gaeilge Uladh

Uimhir uatha

Seo mar a bhíonn na réamhfhocail leis an alt uatha:

ag an, ar an, as an, chuig an, den, don, faoin, leis an, ón, roimh an, sa(n), thar an, tríd an

	Na consain b, c, f, g, m, p Séimhítear iad	Na consain d, t Ní shéimhítear iad	Na gutaí (a, e, i, o, u) Ní athraíonn siad
ag an	ag an bhus	ag an dochtúir	ag an óstán
ar an	ar an chathaoir	ar an túr	ar an ollscoil
as an	as an Phortaingéil	as an doirteal	as an Eoraip
chuig an	chuig an gharda	chuig an timpiste	chuig an urlabhraí
faoin	faoin fhuinneog	faoin doras	faoin uisce
leis an	leis an ghaoth	leis an trealamh	leis an úinéir
ón	ón fhreastalaí	ón deachtóir	ón aiste
roimh an	roimh an Cháisc	roimh an tógálaí	roimh an Aoine
sa*	sa bhaile	sa taighde	------------------
thar an	thar an bhalla	thar an doras	thar an uisce
tríd an	tríd an pháirc	tríd an teach	tríd an ollscoil

*sa
Úsáidtear **san** (seachas **sa**) roimh ghuta agus roimh **f** + guta.

Bhí mé i mo chónaí san Iodáil ar feadh bliana.
Thit sí isteach san uisce.
Luigh mé san fhéar ar feadh tamaill.

Cleachtadh 4.1

Athraigh na focail idir lúibíní más gá.

1. An bhfuil cónaí ort faoin (tuath) _____ nó sa (cathair) _____?

2. Níl mórán áiseanna ansin don (aos óg) _____.

3. Tá sé an-tugtha don (cúlchaint) _____.

4. Réitigh mé go maith leis an (fostaí) _____ eile sa chomhlacht ach ní raibh mé róchairdiúil leis an (bainisteoir) _____.

5. Shuigh sé síos ar an (tolg) _____.

6. Déanann drugaí an-dochar don (sláinte) _____ go fadtéarmach.

7. Bím ag seinm ar an (pianó) _____ agus ar an (giotár) _____.

8. Níl mórán suime agam sa (ceol) _____ traidisiúnta.

9. Tá scornach thinn orm le seachtain – caithfidh mé dul chuig an (dochtúir) _____.

10. Ní raibh mé sa (bialann) _____ sin le fada.

11. D'fhág sí an scoil cúpla mí roimh (an Ardteist) _____.

12. Ar bhuail tú leis an (bean) _____ sin riamh?

13. Bhuail mé léi ar an (traein) _____.

14. Thug sí an t-airgead don (seanfhear) _____.

15. Caithfidh tú labhairt leis an (úinéir) _____.

16. Bhí cuid mhór daoine ar an (sráid) _____ le linn na sochraide.

17. Níl na hóstáin atá sa (ceantar) _____ sin rómhaith.

18. Léim sé thar an (claí) _____.

 Cleachtadh 4.2

Cuir an t-ainmfhocal i ndiaidh an réamhfhocail agus an ailt agus athraigh an t-ainmfhocal más gá.

1. an t-airgead   leis an _____
2. an t-árasán   san _____
3. an sagart   don _____
4. an mheánscoil   ar an _____
5. an t-oifigeach   chuig an _____
6. an chéad bhliain   faoin _____
7. an t-iriseoir   don _____
8. an dráma   ón _____
9. an téarma   roimh an _____
10. an aiste   leis an _____

11. an fhuinneog   san _____
12. an tsúil   sa _____
13. an bóthar   ar an _____
14. an talamh   ar an _____
15. an deartháir   don _____
16. an bhean   chuig an _____
17. an t-uisce   ón _____
18. an ollscoil   ar an _____
19. an bosca   faoin _____
20. an samhradh   roimh an _____

Na réamhfhocail idir agus gan agus an t-alt uatha (gach canúint)

Ní bhíonn aon tionchar ag na réamhfhocail **idir** ná **gan** ar ainmfhocal a bhfuil an t-alt roimhe; is iad na gnáthrialacha a bhaineann le hinscne an ainmfhocail a bhíonn i gceist.

idir	
Firinscneach idir an t-ospidéal agus an t-árasán idir an séipéal agus an garáiste	*Baininscneach* idir an ollscoil agus an mheánscoil idir an tsaotharlann agus an bhialann

gan	
Firinscneach gan an cléireach gan an t-airgead gan an seastán	*Baininscneach* gan an chathaoir gan an íocaíocht gan an tsiamsaíocht

Réamhfhocail shimplí agus an t-alt iolra (gach canúint)

Seo mar a bhíonn na réamhfhocail shimplí leis an alt iolra:

ag na, ar na, as na, chuig na, de na, do na, faoi na, leis na, ó na, roimh na, sna, thar na, trí na, um na

	Consain Ní athraítear iad	Gutaí Cuirtear h rompu
Réamhfhocal + **na**	chuig na bainisteoirí leis na fir	ag na hógánaigh leis na húinéirí

Cleachtadh 4.3

Cuir gach ainmfhocal san uimhir iolra agus athraigh é más gá.

1. imreoir   leis na _____

2. Iodálach   chuig na _____

3. freastalaí   do na _____

4. caora   chuig na _____

5. bialann   sna _____

6. ealaín   faoi na _____

7. fiacail   do na _____

8. ollamh   roimh na _____

9. caibidil   de na _____

10. cathair   trí na _____

11. praghas   faoi na _____

12. éagóir   ar na _____

13. teorainn   thar na _____

14. saghas   leis na _____

15. léacht   roimh na _____

Aonad 5: An tAinmfhocal 2 (An Tuiseal Gairmeach)

San aonad seo foghlaimeoidh tú faoi na nithe seo:

- an tuiseal gairmeach uatha

- ainmfhocail nach n-athraítear sa tuiseal gairmeach uatha

- an tuiseal gairmeach iolra

- ainmneacha fear agus ban sa tuiseal gairmeach

- sloinnte sa tuiseal gairmeach

- sloinnte tar éis an fhocail **Uasal**

An tuiseal gairmeach uatha

Sa chéad díochlaonadh, is ionann foirm don ghairmeach uatha agus don ghinideach uatha.

Tuiseal ginideach uatha	Tuiseal gairmeach uatha
post Shéamais	a Shéamais
cairde a mhic	a mhic

Caolaítear deireadh an ainmfhocail agus séimhítear é nuair is féidir.

a Shéarlais
a Bhriain
a fhir

Sna díochlaontaí eile, is ionann foirm don ghairmeach uatha agus don ainmneach uatha, ach amháin go mbíonn séimhiú i gceist sa ghairmeach uatha.

Tuiseal ainmneach uatha	Tuiseal gairmeach uatha
Bráthair	a Bhráthair
máistreás	a mháistreás

Ainmfhocail nach n-athraítear sa tuiseal gairmeach uatha

Ní dhéantar aon athrú, seachas an túschonsan a shéimhiú, ar an ainmfhocal sa tuiseal gairmeach sna cásanna thíos.

Cnuasainmneacha: a phobal, a choimisiún
Naoimh: a Naomh Pádraig, a Naomh Bríd
Ríthe: a Rí Séarlas, a Rí Séamas
Ainmneacha ceana: a stór, a rún, a Sheosamh Mór
Má tá ginideach cinnte faoi réir aige: a mhac Shíle, a Mhac Dé*

*Tá an fhoirm **a Mhic Dé** coitianta chomh maith.

An tuiseal gairmeach iolra

Lagiolraí
Ainmfhocail a chaolaítear san ainmneach iolra: cuirtear **-a** le foirm an ainmnigh uatha chun an tuiseal gairmeach iolra a chumadh.

Tuiseal ainmneach uatha	Tuiseal ainmneach iolra	Tuiseal gairmeach iolra
fear	fir	a fheara
sagart	sagairt	a shagarta

Lagiolraí a chríochnaíonn ar **-a** san ainmneach iolra: bíonn an fhoirm chéanna acu sa tuiseal gairmeach.

Tuiseal ainmneach iolra	Tuiseal gairmeach iolra
brídeoga	a bhrídeoga

Ainmneacha fear

Tá na hainmneacha fear go léir firinscneach sa Ghaeilge. Baineann an chuid is mó acu a chríochnaíonn ar chonsan leathan leis an gcéad díochlaonadh agus déantar iad a chaolú sa tuiseal gairmeach.

Tuiseal ainmneach	*Tuiseal gairmeach*
Seán	a Sheáin
Cathal	a Chathail

Ainmneacha sa tríú díochlaonadh

An tuiseal ainmneach	*An tuiseal gairmeach*
Críostóir	a Chríostóir
Diarmaid	a Dhiarmaid

Ainmneacha sa cheathrú díochlaonadh

Tuiseal ainmneach	*Tuiseal gairmeach*
Liam	a Liam
Proinsias	a Phroinsias

Ainmneacha ban

Tá na hainmneacha ban go léir baininscneach sa Ghaeilge. Séimhítear iad sa tuiseal gairmeach nuair is féidir – sin an t-aon athrú a dhéantar orthu.

Ainmneacha sa dara díochlaonadh

Tuiseal ainmneach	*Tuiseal gairmeach*
Bríd	a Bhríd
Méabh	a Mhéabh

Ainmneacha sa cheathrú díochlaonadh

Tuiseal ainmneach	*Tuiseal gairmeach*
Clár	a Chlár
Siobhán	a Shiobhán

 Cleachtadh 5.1

Abair go bhfuil tú ag scríobh chuig na daoine thíos. Úsáid an fhoirm cheart de gach ainm.

1. Aogán   a _____

2. Risteard   a _____

3. Cormac   a _____

4. Méabh   a _____

5. Sinéad   a _____

6. Breandán   a _____

7. Uinsionn   a _____

8. Éamonn   a _____

9. Mairéad   a _____

10. Micheál   a _____

Cleachtadh 5.2

Cuir gach ceann de na hainmfhocail seo sa tuiseal gairmeach.

1. Naomh Ciarán   a _____   6. breitheamh   a _____

2. leanbh   a _____   7. bean   a _____

3. Micheál beag   a _____   8. Colm   a _____

4. cathaoirleach   a _____   9. siúr   a _____

5. múinteoir   a _____   10. easpag   a _____

Sloinnte

Mac
Athraíonn **Mac** go **Mhic** sa tuiseal gairmeach.

> *Tuiseal ainmneach*   *Tuiseal gairmeach*
> Liam Mac Mathúna   a Liam Mhic **Mhathúna**

Séimhítear consain tar éis **Mhic**. Ní shéimhítear **c** ná **g**, áfach.

> a Phroinsias Mhic **Dhiarmada**
> ach
> a Sheáin Mhic Cumhaill
> a Risteard Mhic Gabhann

Bean Mhic nó **Mhic** a úsáidtear i gcás mná atá pósta a bhfuil sloinne a fir á úsáid aici. **Nic** an fhoirm a úsáideann mná nach bhfuil pósta nó mná nach n-athraíonn a sloinne tar éis dóibh pósadh. Déantar consain (seachas **c** agus **g**) a shéimhiú tar éis **Mhic** agus **Nic**.

> *Tuiseal ainmneach*   *Tuiseal gairmeach*
> Helena (Bean) Mhic **Mhathúna**   a Helena (Bean) Mhic **Mhathúna**
>   nó a Bhean Mhic **Mhathúna**
>
> Lisa Nic **Mhathúna**   a Lisa Nic **Mhathúna**

Ó
Athraíonn **Ó** go **Uí** sa tuiseal gairmeach agus séimhítear consain tar éis **Uí**.

> *Tuiseal ainmneach*   *Tuiseal gairmeach*
> Tomás Ó Baoill   a Thomáis Uí **Bhaoill**

Bean Uí nó **Uí** a úsáidtear i gcás mná atá pósta a bhfuil sloinne a fir á úsáid aici. **Ní** an fhoirm a úsáideann mná nach bhfuil pósta nó mná nach n-athraíonn a sloinne tar éis dóibh pósadh. Séimhítear consain tar éis **Uí** agus **Ní**.

> *Tuiseal ainmneach*   *Tuiseal gairmeach*
> Nóra (Bean) Uí **Shé**   a Nóra (Bean) Uí **Shé**
>   nó a Bhean Uí **Shé**
>
> Caitríona Ní **Shé**   a Chaitríona Ní **Shé**

Sloinnte a chríochnaíonn ar -nach

Seo iad na foirmeacha éagsúla den sloinne **Breatnach** (*Walsh*):

Tuiseal ainmneach　　　　　　　*Tuiseal gairmeach*
Peadar Breatnach　　　　　　　　a Pheadair **Bhreatn**aigh
Ciara Bhreatnach　　　　　　　　a Chiara **Bh**reatnach
Sinéad (Bean) Bhreatnach　　　　a Shinéad (Bean) **Bh**reatnach
　　　　　　　　　　　　　　　nó a Bhean **Bh**reatnach

Uasal

Ní athraítear sloinne a leanann an focal **Uasal**.

Tuiseal ainmneach　　　　　　*Tuiseal gairmeach*
an tUasal Ó Baoill　　　　　　a Uasail Ó Baoill
an tUasal Séamas Ó Murchú　　a Uasail Séamas Ó Murchú

Cleachtadh 5.3

Abair go bhfuil tú ag scríobh chuig na daoine thíos. Úsáid an fhoirm cheart de gach ainm agus sloinne.

1. Séamas Ó Floinn　　　　　　　　　　　a _____

2. Dónall Mac Maoláin　　　　　　　　　a _____

3. Éamonn Mac Giolla Bhríde　　　　　　a _____

4. Risteard Mac Cárthaigh　　　　　　　a _____

5. An tUasal Ó Donnabháin　　　　　　　a _____

6. An tUasal Mac Suibhne　　　　　　　　a _____

7. Bean atá pósta leis an Uasal Ó Donnabháin　a _____

8. Bean atá pósta leis an Uasal Mac Suibhne　a _____

9. Bean atá pósta leis an Uasal Mac Guidhir　a _____

10. Bean atá pósta leis an Uasal Mac Cárthaigh　a _____

Aonad 6: An tAinmfhocal 3 (An Tuiseal Ginideach)

San aonad seo foghlaimeoidh tú faoi na nithe seo:

- cathain a bhíonn ainmfhocal sa tuiseal ginideach

- na hathruithe a tharlaíonn do thús an ainmfhocail sa ghinideach uatha

- labhairt faoi thréimhsí ama

- an ginideach uatha: deirí

- an tuiseal ginideach iolra

- ainmfhocal cinnte

- aonad brí cinnte

- foirm an ainmnigh in ionad an ghinidigh

- aonad brí ina bhfuil ainmfhocal éiginnte

Ainmfhocail sa tuiseal ginideach

Bíonn ainmfhocal sa tuiseal ginideach nuair a thagann focail áirithe díreach roimhe nó roimh an alt a bhíonn in éineacht leis. I measc na bhfocal seo tá:

(a) ainmfhocail eile	óráid an Aire
	carr Thomáis
(b) réamhfhocail chomhshuite	os comhair an tí
	i rith an tsamhraidh
(c) réamhfhocail áirithe	chun donais
	dála an scéil
	timpeall na páirce
	trasna na spéire
(d) ainmneacha briathartha	ag glanadh an tseomra
	ag cáineadh an mhúinteora
(e) focail a chuireann cainníocht (*quantity*) ghinearálta in iúl	a lán airgid
	níos mó eolais

 Cleachtadh 6.1

Scríobh síos trí shampla nua den ghinideach (cosúil leis na cinn thuas) os comhair (a) go (e) thíos.

(a) ainmfhocal + ainmfhocal	1.
	2.
	3.
(b) réamhfhocal comhshuite + ainmfhocal	1.
	2.
	3.
(c) réamhfhocail áirithe + ainmfhocal	1.
	2.
	3.
(d) ainm briathartha + ainmfhocal	1.
	2.
	3.
(e) focal a chuireann cainníocht ghinearálta in iúl + ainmfhocal	1.
	2.
	3.

An tuiseal ginideach uimhir uatha: tús an ainmfhocail

Tá na hathruithe a tharlaíonn do thús an ainmfhocail sa tuiseal ginideach léirithe thíos. Mura mbíonn tú cinnte faoi dheireadh an fhocail, féach in *Foclóir Gaeilge–Béarla* Néill Uí Dhónaill.

Tabhair faoi deara go bhfuil ginideach gach focail thíos tugtha *leis* an alt agus *gan* an t-alt:

iriseoir	pá iriseora
an t-iriseoir	pá an iriseora

Ainmfhocail fhirinscneacha

	An tuiseal ainmneach	An tuiseal ginideach
(a) Ainmfhocail dar tús guta	iriseoir an t-iriseoir	pá iriseora pá an iriseora
(b) Ainmfhocail dar tús consan	bainisteoir an bainisteoir	carr bainisteora carr an bhainisteora
(c) Ainmfhocail dar tús s	saoririseoir an saoririseoir	post saoririseora post an tsaoririseora
(d) Ainmfhocail dar tús d nó t	duine an duine	cearta duine cearta an duine
	taispeántas an taispeántas	ag moladh taispeántais ag moladh an taispeántais

Ainmfhocail bhaininscneacha

	An tuiseal ainmneach	An tuiseal ginideach
(a) Ainmfhocail dar tús guta	iris an iris	ainm irise ainm na hirise
(b) Ainmfhocail dar tús consan	bileog an bhileog	dath bileoige dath na bileoige
(c) Ainmfhocail dar tús s	sráid an tsráid	ag bun sráide ag bun na sráide
(d) Ainmfhocail dar tús d nó t	dánlann an dánlann	oibrithe dánlainne oibrithe na dánlainne
	taithí an taithí	de bharr taithí de bharr na taithí

Cleachtadh 6.2

Déan na nithe seo a leanas le gach ceann de na hainmfhocail thíos:

(a) *cuir an t-alt roimhe (féach ar leathanach 49 mura bhfuil tú cinnte faoi na rialacha)*

(b) *cuir sa tuiseal ginideach é (tá deireadh gach ainmfhocail sa ghinideach tugtha sa chéad cholún).*

Tá an chéad cheann déanta le cuidiú leat.

	Cuir an t-alt roimhe	Cuir sa ghinideach é
1. amhrán (fir.) Ginideach uatha: **-áin**	an t-amhrán	focail an amhráin
2. bord (fir.) Ginideach uatha: **-oird**	_____	dath _____
3. saotharlann (bain.) Ginideach uatha: **-ainne**	_____	oibrithe _____
4. brídeog (bain.) Ginideach uatha: **-eoige**	_____	culaith _____
5. dúshlán (fir.) Ginideach uatha: **-áin**	_____	ag tabhairt _____
6. canúint (bain.) Ginideach uatha: **-úna**	_____	tréithe _____
7. filíocht (bain.) Ginideach uatha: **~a**	_____	fiúntas _____
8. ceistneoir (fir.) Ginideach uatha: **-eora**	_____	ag líonadh _____
9. ceist (bain.) Ginideach uatha: **~e**	_____	freagra _____
10. bagairt (bain.) Ginideach uatha: **-artha**	_____	de bharr _____
11. samhradh (fir.) Ginideach uatha: **-aidh**	_____	i rith _____
12. tréimhse (bain.) Ginideach uatha: **~**	_____	tar éis _____
13. árasán (fir.) Ginideach uatha: **-áin**	_____	doras _____
14. ollmhargadh (fir.) Ginideach uatha: **-aidh**	_____	oibrithe _____
15. sochraid (bain.) Ginideach uatha: **~e**	_____	de bharr _____
16. peil (bain.) Ginideach uatha: **~e**	_____	rialacha _____

Cleachtadh 6.3

Cuir na hainmfhocail thíos sa ghinideach. I gcás gach focail, fiafraigh díot féin cé acu ceann de na hainmfhocail ar leathanach 49 thuas a bhfuil sé cosúil leis.

Sampla 1
in aice (an fharraige)
Is é **bileog** an focal ar leathanach 49 a bhfuil **farraige** cosúil leis mar go bhfuil sé baininscneach agus go bhfuil consan ag a thús.
Tarlóidh an rud céanna don alt agus do thús an fhocail sa ghinideach, mar sin.

an **bh**ileog	dath **na** bileoige
an **fh**arraige	in aice **na** farraige

Sampla 2
míbhuntáistí (an t-ábhar)
Is é **iriseoir** an focal ar leathanach 49 a bhfuil **ábhar** cosúil leis mar go bhfuil sé firinscneach agus go bhfuil guta ag a thús.
Tarlóidh an rud céanna don alt agus do thús an fhocail sa ghinideach, mar sin.

an **t**-iriseoir	pá an iriseora
an **t**-ábhar	míbhuntáistí an ábhair

1. an abhainn (bain.)   Ginideach uatha: **-ann**   ar bhruach _____

2. an t-athair (fir.)   Ginideach uatha: **-ar**   bás _____

3. an mháthair (bain.)   Ginideach uatha: **-ar**   carr _____

4. an chéim (bain.)   Ginideach uatha: **~e**   tar éis _____

5. an ollscoil (bain.)   Ginideach uatha: **~e**   mic léinn _____

6. an mac léinn (fir.)   Ginideach uatha: **mic**   saol _____

7. an dán (fir.)   Ginideach uatha: **-áin**   údar _____

8. an amharclann (bain.)   Ginideach uatha: **-ainne**   eochracha _____

9. an sráidbhaile (fir.)   Ginideach uatha: **~**   ar imeall _____

10. an oifig (bain.)   Ginideach uatha: **~e**   in aice _____

11. an abairt (bain.)   Ginideach uatha: **~e**   deireadh _____

12. an bháisteach (bain.)   Ginideach uatha: **-tí**   tar éis _____

13. an fhadhb (bain.)   Ginideach uatha: **-aidhbe**   réiteach _____

14. an bhialann (bain.)   Ginideach uatha: **-ainne**   doras _____

15. an mhaidin (bain.)   Ginideach uatha: **~e**   nuacht _____

16. an séipéal (fir.)   Ginideach uatha: **-éil**   ar chúl _____

17. an conradh (fir.)   Ginideach uatha: **-nartha**   roimh dheireadh _____

18. an traein (bain.)   Ginideach uatha: **-aenach**   doras _____

19. an chaibidil (bain.)   Ginideach uatha: **-dle**   deireadh _____

20. an aiste (bain.)   Ginideach uatha: **~**   teideal _____

Cleachtadh 6.4

*Cuir na focail seo sa ghinideach. Tabhair faoi deara nach bhfuil an t-alt **an** i gceist an t-am seo.*

Níl an ginideach tugtha, mar sin beidh ort aon ghinideach nach mbeidh tú cinnte faoi a lorg in Foclóir Gaeilge–Béarla Néill Uí Dhónaill.

1. doras (seanteampall) _____
2. easpa (treoir) _____
3. ag déanamh (éacht) _____
4. a lán (Fraincis) _____
5. tinneas (scornach) _____
6. ord (aibítir) _____
7. fear (cathair) _____
8. cos (cathaoir) _____
9. grá (máthair) _____
10. tiarna (talamh) _____
11. ag lorg (múinteoir) _____
12. mo chuid (gramadach) _____
13. páipéar (scrúdú) _____
14. méadú (pinsean) _____
15. tuarastal (oifigeach) _____

Cleachtadh 6.5

Cuir Gaeilge ar na nithe seo thíos. Cuardaigh aon ghinideach nach mbeidh tú cinnte faoi in Foclóir Gaeilge–Béarla Néill Uí Dhónaill.

1. *the top of the page* _____
2. *the candidate's votes* _____
3. *the peace process* _____
4. *the members of the committee* _____
5. *the driver's seat* _____
6. *the fishing industry* _____
7. *the office door* _____
8. *a pint of beer* _____
9. *after the conference* _____
10. *a sailing boat* _____

An dóigh le labhairt faoi thréimhsí ama

Ar feadh (an t-am atá caite)

Úsáidtear **ar feadh** le labhairt faoi thréimhse ama san am a chuaigh thart atá críochnaithe anois. Nuair a leanann ainmfhocal aonair **ar feadh**, bíonn sé sa tuiseal ginideach.

seachtain	Bhí mé ann ar feadh seachtaine.
coicís	Bhí sé i Meiriceá ar feadh coicíse.
mí	Bhí sí sa bhaile ar feadh míosa.

Ar feadh (an t-am atá le teacht)

Úsáidtear **ar feadh** chun tagairt don am atá le teacht chomh maith.

Beidh an fhéile ar siúl ar feadh coicíse.
Beidh siad san Astráil ar feadh míosa.

I gceann/faoi cheann/go ceann

Úsáidtear **i gceann** nó **faoi cheann** nuair a bhítear ag tagairt do rud éigin a thitfidh amach i ndeireadh tréimhse ama ón am i láthair go dtí am éigin cinnte sa todhchaí.

Feicfidh mé tú i gceann cúpla lá.
Beidh sí anseo arís faoi cheann seachtaine.

Úsáidtear **go ceann** nuair a bhítear ag tagairt do thréimhse is gá a ghabháil thart sula dtarlóidh rud éigin.

Ní bheidh sé anseo go ceann seachtaine.

Le

Úsáidtear **le** chun tagairt do thréimhse ama nach bhfuil críochnaithe fós.

Tá mé anseo le ceithre lá anois, i.e. tá mé anseo fós.
Tá mé i mo chónaí i bPort Láirge le deich mbliana anois, i.e. tá mé fós i mo chónaí ansin.

Úsáidtear **le** uaireanta chomh maith, áfach, chun tagairt do thréimhse ama atá caite.

Faoin mbliain 2005, bhí siad ina gcónaí sa Spáinn le deich mbliana.

Nóta breise

Nuair a leanann uimhir agus ainmfhocal **ar feadh, i gceann, faoi cheann** nó **go ceann**, ní bhíonn an tuiseal ginideach i gceist.

mí	ar feadh míosa
ach	
trí mhí	ar feadh trí mhí

An tuiseal ginideach uimhir uatha: deireadh an ainmfhocail

I bhfoclóir Néill Uí Dhónaill, *Foclóir Gaeilge–Béarla*, tá ginideach uatha gach ainmfhocail le fáil in aice leis an ngiorrúchán *gs*. Seo thíos treoir maidir le cumadh an ghinidigh.

Ainmfhocail fhirinscneacha

(a) Caolaítear consan leathan ag deireadh roinnt de na hainmfhocail fhirinscneacha.

an t-amhrán	deireadh an amhráin

(b) Athraítear -**each** go -**igh** agus -**ach** go -**aigh**.

an cléireach	obair an chléirigh
an t-earrach	tús an earraigh

(c) Athraítear -**eadh** go -**idh**, agus -**adh** go -**aidh**.

an geimhreadh	ag deireadh an gheimhridh
an cogadh	tar éis an chogaidh

(d) Cuirtear -**a** le roinnt ainmfhocal firinscneach a chríochnaíonn ar chonsan leathan.

fíon	buidéal fíona
snámh	linn snámha

(e) Leathnaítear ainmfhocail a bhaineann le poist agus a chríochnaíonn ar -**ir** agus cuirtear -**a** leo.

fiaclóir	pá fiaclóra
an múinteoir	ceartúchán an mhúinteora

(f) Ní athraítear deireadh ainmfhocal a chríochnaíonn ar -**ín** ná ar ghuta.

an cailín	cairde an chailín
an bia	blas an bhia

Ainmfhocail bhaininscneacha

(a) Cuirtear -**e** le hainmfhocail bhaininscneacha áirithe a chríochnaíonn ar chonsan caol.

eaglais	doras eaglaise
an tseachtain	ag deireadh na seachtaine

(b) Caolaítear an consan deiridh i gcás cuid de na hainmfhocail bhaininscneacha agus cuirtear -**e** leo.

an fhuinneog	in aice na fuinneoige

(c) Athraíonn -**each** go -**í** agus -**ach** go -**aí**.

an bhaintreach	pinsean na baintrí
an ghealach	solas na gealaí

(d) Cuirtear -**a** le hainmfhocail a bhfuil níos mó ná siolla amháin iontu agus a chríochnaíonn ar -**eacht**, -**acht**, -**íocht** nó -**aíocht**.

an ghluaiseacht	baill na gluaiseachta
iarracht	ag déanamh iarrachta

an cháilíocht   ag fáil na cáilíochta
an íocaíocht   ag lorg na híocaíochta

(e) Leathnaítear an consan deiridh i gcás cuid de na hainmfhocail bhaininscneacha a bhfuil siolla amháin iontu agus cuirtear -**ach** leis.

cáin   foirmeacha cánach
traein   stáisiún traenach
beoir   pionta beorach

(f) Coimrítear roinnt ainmfhocal baininscneach a bhfuil níos mó ná siolla amháin iontu agus cuirtear -**each** nó -**ach** leo.

litir   clúdach litreach
an eochair   poll na heochrach

(g) Cuid de na hainmfhocail a chríochnaíonn ar ghuta, ní athraítear iad.

an trá   bóthar na trá
an íomhá   ag forbairt na híomhá

(h) Cuirtear -**n** le hainmfhocail eile a chríochnaíonn ar ghuta.

an chomharsa   teach na comharsan
an mhonarcha   geataí na monarchan

 Cleachtadh 6.6

Cuir na hainmfhocail seo sa ghinideach.

1. an t-ualach   ag iompar _____

2. an chláirseach   ceol _____

3. an impireacht   saighdiúirí _____

4. an triail   i lár _____

5. an ceirnín   lipéad _____

6. an bheoir   blas _____

7. an clódóir   praghsanna _____

8. an seaicéad   dath _____

9. an earráid   de bharr _____

10. an fháinleog   ceol _____

11. an fíon   praghas _____

12. an aisling   fíorú _____

13. an soitheach   captaen _____

14. an ghluaiseacht   aidhmeanna _____

15. an siúinéir   cuid uirlisí _____

Cleachtadh 6.7

Cuir Gaeilge ar na habairtí seo.

1. *I was in Spain for a week.* _____

2. *I'll see you in month's time.* _____

3. *I'll see her in six months' time.* _____

4. *I've been here for a week now.* _____

5. *He'll be here for a fortnight.* _____

6. *She'll be back in a year's time.* _____

 Cleachtadh 6.8

Athraigh na focail idir lúibíní más gá.

1. Beidh sí ar ais i gceann (ceithre) (mí) _____.

2. Feicfidh mé tú i gceann (mí) _____.

3. Bhí mé sa Fhrainc ar feadh (seachtain) _____.

4. Bhí sí tinn ar feadh (sé seachtaine) _____.

5. Beidh siad ag obair sa Ghaeltacht ar feadh (mí) _____.

6. Tá sí sa bhaile le (coicís) anuas _____.

 Cleachtadh 6.9

I gcás gach ceann de na nithe seo thíos, cum dhá abairt lena bhrí a léiriú.

(a) ar feadh   1. _____

                 2. _____

(b) i gceann   1. _____

                 2. _____

(c) le   1. _____

                 2. _____

An tuiseal ginideach uimhir iolra

Chonaiceamar in Aonad 2 go bhfuil dhá chineál iolra ag ainmfhocail na Gaeilge, mar atá, lagiolra agus tréaniolra.

Lagiolraí
Deirtear go bhfuil lagiolra ag ainmfhocal:
(a) má chríochnaíonn an tuiseal ainmneach iolra ar chonsan caol
nó
(b) má chuirtear -a leis an tuiseal ainmneach uatha chun an tuiseal ainmneach iolra a chumadh.

Bíonn an fhoirm chéanna i gceist sa tuiseal ginideach iolra agus sa tuiseal ainmneach uatha i gcás ainmfhocal a bhfuil lagiolra acu.

Tuiseal ainmneach uatha	*Tuiseal ainmneach iolra*	*Tuiseal ginideach iolra*
ball	baill	ball
dualgas	dualgais	dualgas
cléireach	cléirigh	cléireach
bileog	bileoga	bileog

Tréaniolraí
Bíonn an fhoirm chéanna i gceist i ngach tuiseal san uimhir iolra i gcás ainmfhocal a bhfuil tréaniolra acu.

Tuiseal ainmneach uatha	*Tuiseal ainmneach iolra*	*Tuiseal ginideach iolra*
dlí	dlíthe	dlíthe
institiúid	institiúidí	institiúidí
tuarascáil	tuarascálacha	tuarascálacha
tír	tíortha	tíortha

Urú
Bíonn urú ar an ainmfhocal nuair a thagann an t-alt **na** roimhe sa tuiseal ginideach iolra.

na bileoga	ag seoladh na **m**bileog
na hinstitiúidí	baill na **n**-institiúidí
na tuarascálacha	foilsiú na **d**tuarascálacha

Nuair a uraítear guta ar litir chás íochtair é sa ghinideach iolra, cuirtear fleiscín idir **n** agus an guta. Nuair a uraítear guta ar ceannlitir é, áfach, ní scríobhtar fleiscín.

na hairteagail	ag dréachtú na **n**-airteagal
na hiriseoirí	ionadaí na **n**-iriseoirí
ach	
na hIodálaigh	ionadaithe na **n**Iodálach
na hIniúchóirí	obair na **n**Iniúchóirí

Cleachtadh 6.10

Tugtar uimhir uatha agus uimhir iolra thíos i gcás gach ainmfhocail. Cuir in iúl cé acu lagiolra nó tréaniolra atá i gceist i gcás gach iolra.

1. comhdháil	comhdhálacha	lagiolra ☐	tréaniolra ☐
2. réiteach	réitigh	lagiolra ☐	tréaniolra ☐
3. gníomhaíocht	gníomhaíochtaí	lagiolra ☐	tréaniolra ☐
4. coimisiún	coimisiúin	lagiolra ☐	tréaniolra ☐
5. buiséad	buiséid	lagiolra ☐	tréaniolra ☐
6. cathaoirleach	cathaoirligh	lagiolra ☐	tréaniolra ☐
7. caibidil	caibidlí	lagiolra ☐	tréaniolra ☐
8. Francach	Francaigh	lagiolra ☐	tréaniolra ☐
9. oibleagáid	oibleagáidí	lagiolra ☐	tréaniolra ☐
10. gealltanas	gealltanais	lagiolra ☐	tréaniolra ☐
11. sráid	sráideanna	lagiolra ☐	tréaniolra ☐
12. agóid	agóidí	lagiolra ☐	tréaniolra ☐
13. baintreach	baintreacha	lagiolra ☐	tréaniolra ☐
14. acht	achtanna	lagiolra ☐	tréaniolra ☐
15. riachtanas	riachtanais	lagiolra ☐	tréaniolra ☐

 Cleachtadh 6.11

Cuir na hainmfhocail chéanna sa tuiseal ginideach iolra.

1. na comhdhálacha   le linn na _____
2. na réitigh   ag moladh na _____
3. na gníomhaíochtaí   ag comhordú na _____
4. na coimisiúin   obair na _____
5. na buiséid   ag socrú na _____
6. na cathaoirligh   ceapadh na _____
7. na caibidlí   ag léamh na _____
8. na Francaigh   ceannairí na _____
9. na hoibleagáidí   ag comhlíonadh na _____
10. gealltanais   a lán _____
11. na sráideanna   ag siúl na _____
12. na hagóidí   tar éis na _____
13. na baintreacha   pinsean na _____
14. na hachtanna   ag plé na _____
15. riachtanais   a chuid _____

Cleachtadh 6.12

Cuir gach ainmfhocal sa tuiseal ginideach iolra.

1. an ballstát   deacrachtaí na _____

2. an tAire   óráidí na _____

3. an t-údarás   baill na _____

4. an cinneadh   ag plé na _____

5. an bhialann   oibrithe na _____

6. an t-iarratas   ag dréachtú na _____

7. an dualgas   ag comhlíonadh na _____

8. an Portaingéalach   vótaí na _____

9. an fhreagracht   ag diúltú na _____

10. an páirtí   cinneadh na _____

11. an dán   ag cumadh na _____

12. an t-ábhar   ag liostú na _____

13. an seandálaí   obair na _____

14. an teorainn   trasna na _____

15. an teachtaireacht   ag seoladh na _____

Ainmfhocal cinnte

Is é is ainmfhocal cinnte ann:

(a) ainm duine áirithe nó áite áirithe, e.g. Bríd, Béal Feirste;

(b) ainmfhocal a bhfuil an t-alt roimhe, e.g. an cailín, an múinteoir;

(c) ainmfhocal a bhfuil aidiacht shealbhach roimhe, e.g. mo dheartháir, a n-uncail;

(d) ainmfhocal a bhfuil **gach** roimhe, e.g. gach buachaill;

(e) ainmfhocal a bhfuil ainmfhocal cinnte ag teacht ina dhiaidh, e.g. teach an tsagairt;

(f) ainmfhocal a bhfuil uimhir nó litir ag teacht ina dhiaidh, e.g. Alt III, mír a seacht, Dalta B;

(g) ainm míosa, e.g. Eanáir, Bealtaine;

(h) ainm eagraíochta, comhlachta nó cuideachta, e.g. Comhluadar, Gaelchultúr.

Séimhítear ainm duine áirithe nó áite áirithe nuair atá sé á cháiliú ag ainmfhocal eile, e.g. muintir **Bhéal** Feirste, cairde **Shéamais**.

Séimhítear ainm duine áirithe nó áite áirithe freisin i ndiaidh réamhfhocail chomhshuite agus i ndiaidh ainm bhriathartha, e.g. in aice **Sheáin**, ar imeall **Bhaile** Átha Cliath, ag cáineadh **Mháire**.

Nuair a bhíonn ainmfhocal cinnte sa ghinideach deirtear gur ginideach cinnte é an ginideach sin.

Nóta
Na hainmfhocail go léir nach ainmfhocail chinnte iad, is ainmfhocail éiginnte iad.

Aonad brí cinnte

Is éard is aonad brí cinnte ann ná aonad brí a bhfuil ainmfhocal cinnte ag a dheireadh.

> cathair Chorcaí
> mír a trí
> clós na scoile
> mac Sheáin

Bíonn ainmfhocal a thagann ag deireadh aonad brí cinnte sa ghinideach.

Foirm an ainmnigh in ionad an ghinidigh

Nuair a leanann aonad brí cinnte (a) ainmfhocal, (b) réamhfhocal comhshuite, (c) ceann de na réamhfhocail **chun**, **dála**, **timpeall** nó **trasna** nó (d) ainm briathartha, séimhítear gach ainmfhocal a thagann roimh an gceann deireanach.

> (a) muintir **chathair** Chorcaí
> (b) in ionad **mhír** a trí
> (c) timpeall **chlós** na scoile
> (d) ag plé **fhadhbanna mhac** Sheáin

"Foirm an ainmnigh in ionad an ghinidigh" a thugtar ar an riail seo.

Cleachtadh 6.13

Cuir in iúl cé acu a bhfuil aonad brí cinnte le fáil sna samplaí thíos nó nach bhfuil.

1. bainisteoir sainchúrsaí teanga   Tá ☐   Níl ☐

2. ag moladh fhoireann Chill Dara   Tá ☐   Níl ☐

3. le linn bhainis a dheirféar   Tá ☐   Níl ☐

4. ag ól cupán tae   Tá ☐   Níl ☐

5. tiománaí bhus a deich   Tá ☐   Níl ☐

6. i dtaobh cúrsaí iompair   Tá ☐   Níl ☐

Aonad brí éiginnte taobh istigh d'aonad brí cinnte

Nuair a bhíonn ainmfhocal éiginnte (i.e. ainmfhocal nach bhfuil an t-alt **an** roimhe) faoi réir ag ainmfhocal eile agus iad mar aonad brí iontu féin taobh istigh d'aonad brí cinnte, ní bhíonn séimhiú ar an ainmfhocal éiginnte sin go hiondúil. Bíonn sé sa ghinideach, áfach, de bhrí go bhfuil sé faoi réir ag ainmfhocal eile.

Sampla 1:
de bharr + fadhbanna **sláinte** + mac + Séamas
de bharr fhadhbanna **sláinte m**hac Shéamais

- Tá aonad brí cinnte i gceist anseo de bhrí go bhfuil ainmfhocal cinnte (ainm duine áirithe, **Séamas**) ag an deireadh.
- Tá an t-ainmfhocal cinnte, **Séamas**, sa ghinideach de bhrí go bhfuil sé faoi réir ag an ainmfhocal **mac**.
- Is gá séimhiú a chur ar ainmfhocal ar bith atá idir **de bharr** agus an t-ainmfhocal cinnte, agus ní mór dó bheith sa tuiseal ainmneach seachas sa tuiseal ginideach.
- Níl séimhiú ar an ainmfhocal **sláinte**, áfach, de bhrí go bhfuil sé mar chuid d'aonad brí éiginnte agus go bhfuil sé faoi réir ag an ainmfhocal **fadhb** (agus sa ghinideach, mar sin).

Sampla 2:
ag plé + deacrachtaí **foghlama** + páistí + mo dhearthráir
ag plé **d**heacrachtaí **foghlama p**háistí mo dhearthár

- Tá aonad brí cinnte i gceist anseo de bhrí go bhfuil ainmfhocal cinnte (ainmfhocal agus aidiacht shealbhach roimhe) ag an deireadh.
- Tá an t-ainmfhocal cinnte, **dearthráir**, sa ghinideach de bhrí go bhfuil sé faoi réir ag an ainmfhocal **páiste**.
- Is gá séimhiú a chur ar ainmfhocal ar bith atá idir **ag plé** agus an t-ainmfhocal cinnte agus ní mór dó bheith sa tuiseal ainmneach seachas sa tuiseal ginideach.
- Níl séimhiú ar an ainmfhocal **foghlaim**, áfach, de bhrí go bhfuil sé mar chuid d'aonad brí éiginnte agus go bhfuil sé faoi réir ag an ainmfhocal **deacracht** (agus sa ghinideach, mar sin).

Nóta
Nuair a chríochnaíonn an chéad ainmfhocal san aonad brí éiginnte ar chonsan caol san uimhir iolra, is iad na gnáthrialacha a bhaineann le hainmfhocal iolra + ainmfhocal a bhíonn i gceist.

Sampla:
ag moladh + fir **shlándála** + coláiste + an ceantar
ag moladh **f**hir **shlándála c**holáiste an cheantair

- Tá aonad brí cinnte i gceist anseo de bhrí go bhfuil ainmfhocal cinnte (ainmfhocal agus an t-alt **an** roimhe) ag an deireadh.
- Tá an t-ainmfhocal cinnte, **ceantar**, sa ghinideach de bhrí go bhfuil sé faoi réir ag an ainmfhocal **coláiste**.
- Is gá séimhiú a chur ar ainmfhocal ar bith atá idir **ag moladh** agus an t-ainmfhocal cinnte agus ní mór dó bheith sa tuiseal ainmneach seachas sa tuiseal ginideach.
- An fáth a bhfuil séimhiú ar an ainmfhocal **slándáil** thuas ná de bhrí go bhfuil ainmfhocal iolra dar críoch consan caol (**-ir**) ag teacht roimhe.

Aidiacht taobh istigh d'aonad brí cinnte

Ní bhaineann an riail "foirm an ainmnigh in ionad an ghinidigh" le haidiacht a bhíonn ag cáiliú ainmfhocail atá mar chuid d'aonad brí cinnte; is iad na gnáthrialacha a bhaineann le hainmfhocal + aidiacht a bhíonn i gceist.

Samplaí:
clár **deireanach**
tar éis chlár **deireanach** na sraithe

modúil **dheacra**
leabharliosta mhodúil **dheacra** an chúrsa

tuarascáil **bhliantúil**   fiontraithe **dúchasacha**
ag léamh thuarascáil **bhliantúil** na cuideachta   fadhbanna fhiontraithe **dúchasacha** an cheantair

 Cleachtadh 6.14

Bain amach na lúibíní agus athraigh na focail más gá.

1. *the Kildare team's players*
imreoirí (foireann) (Cill Dara)

_____

2. *praising Peadar's clever son*
ag moladh (mac) (cliste) (Peadar)

_____

3. *the parish priest of Carrick*
sagart (paróiste) (an Charraig)

_____

4. *the priest of Carrick parish*
sagart (paróiste) (an Charraig)

_____

5. *washing the director's red car*
ag ní (carr) (dearg) (an stiúrthóir)

_____

6. *after the conference's formal events*
tar éis imeachtaí (foirmiúil) (an chomhdháil)

_____

7. *the airport police's training course*
cúrsa (traenáil) (póilíní) (an t-aerfort)

_____

8. *the airport's police station*
stáisiún (póilíní) (an t-aerfort)

_____

9. *the publishing of the committee's final report*
foilsiú (tuarascáil) (deireanach) (an coiste)

_____

10. *discussing the court's controversial decisions*
ag plé (cinntí) (conspóideach) (an chúirt)

_____

11. *the locals' employment opportunities*
deiseanna (fostaíocht) (bunadh) (an áit)

_____

12. *the standard of Irish of the Department's undergraduates*
caighdeán (Gaeilge) (fochéimithe) (an Roinn)

_____

13. *after the formal launch of the town's annual festival*
tar éis (seoladh) (foirmiúil) (féile) (bliantúil) (an baile)

_____

14. *despite my family's kind help*
in ainneoin (cúnamh) (cineálta) (mo) (teaghlach)

_____

15. *because of my friends' generous support*
de bharr (tacaíocht) (fial) (mo) (cairde)

_____

16. *during the last battle of the war*
le linn (cath) (deireanach) (an cogadh)

_____

17. *during the last weeks of the course*
i rith (seachtainí) (deireanach) (an cúrsa)

_____

18. *Ministers for foreign affairs of the member states of the Council*
Airí (gnóthaí) (eachtrach) (ballstáit) (an Chomhairle)

_____

19. *the European Parliament's temporary workers*
oibrithe (sealadach) (Parlaimint na hEorpa)

_____

20. *despite the bank's big technical problems*
in ainneoin (fadhbanna) (mór) (teicniúil) (an banc)

_____

Ainm briathartha/focal gníomhaíochta

Nuair is ainm briathartha nó focal gníomhaíochta an chéad fhocal in aonad brí éiginnte, bíonn an t-ainm briathartha nó an focal gníomhaíochta sin sa ghinideach nuair a chuirtear ainmfhocal eile roimhe.

próiseáil éisc	comhlacht próiseála éisc (*fish-processing company*)
forbairt tuaithe	coiste forbartha tuaithe (*rural development committee*)
bainistíocht sonraí	córas bainistíochta sonraí (*data management system*)

Róghinearálú

Tá sé tábhachtach gan róghinearálú a dhéanamh i gcás na rialach "foirm an ainmnigh in ionad an ghinidigh": ní bhaineann an riail sin ach le haonaid bhrí chinnte, i.e. aonaid bhrí a bhfuil ainmfhocal cinnte ag a ndeireadh.

Ní bhíonn an riail thuas i gceist i gcás aonaid bhrí éiginnte, i.e. aonaid bhrí a bhfuil ainmfhocal éiginnte (**cupán tae**, cuir i gcás) ag a ndeireadh. I struchtúr den chineál sin, ní shéimhítear an t-ainmfhocal/na hainmfhocail a thagann roimh an ainmfhocal éiginnte agus ní bhíonn sé/siad sa ghinideach ach oiread.

Aonad brí cinnte

	Roimh an aonad brí		Ainmfhocal nó Ainmfhocail	Ainmfhocal cinnte
(a)	ainmfhocal, e.g.	toradh	chinntí	an chomhlachta
(b)	réamhfhocal comhshuite, e.g.	i gcoinne	**dhoirse fhoirgneamh**	na heolaíochta
(c)	ceann de na réamhfhocail **chun**, **dála**, **timpeall** nó **trasna**, e.g.	timpeall	**bhruachbhailte phríomhchathair**	na tíre
(d)	ainm briathartha, e.g.	ag léamh	threoirleabhar	na scoile

Aonad brí éiginnte

	Roimh an aonad brí		Ainmfhocal nó Ainmfhocail	Ainmfhocal éiginnte
(a)	ainmfhocal, e.g.	bainisteoir	comhlacht	busanna
(b)	réamhfhocal comhshuite, e.g.	de bharr	feachtas	bolscaireachta
(c)	ceann de na réamhfhocail **chun**, **dála**, **timpeall** nó **trasna**, e.g.	trasna	sráideanna	cathrach
(d)	ainm briathartha, e.g.	ag tairiscint	seirbhísí	talmhaíochta

Cleachtadh 6.15

Bain amach na lúibíní agus athraigh na focail más gá.

1. in aice (siopa) (poitigéir)

_____

2. coláistí (oiliúint) (ceantar) (Baile Átha Cliath)

_____

3. tionscadal (anailís) (córais) (*systems analysis project*)

_____

4. oifigeach (cumarsáid) (Deoise) (Cill Ala)

_____

5. bainisteoir (seirbhísí) (airgeadas)

_____

6. an Foras (Forbairt) (Trádáil) agus Gnó

_____

7. obair dheonach (baill) (Cumann Alzheimer na hÉireann)

_____

8. tinneas (maidin) (bean) (Cathal)

_____

9. ag glanadh (seomra) (rang)

_____

10. ag moladh (díograis) (baill) (coiste) (forbairt) (an paróiste)

_____

Aonad 7: An Aidiacht 1
(An Aidiacht san Uatha agus san Iolra)

San aonad seo foghlaimeoidh tú faoi na nithe seo:

- an tslí a réitíonn aidiachtaí agus ainmfhocail le chéile
- aidiachtaí san uimhir iolra
- séimhiú ar aidiachtaí san uimhir iolra
- aidiachtaí a choimrítear
- aidiachtaí aitreabúideacha agus aidiachtaí faisnéiseacha
- **droch-** agus **sean-**
- dobhriathar idir ainmfhocal agus aidiacht
- na réimíreanna **an-** agus **ró-**
- na haidiachtaí taispeántacha

An aidiacht san uimhir uatha

Réitíonn an aidiacht leis an ainmfhocal de réir tuisil, inscne agus uimhreach. Séimhítear aidiacht a cháilíonn ainmfhocal baininscneach sa tuiseal ainmneach, cuspóireach agus gairmeach uatha.

Ainmfhocal firinscneach
+ aidiacht
lá maith
cúrsa deacair

Ainmfhocal baininscneach
+ aidiacht
oíche **mh**aith
obair **dh**eacair

An aidiacht i ndiaidh réamhfhocail shimplí + an t-alt + ainmfhocal

Ainmfhocal firinscneach
ar an lá deireanach
ag an bhfear bocht

Ainmfhocal baininscneach
ar an oíche **dh**eireanach
ag an mbean **bh**ocht

Nóta: I nGaeilge Uladh, séimhítear aidiacht a leanann ainmfhocal firinscneach a bhfuil réamhfhocal simplí agus an t-alt ag teacht roimhe.

ar an lá **dh**eireanach
ag an fhear **bh**ocht

D, n, t, l, s

Nuair a thagann na litreacha **d**, **n**, **t**, **l**, **s** le chéile ag deireadh ainmfhocail bhaininscnigh agus ag tús aidiachta, bíonn séimhiú fós i gceist.

bialann **Sh**íneach
bean **dh**eas

 Cleachtadh 7.1.

Athraigh na haidiachtaí idir lúibíní más gá.

1. bean (dathúil) _____

2. fear (dathúil) _____

3. anlann (deas) _____

4. ceardlann (fada) _____

5. an cúrsa (páirtaimseartha) _____

6. an scrúdú (deacair) _____

7. an iníon (cliste) _____

8. an mac (cliste) _____

9. sráid (fada) _____

10. sráidbhaile (Gearmánach) _____

11. cóisir (mór) _____

12. an bhean (cineálta) _____

13. an múinteoir (díograiseach) _____

14. an scuaine (fada) _____

15. tuarascáil (bliantúil) _____

16. an eitilt (deireanach) _____

An aidiacht san uimhir iolra

Má bhíonn an t-ainmfhocal san uimhir iolra, caithfidh an aidiacht a bheith san iolra chomh maith.

Uimhir uatha   *Uimhir iolra*
ceist dheacair   ceisteanna deacra

Seo thíos an tslí a gcuirtear na cineálacha éagsúla aidiachta san uimhir iolra.

	Uimhir uatha	Uimhir iolra
Cuirtear …		
-a le haidiacht a chríochnaíonn ar chonsan leathan san uimhir uatha	teach mór	tithe móra
-e le haidiacht a chríochnaíonn ar chonsan caol san uimhir uatha	guth binn	guthanna binne
Athraíonn …		
-úil go **-úla**	duine suimiúil	daoine suimiúla
-air go **-ra**	lá deacair	laethanta deacra
Ní athraíonn …		
aidiacht a chríochnaíonn ar ghuta san uimhir uatha	cóta buí	cótaí buí
Eisceachtaí: **breá** agus **te** Athraíonn **te** go **teo** san iolra agus athraíonn **breá** go **breátha**	oíche the duine breá	oícheanta teo daoine breátha

Séimhiú ar an aidiacht san uimhir iolra

Ní shéimhítear aidiacht san uimhir iolra de ghnáth.

Uimhir uatha   *Uimhir iolra*
scrúdú deacair   scrúduithe deacra
bialann dheas   bialanna deasa

Séimhítear aidiacht san iolra, áfach, nuair a leanann sí ainmfhocal a chríochnaíonn ar chonsan caol.

na teaghlaigh bheaga
fir dheasa

Bíonn an riail thuas i gceist fiú nuair a bhíonn na litreacha **d, n, t, l, s** ag teacht le chéile ag deireadh an ainmfhocail agus ag tús na haidiachta.

turais dheacra
amhráin dheasa

Bíonn míthuiscint ann go minic faoi cad is consan caol ann. Ceapann daoine, mar shampla, gur consan caol é **-í** ag deireadh ainmfhocail agus, dá bhrí sin, cuireann siad séimhiú ar fhocal a leanann **-í** san uimhir iolra.

Seo samplaí d'ainmfhocail san iolra agus consan caol ag a ndeireadh:
mic, bailéid, teaghlaigh, scannail

Nuair a bhíonn uimhir idir 2 agus 19 roimh ainmfhocal + aidiacht, cuirtear an aidiacht san uimhir iolra agus séimhítear í.

> trí chathaoir ghorma
> seacht mbuidéal ghlasa

 Cleachtadh 7.2

I ngach cás thíos, cuir in iúl cé acu a bhfuil consan caol ag deireadh an ainmfhocail nó nach bhfuil agus roghnaigh an fhoirm cheart den aidiacht atá á cháiliú.

	Consan caol?			**An fhoirm cheart den aidiacht**	
1. teaghlaigh	Tá ☐	Níl ☐	teaghlaigh	(a) móra	(b) mhóra
2. na hirisí	Tá ☐	Níl ☐	na hirisí	(a) daite	(b) dhaite
3. na comhaid	Tá ☐	Níl ☐	na comhaid	(a) céanna	(b) chéanna
4. na fir	Tá ☐	Níl ☐	na fir	(a) cróga	(b) chróga
5. na riachtanais	Tá ☐	Níl ☐	na riachtanais	(a) síceolaíocha	(b) shíceolaíocha
6. tithe	Tá ☐	Níl ☐	tithe	(a) geala	(b) gheala
7. na leathanaigh	Tá ☐	Níl ☐	na leathanaigh	(a) deireanacha	(b) dheireanacha
8. éadaí	Tá ☐	Níl ☐	éadaí	(a) deasa	(b) dheasa
9. na féilte	Tá ☐	Níl ☐	na féilte	(a) traidisiúnta	(b) thraidisiúnta
10. amhráin	Tá ☐	Níl ☐	amhráin	(a) fada	(b) fhada
11. sceidil	Tá ☐	Níl ☐	sceidil	(a) dúshlánacha	(b) dhúshlánacha
12. na billí	Tá ☐	Níl ☐	na billí	(a) deireanacha	(b) dheireanacha

Ainmfhocal dar críoch consan caol san iolra + ainmfhocal éiginnte

Séimhítear ainmfhocal éiginnte dar tús **b**, **c**, **g**, **m** nó **p** i ndiaidh ainmfhocail iolra a chríochnaíonn ar chonsan caol.

> fir bheáir
> báid chanála

Ní shéimhítear ainmfhocal éiginnte dar tús **d**, **s** ná **t** i ndiaidh ainmfhocal iolra a chríochnaíonn ar **d**, **n**, **t**, **l** nó **s** caol.

> báid seoil
> eastáit tithíochta
> cumainn trádála

Ní shéimhítear ainmfhocal dar tús **f** i ndiaidh ainmfhocail iolra a chríochnaíonn ar chonsan caol.

> comhaid fuaime
> beithigh feirme

Cleachtadh 7.3

I ngach cás thíos, roghnaigh an fhoirm cheart den aidiacht nó den ainmfhocal atá ag cáiliú an ainmfhocail.

1. báid	(a) deasa	(b) dheasa
2. báid	(a) Francacha	(b) Fhrancacha
3. na heastáit	(a) deasa	(b) dheasa
4. na heastáit	(a) tithíochta	(b) thithíochta
5. turais	(a) taitneamhacha	(b) thaitneamhacha
6. turais	(a) taighde	(b) thaighde
7. na beartais	(a) slándála	(b) shlándála
8. na beartais	(a) tubaisteacha	(b) thubaisteacha
9. beithígh	(a) feirme	(b) fheirme
10. beithígh	(a) fadchosacha	(b) fhadchosacha
11. pobail	(a) dúchais	(b) dhúchais
12. pobail	(a) dátheangacha	(b) dhátheangacha
13. riachtanais	(a) fadtéarmacha	(b) fhadtéarmacha
14. riachtanais	(a) fuaime	(b) fhuaime
15. na caighdeáin	(a) tástála	(b) thástála
16. na caighdeáin	(a) dochta	(b) dhochta

Ainmfhocal dar críoch consan caol san uimhir iolra + aidiacht nó ainmfhocal: Achoimre ar na rialacha

Ainmfhocal dar críoch consan caol san uimhir iolra + aidiacht: séimhiú i gcónaí	Ainmfhocal dar críoch consan caol san uimhir iolra + ainmfhocal éiginnte dar tús b, c, g, m nó p: séimhiú i gcónaí	Ainmfhocal dar críoch -id, -il, -in, -is nó -it san uimhir iolra + ainmfhocal éiginnte dar tús d, s nó t: ní bhíonn séimhiú i gceist	Ainmfhocal dar críoch consan caol san uimhir iolra + ainmfhocal éiginnte dar tús f: ní bhíonn séimhiú i gceist
teaghlaigh mhóra fir dheasa turais dhainséaracha	fir bheáir báid ghuail eastáit mhonarchan	cumainn diagachta báid seoil eastáit tithíochta	baill foirne cumainn fichille fir fuaime

Aidiachtaí a choimrítear

Tá roinnt aidiachtaí a ndéantar coimriú orthu san uimhir iolra, is é sin, cailleann siad guta nó dhó.

Uatha	*Iolra*
aoibhinn	aoibhne
bodhar	bodhra
daingean	daingne
deacair	deacra
domhain	doimhne
folamh	folmha
íseal	ísle
láidir	láidre
milis	milse
ramhar	ramhra
righin	righne
saibhir	saibhre
sleamhain	sleamhna
socair	socra
uasal	uaisle

Aidiacht aitreabúideach vs aidiacht fhaisnéiseach

Is aidiachtaí aitreabúideacha iad na haidiachtaí atá feicthe againn go dtí seo san aonad seo: aidiachtaí a cháilíonn ainmfhocail go díreach. Mar a dúradh cheana, réitíonn an cineál seo aidiachta leis an ainmfhocal de réir tuisil, inscne agus uimhreach.

Léigh mé leabhar suimiúil.   (ainmfhocal firinscneach + aidiacht)
Léigh mé iris shuimiúil.   (ainmfhocal baininscneach + aidiacht)
Léigh mé leabhair shuimiúla.   (ainmfhocal iolra + aidiacht)

Aidiachtaí faisnéiseacha a thugtar ar aidiachtaí a cháilíonn ainmfhocail go hindíreach. Baintear úsáid as briathar chun an cineál seo aidiachta a nascadh le hainmfhocal nó le forainm, agus ní réitíonn siad leis an ainmfhocal de réir inscne ná uimhreach.

Tá an leabhar sin suimiúil.
Tá an iris sin suimiúil.
Tá na leabhair sin suimiúil.

Má chuireann an t-idirdhealú sin idir ainmfhocal atá á cháiliú go díreach agus ainmfhocal atá á cháiliú go hindíreach mearbhall ort, an rud is fusa ná smaoineamh faoin abairt i mBéarla:

- Mura dtagann briathar idir an t-ainmfhocal agus an aidiacht sa Bhéarla, aidiacht aitreabúideach atá ann, seachas aidiacht fhaisnéiseach, agus réiteoidh an aidiacht leis an ainmfhocal.

- Má thagann briathar idir an t-ainmfhocal agus an aidiacht sa Bhéarla, aidiacht fhaisnéiseach atá ann, seachas aidiacht aitreabúideach, agus ní réiteoidh an aidiacht leis an ainmfhocal.

Aidiachtaí aitreabúideacha	Aidiachtaí faisnéiseacha
Léigh mé leabhar suimiúil. *I read an **interesting book**.*	Tá an leabhar sin suimiúil. *That **book is interesting**.*
Léigh mé iris shuimiúil. *I read an **interesting magazine**.*	Tá an iris sin suimiúil. *That **magazine is interesting**.*
Léigh mé leabhair shuimiúla. *I read **interesting books**.*	Tá na leabhair sin suimiúil. *Those **books are interesting**.*
Tabhair faoi deara nach bhfuil briathar idir **na hainmfhocail** agus **na haidiachtaí** sna habairtí Béarla thuas. Tá na haidiachtaí ag cáiliú na n-ainmfhocal go díreach, mar sin sna leaganacha Gaeilge réitíonn na haidiachtaí leis na hainmfhocail de réir inscne agus uimhreach.	Tabhair faoi deara go bhfuil briathar idir **na hainmfhocail** agus **na haidiachtaí** sna habairtí Béarla thuas. Tá na haidiachtaí ag cáiliú na n-ainmfhocal go hindíreach, mar sin sna leaganacha Gaeilge ní réitíonn na haidiachtaí leis na hainmfhocail de réir inscne ná uimhreach.

Na réimíreanna droch- agus sean-

Cuirtear **droch-** agus **sean-** *roimh* an ainmfhocal – ní féidir iad a chur ina dhiaidh.

	droch-	sean-
Consain Séimhítear iad	drochdhuine drochthimpiste	seanbhean seanchara
Gutaí Ní athraíonn siad	drochaiste drochamhránaí	seanaisteoir seanealaíontóir

Ní shéimhítear **d**, **s** ná **t** tar éis **sean-**.

> sean**d**uine
> sean**t**each
> sean**s**aighdiúir

Ní chuirtear fleiscín tar éis **droch-** ach amháin nuair a leanann na litreacha **ch** é.

> dro**ch-ch**lú
> dro**ch-ch**oinníollacha

Ní chuirtear fleiscín tar éis **sean-** ach amháin nuair a leanann an litir **n** é.

> sean-**n**ós
> sean-**n**amhaid

Cleachtadh 7.4

Athraigh na focail idir lúibíní thíos más gá. I gcás ainmfhocal san uimhir uatha, féach san fhoclóir mura bhfuil tú cinnte cé acu a bhfuil siad firinscneach nó baininscneach.

1. daoine (láidir) _____
2. crainn (mór, ard) _____
3. amhráin (fada, suimiúil) _____
4. ballaí (mór, daingean) _____
5. oícheanta (fuar, fliuch) _____
6. Scaip an (bileog) (buí) _____ ar an rang.
7. Is scríbhneoir (cáiliúil) _____ é anois.
8. Bhí fear (céile) _____ Shíle agus bean _____ (céile) Liam ansin le chéile.
9. Tá bialann (Francach) _____ oscailte i lár an bhaile anois.
10. Tá gruaig (fada, dubh) _____ uirthi agus tá súile (donn) _____ aici.
11. clúdaigh (glas) _____
12. laethanta (fada), (te) _____
13. Is fir (saibhir) _____ iad.
14. cácaí (milis) _____
15. eastáit (deas) _____

 Cleachtadh 7.5

Cuir gach ainmfhocal agus aidiacht san uimhir iolra.

1. an cúrsa fada _____
2. an t-ábhar deacair _____
3. an t-éadach faiseanta _____
4. an léine ghlas _____
5. an t-amadán mór _____
6. teaghlach Éireannach _____
7. léacht spéisiúil _____
8. ceolchoirm thraidisiúnta _____
9. an fhéile Cheilteach _____
10. cumann maith _____
11. dualgas poiblí _____
12. bialann Fhrancach _____
13. an aiste dheacair _____
14. an bóthar sleamhain _____
15. an t-amhrán dúshlánach _____

Cleachtadh 7.6

Cuir gach ainmfhocal agus aidiacht thíos san uimhir uatha.
Mar shampla: bileoga glasa   bileog ghlas

1. sráidbhailte deasa   _____

2. tíortha teo   _____

3. leabhair mhaithe   _____

4. cathaoireacha boga   _____

5. fuinneoga briste   _____

6. mná maithe   _____

7. amhráin Ghaeilge   _____

8. daoine uaisle   _____

9. cathracha móra   _____

10. laethanta breátha   _____

11. tuairiscí gearra   _____

12. caidrimh fhadtéarmacha   _____

13. ceolchoirmeacha fada   _____

14. sráideanna dainséaracha   _____

15. rúin dhaingne   _____

Dobhriathar idir ainmfhocal agus aidiacht

Nuair a bhíonn dobhriathar idir an t-ainmfhocal agus an aidiacht, ní réitíonn an aidiacht leis an ainmfhocal a thuilleadh ach úsáidtear bunfhoirm na haidiachta.

bean **dheas**
bean réasúnta deas

tránna áille
tránna measartha álainn

Na réimíreanna an- agus ró-

Séimhítear na consain (seachas **d**, **s** agus **t**) tar éis **an-**.

maith	an-**mhaith**
mór	an-**mhór**
fada	an-**fhada**
óg	an-óg
aosta	an-aosta
amaideach	an-amaideach

Bíonn fleiscín i gcónaí tar éis **an-**.

Séimhítear consain a leanann **ró-**.

mór	rómhór
deas	ródheas
saibhir	róshaibhir
óg	ró-óg
aosta	ró-aosta
amaideach	ró-amaideach

Tabhair faoi deara go mbíonn fleiscín idir **ró-** agus guta i gcónaí; ní bhíonn fleiscín idir **ró-** agus consan de ghnáth.

Achoimre

*An réimír **an-***

Na consain (seachas d, s agus t) Séimhítear iad	Na consain d, s agus t Ní shéimhítear iad	Na gutaí (a, e, i, o, u) Ní thagann aon athrú orthu
an-mhaith	an-deas	an-óg
an-chairdiúil	an-te	an-íseal
an-fhuar	an-saibhir	an-éasca

*An réimír **ró-***

Na consain Séimhítear iad	Na gutaí (a, e, i, o, u) Ní thagann aon athrú orthu
rómhaith	ró-óg
róchairdiúil	ró-íseal
róbhog	ró-éasca
ródheas	ró-ard

Cleachtadh 7.7

*Cuir na réimíreanna **an-** agus **ró-** roimh gach aidiacht.*

1. deas	an-deas	ródheas	11. suimiúil	_____	_____
2. mór	_____	_____	12. deacair	_____	_____
3. uasal	_____	_____	13. álainn	_____	_____
4. cineálta	_____	_____	14. cumasach	_____	_____
5. sásta	_____	_____	15. bríomhar	_____	_____
6. fliuch	_____	_____	16. éifeachtach	_____	_____
7. casta	_____	_____	17. tostach	_____	_____
8. crua	_____	_____	18. domhain	_____	_____
9. béasach	_____	_____	19. sean	_____	_____
10. tiubh	_____	_____	20. foighneach	_____	_____

An chopail is + na réimíreanna an- agus ró-

Tar éis na copaile, is í an fhoirm uatha den aidiacht a úsáidtear nuair a bhíonn an réimír **an-** nó **ró-** roimpi.

Samplaí:

	An réimír an-	**An réimír ró-**
daoine deasa	Is daoine an-deas iad.	Ní daoine ródheas iad.
ceantair áille	Is ceantair an-álainn iad.	Ní ceantair ró-álainn iad.

Na haidiachtaí taispeántacha

Nuair a úsáidtear na haidiachtaí taispeántacha **seo** agus **sin** sa chaint, cuirtear an bhéim ar an ainmfhocal, ní ar an aidiacht.

> *Samplaí:*
> An *fear* sin. (*That man.*)
> An *ceann* seo. (*This one.*)

Níl sé ceart an bhéim a chur ar **seo** ná ar **sin**.

Meascann daoine na focail seo go minic – tabhair faoi deara an bhrí atá leo.

seo: *this*   anseo: *here*
sin: *that*   ansin: *there*

 Cleachtadh 7.8

Cuir Gaeilge ar na nithe seo a leanas:

1. *I was there for a month.* _____

2. *She was here a week ago.* _____

3. *Sit here.* _____

4. *He's over there.* _____

5. *Come down here.* _____

6. *that man* _____

7. *this woman* _____

8. *That book is quite good.* _____

9. *this summer* _____

10. *I was ill that day.* _____

Réamhfhocail shimplí agus na haidiachtaí taispeántacha

Is é an tríú pearsa firinscneach den réamhfhocal (e.g. **air**, **leis**, **aige**) a úsáidtear leis na haidiachtaí taispeántacha, seachas an bunleagan den réamhfhocal (e.g. **ar**, **le**, **ag**).

Ceart	Mícheart
Anuas **air** sin ...	*Anuas **ar** sin ...
Chomh maith **leis** sin ...	*Chomh maith **le** sin ...
Tá tionchar **aige** sin ar an scéal ...	*Tá tionchar **ag** sin ar an scéal ...

Seo thíos liosta de na leaganacha de na réamhfhocail a úsáidtear leis na haidiachtaí taispeántacha **seo** agus **sin**.

Bunleagan den réamhfhocal	+ *seo* nó *sin*	An tríú pearsa firinscneach den réamhfhocal
ag	+ seo/sin	aige seo/sin
ar	+ seo/sin	air seo/sin
as	+ seo/sin	as seo/sin
chuig	+ seo/sin	chuige seo/sin
de	+ seo/sin	de seo/sin
do	+ seo/sin	dó seo/sin
faoi	+ seo/sin	faoi seo/sin
le	+ seo/sin	leis seo/sin
ó	+ seo/sin	uaidh seo/sin
roimh	+ seo/sin	roimhe seo/sin
thar	+ seo/sin	thairis seo/sin
trí	+ seo/sin	tríd seo/sin

Cleachtadh 7.9

Cuir an forainm réamhfhoclach ceart ar fáil chun na habairtí a chríochnú.

1. *I don't agree with that.* — Ní aontaím _____ sin./Ní thagaim _____ sin.

2. *We've seen that film many times before.* — Tá an scannán sin feicthe againn go leor uaireanta _____ seo.

3. *She referred to that.* — Rinne sí tagairt _____ sin.

4. *We went to Galway first and then from there north to Mayo.* — Chuamar go Gaillimh ar dtús, agus ansin _____ sin ó thuaidh go Maigh Eo.

5. *He won't go beyond that.* — Ní rachaidh sé _____ sin.

6. *I heard some talk of that before.* — Chuala mé caint éigin _____ sin cheana.

7. *That has nothing to do with it.* — Níl aon bhaint _____ sin leis.

Réamhfhocail chomhshuite agus na haidiachtaí taispeántacha

Nuair a úsáidtear aidiacht thaispeántach le réamhfhocal comhshuite, tagann athrú ar an réamhfhocal comhshuite.

Réamhfhocal comhshuite	+ *seo* nó *sin*	Réamhfhocal comhshuite + aidiacht thaispeántach
de bhrí	+ seo/sin	dá bhrí seo/sin
de bharr	+ seo/sin	dá bharr seo/sin
i ndiaidh	+ seo/sin	ina dhiaidh seo/sin
le linn	+ seo/sin	lena linn seo/sin

Tabhair faoi deara gurb é an tríú pearsa uatha firinscneach den aidiacht shealbhach a úsáidtear.

dá bhrí sin
ina dhiaidh sin

Réamhfhocal comhshuite	Réamhfhocal comhshuite + aidiacht thaispeántach
Ní bheidh aon ranganna ar siúl amárach de bhrí go mbeidh múinteoirí na scoile ar stailc.	Beidh múinteoirí na scoile ar stailc amárach. Dá bhrí sin, ní bheidh aon ranganna ar siúl.
Shiúil Sinéad abhaile d'ainneoin go raibh sé ag cur báistí go trom.	Bhí sé ag cur báistí go trom. Dá ainneoin sin, shiúil Sinéad abhaile.
Ní fhaca sé í oiread agus uair amháin le linn na seachtaine a chaith sé sa cheantar.	Chaith sé seachtain sa cheantar. Lena linn sin, ní fhaca sé í oiread agus uair amháin.

Aonad 8: An Aidiacht 2
(An Aidiacht sa Tuiseal Ginideach)

San aonad seo foghlaimeoidh tú faoi na nithe seo:

- an aidiacht sa tuiseal ginideach uatha

- ainmfhocal agus aidiacht ina gcuspóir díreach ag ainm briathartha

- an aidiacht sa tuiseal ginideach iolra

An aidiacht sa tuiseal ginideach uimhir uatha

Sa tuiseal ginideach uimhir uatha, séimhítear túschonsan aidiachta a cháilíonn ainmfhocal firinscneach.

> deireadh an lae fhada

Ní shéimhítear túschonsan aidiachta a cháilíonn ainmfhocal baininscneach sa tuiseal ginideach uimhir uatha, áfach.

> deireadh na hoíche fada

Bíonn deireadh na haidiachta sa tuiseal ginideach uatha ag brath ar inscne an ainmfhocail a bhíonn á cháiliú aici.

> clár an chruinnithe thábhachtaigh (ainmfhocal firinscneach agus aidiacht)
> clár na comhdhála tábhachtaí (ainmfhocal baininscneach agus aidiacht)

Tuiseal ainmneach uatha	Tuiseal ginideach uatha, firinscneach	Tuiseal ginideach uatha, baininscneach
an leathanach bán (fir.)	ag barr an leathanaigh bháin	
an bhileog bhán (bain.)		ag barr na bileoige báine
an bóthar uaigneach (fir.)	ag siúl án bhóthair uaignigh	
an tsráid uaigneach (bain.)		ag siúl na sráide uaigní
an rang tábhachtach (fir.)	nótaí an ranga thábhachtaigh	
an léacht thábhachtach (bain.)		nótaí na léachta tábhachtaí
an t-amhrán maith (fir.)	focail an amhráin mhaith	
an amhránaíocht mhaith (bain.)		ag moladh na hamhránaíochta maithe
an cailín rua (fir.)	máthair an chailín rua	
an bhean rua (bain.)		comhghleacaithe na mná rua
an cúrsa suimiúil (fir.)	nótaí an chúrsa shuimiúil	
an chaint shuimiúil (bain.)		deireadh na cainte suimiúla
an t-ábhar deacair (fir.)	léachtaí an ábhair dheacair	
an aiste dheacair (bain.)		ag scríobh na haiste deacra
an beartas eacnamaíoch (fir.)	forbairt an bheartais eacnamaíoch	
an ghéarchéim eacnamaíoch (bain.)		impleachtaí na géarchéime eacnamaíche

Aidiachtaí éagsúla

Tuiseal ainmneach uatha	Tuiseal ginideach uatha, firinscneach	Tuiseal ginideach uatha, baininscneach
álainn	álainn	áille
aoibhinn	aoibhinn	aoibhne
beag	bhig	bige
breá	bhreá	breátha
ceart	chirt	cirte
daingean	dhaingin	daingne
dearg	dheirg	deirge
deas (*nice*)	dheas	deise
deas (*of position, right*)	dheis	deise
dian	dhéin	déine
dílis	dhílis	dílse
domhain	dhomhain	doimhne
fada	fhada	fada
fial	fhéil	féile
fionn	fhionn	finne
fíor	fhír	fíre
fliuch	fhliuch	fliche
folamh	fholaimh	foilmhe
geal	ghil	gile
gearr	ghearr	giorra
íseal	ísil	ísle
láidir	láidir	láidre
liath	léith	léithe
milis	mhilis	milse
ramhar	ramhair	raimhre
saibhir	shaibhir	saibhre
tapa	thapa	tapa
te	the	te
tréan	thréin	tréine
trom	throm	troime
uasal	uasail	uaisle

Séimhiú amháin

Ní dhéantar ach séimhiú a chur ar na haidiachtaí thíos sa tuiseal ginideach uatha firinscneach – ní athraítear lár ná deireadh na n-aidiachtaí.

(a) aidiachtaí aonsiollacha a chríochnaíonn ar **-ch(t)**:

Samplaí:	buíoch	cuid cainte an fhir bhuíoch
	docht	de bharr an tseasaimh dhocht
	fliuch	ag deireadh an lae fhliuch
	lách	ag moladh an bhuachalla lách
	moch	tiománaí an bhus mhoch
	[Is eisceacht é **bocht**:	
	bocht	bás an fhir bhoicht]

(b) aidiachtaí aonsiollacha a chríochnaíonn ar chonsan dúbailte:

Samplaí:	corr	iompar an duine chorr
	gann	ag goid an bhia ghann
	gearr	údar an ailt ghearr
	mall	ag fáil an bhus mhall
	teann	ag briseadh an cheangail theann
	[Is eisceachtaí iad **dall** agus **donn**:	
	dall	bás an fhir dhaill
	donn	blas an aráin dhoinn]

(c) na haidiachtaí **cúng, deas, leamh, mear, searbh, tiubh, trom, tur**:

Samplaí:	cúng	ar thaobh an bhóthair chúng
	deas*	imeachtaí an lae dheas
	leamh	stiúrthóir an scannáin leamh
	tiubh	i lár an fháil thiubh

*nuair is "taitneamhach" seachas *right* a bhíonn i gceist

 Cleachtadh 8.1

Cuir gach aidiacht sa tuiseal ginideach uatha. Tá na hainmfhocail go léir atá á gcáiliú acu firinscneach.

1. an t-alt deacair   deireadh an ailt _____
2. an t-árasán daor   cíos an árasáin _____
3. an teaghlach Gaelach   deacrachtaí an teaghlaigh _____
4. an t-eagras deonach   ag moladh an eagrais _____
5. an clúdach gorm   ag filleadh an chlúdaigh _____
6. an leathanach glas   barr an leathanaigh _____
7. an suíochán crua   in aice an tsuíocháin _____
8. an seanathair saibhir   bás an tseanathar _____
9. an leabhar tábhachtach   ag léamh an leabhair _____
10. an cuairteoir deireanach ainm an chuairteora _____
11. an ceol traidisiúnta   uirlisí an cheoil _____
12. an seomra folamh   ag glanadh an tseomra _____

Cleachtadh 8.2

Cuir gach aidiacht sa tuiseal ginideach uatha. Tá na hainmfhocail go léir atá á gcáiliú acu baininscneach.

1. an cheist dheacair   freagra na ceiste _____
2. an tsráid chúng   trasna na sráide _____
3. an fhéile Ghaelach   imeachtaí na féile _____
4. an eagraíocht dheonach   obair na heagraíochta _____
5. an spéir ghorm   ag bun na spéire _____
6. an bhileog ghlas   ag cóipeáil na bileoige _____
7. an oíche bhreá   ag deireadh na hoíche _____
8. an tseanmháthair shaibhir   cuid mac na seanmháthar _____
9. an aiste dheireanach   ag scríobh na haiste _____
10. an fhéile Cheilteach   sceideal na féile _____
11. an bhean rua   fear céile na mná _____
12. an léacht spéisiúil   tar éis na léachta _____

 Cleachtadh 8.3

Cuir gach ainmfhocal agus an aidiacht atá á cháiliú sa ghinideach uatha. Tá idir ainmfhocail fhirinscneacha agus ainmfhocail bhaininscneacha i gceist an t-am seo.

1. an cailín díograiseach   tuismitheoirí _____
2. an t-imirceach eacnamaíoch   fadhbanna _____
3. an lá fliuch   ag deireadh _____
4. an tuarascáil bhliantúil   foilsiú _____
5. an bhialann Iodálach   foireann _____
6. an gnólacht brabúsach   stiúrthóirí _____
7. an bhliain acadúil   tús _____
8. an cúrsa fada   deireadh _____
9. an bhean fhionn   fear céile _____
10. an tuairim dhaingean   ag cáineadh _____
11. an chomhairle eolaíoch   fiúntas _____
12. an carr dearg   tiománaí _____
13. an tír shaibhir   príomhthionscal _____
14. an dlí coiriúil   athchóiriú _____
15. an t-alt gearr   údar _____

Ainmfhocal agus aidiacht ina gcuspóir díreach ag ainm briathartha

Nuair a bhíonn ainmfhocal éiginnte (i.e. ainmfhocal nach bhfuil an t-alt roimhe) ina chuspóir díreach ag ainm briathartha agus nuair a leanann aidiacht é, ní bhíonn ginideach i gceist.

> ag ceannach teach mór
> ag déanamh obair dheonach
> ag ól fíon dearg

An aidiacht sa tuiseal ginideach uimhir iolra

Tréaniolra
Más tréaniolra atá ag an ainmfhocal, bíonn an fhoirm chéanna ag an aidiacht i ngach tuiseal.

> na ceisteanna **deacra**
> ag cur na gceisteanna **deacra**
> leis na ceisteanna **deacra**

Lagiolra
Más lagiolra atá ag an ainmfhocal, bíonn foirm an ainmnigh uatha ar an aidiacht sa tuiseal ginideach iolra.

> na hamhráin mhóra
> ag canadh na n-amhrán **mór**
>
> na bileoga buí
> ag comhaireamh na mbileog **buí**

Tabhair faoi deara nach séimhítear an aidiacht sa ghinideach iolra, fiú nuair a bhíonn ainmfhocal baininscneach á cháiliú aici.

 Cleachtadh 8.4

Scríobh an t-ainmneach iolra de gach ainmfhocal agus aidiacht sa cholún ceart.

	Lagiolra	Tréaniolra
1. an riail dhocht		
2. an bhróg dhubh		
3. an fear maith		
4. an t-oifigeach sinsearach		
5. an eagraíocht dheonach		
6. an cnoc ard		
7. an galar tógálach		
8. an chathair mhór		
9. an mac léinn Éireannach		
10. an argóint láidir		

Cleachtadh 8.5

Scríobh an ginideach iolra de gach ainmfhocal agus aidiacht anois. De bhrí go bhfuil an t-alt i gceist, beidh urú ar na hainmfhocail sa ghinideach iolra.

	Lagiolra	Tréaniolra
1. na rialacha dochta		ag briseadh _____
2. na bróga dubha	ag deisiú _____	
3. na fir mhaithe	ag moladh _____	
4. na hoifigigh shinsearacha	dualgais _____	
5. na heagraíochtaí deonacha		baill _____
6. na cnoic arda	os cionn _____	
7. na galair thógálacha	ag leigheas _____	
8. na cathracha móra		fadhbanna _____
9. na mic léinn Éireannacha	caighdeán oideachais _____	
10. na hargóintí láidre		de bharr _____

Cleachtadh 8.6

Scríobh an ginideach iolra de gach ainmfhocal agus aidiacht.

1. na Comhphobail Eorpacha   Acht _____
2. na hathruithe móra   i gcoinne _____
3. na hamhráin fhada   focail _____
4. na coinníollacha casta   comhlíonadh _____
5. na gearáin oifigiúla   líon _____
6. na heagrais dheonacha   fostaithe _____
7. na cogaí fuilteacha   íospartaigh _____
8. na hinstitiúidí tábhachtacha   cinntí _____
9. na deontais bhliantúla   costas _____
10. na fuinneoga móra   os cionn _____
11. na tíortha contúirteacha   rialtais _____
12. na fir dhóighiúla   grianghraif _____
13. na hIodálaigh mheánaicmeacha   tuairimí _____
14. na saighdiúirí Iosraelacha   gníomhartha _____

Aonad 9: An Aidiacht 3
(Céimeanna Comparáide na hAidiachta)

San aonad seo foghlaimeoidh tú faoi na nithe seo:

- céimeanna ionannais na haidiachta

- breischéim na haidiachta

- sárchéim na haidiachta

- aidiachtaí a bhfuil breischéim agus sárchéim neamhrialta acu

- breischéim agus sárchéim na haidiachta san aimsir chaite agus sa mhodh coinníollach

Céimeanna ionannais

Úsáidtear **chomh** in abairtí nuair a bhítear ag rá gurb ionann, nó nach ionann, an cháilíocht atá ag beirt nó ag dhá rud.

> Tá Gearóid chomh sean le Bríd s'againne.
> Níl an béile seo chomh blasta le ceann an lae inné.

Cuirtear **h** roimh thúsghuta aidiachta a leanann **chomh** agus roimh thúsghuta ainmfhocail a leanann **le**.

> Tá an scrúdú chomh héasca céanna i mbliana.
> Níl Dónall chomh sean le hÉabha.

Breischéim na haidiachta

Úsáidtear na focail **níos** ... **ná** chun comparáid a dhéanamh idir bheirt nó idir dhá rud.

> Tá Siobhán níos sine ná Dónall.

I ndiaidh níos:		
Ní athraíonn focail a chríochnaíonn ar ghuta	buí	níos buí
	Eisceachtaí:	*Eisceachtaí:*
	breá	níos breátha
	fada	níos faide
	te	níos teo
	nua	níos nuaí
Caolaítear aidiachtaí a chríochnaíonn ar chonsan leathan agus cuirtear **-e** leo	daor bán	níos daoire níos báine
Cuirtear **-e** le haidiachtaí a chríochnaíonn ar chonsan caol	ciúin ionraic	níos ciúine níos ionraice
Athraíonn ... **-úil** go **-úla** **-each** go **-í** **-ach** go **-aí** **-air** go **-ra** **-íoch** go **-íche** **-aíoch** go **-aíche**	suimiúil aisteach tábhachtach deacair imníoch iomaíoch	níos suimiúla níos aistí níos tábhachtaí níos deacra níos imníche níos iomaíche

Aidiachtaí neamhrialta

Tá na haidiachtaí seo neamhrialta nó rud beag deacair:

álainn	níos áille
beag	níos lú
breá	níos breátha
dian	níos déine
fada	níos faide
fliuch	níos fliche
furasta	níos fusa
gearr	níos giorra
leathan	níos leithne
maith	níos fearr
mór	níos mó
olc	níos measa
ramhar	níos raimhre
saibhir	níos saibhre
tapa	níos tapa
te	níos teo
tréan	níos treise

Sárchéim na haidiachta

Úsáidtear an focal **is** chun *the best, the biggest,* etc. a chur in iúl. Is ionann foirm don tsárchéim agus don bhreischéim.

Is é Bob Dylan an ceoltóir is fearr liom.
Is í Enya an bhean is cáiliúla i dTír Chonaill.

 Cleachtadh 9.1

Athraigh na focail idir lúibíní más gá.

1. Tá an lá inniu i bhfad níos (fuar) _____ agus níos (fliuch) _____.

2. Ba mhaith liom an líne sin a bheith níos (díreach) _____.

3. Tá sé níos (socair) _____ agus níos (sásta) _____ anois.

4. Seo an lá is (te) _____ agus is (brothallach) _____ a bhí ann le fada.

5. Is dóigh liom gur tusa an duine is (éirimiúil) _____, is (álainn) _____, is (iontach) _____ a casadh orm riamh. Tá mé dáiríre.

6. Tá sé ag éirí níos (leisciúil) _____ agus níos (drochmhúinte) _____ leis.

7. Tá an cúrsa níos (dian) _____ i mbliana.

8. Tá an lóistín seo níos (daor) _____ ná an lóistín a bhí agam roimh an Nollaig.

9. Tá an bhean sin níos (tarraingteach) _____ ná a deirfiúr.

10. Tá an aiste seo níos (éasca) _____ ná an ceann deireanach.

11. Tá na páistí sin ag éirí níos (trioblóideach) _____ in aghaidh na bliana.

12. Tá an bealach sin i bhfad níos (gearr) _____.

13. Bíonn sí sa bhaile níos (minic) _____ na laethanta seo.

14. Tá tusa i bhfad níos (uaillmhianach) _____ ná duine ar bith eile sa teaghlach.

15. Tá sé níos (cráite) _____ anois ná mar a bhí riamh.

Cleachtadh 9.2

*Athraigh na haidiachtaí tar éis **níos** más gá.*

1. ard	níos _____		9. míshocair	níos _____
2. dúshlánach	níos _____		10. fada	níos _____
3. dorcha	níos _____		11. domhain	níos _____
4. iomchuí	níos _____		12. saibhir	níos _____
5. fadtréimhseach	níos _____		13. tapa	níos _____
6. eolaíoch	níos _____		14. glórach	níos _____
7. cáiliúil	níos _____		15. mall	níos _____
8. casta	níos _____			

 Cleachtadh 9.3

Líon na bearnaí chun an t-aistriúchán a chríochnú i ngach cás.

1. *Egypt is the driest country in the world.*
___ ___ an Éigipt an tír is _____ ar domhan.

2. *Germany is the most populous country in the EU.*
___ ___ an Ghearmáin an tír is _____ daonra san Aontas Eorpach.

3. *Luxembourg and Qatar are the two richest countries in the world.*
___ _____ Lucsamburg agus Catar an dá thír is _____ ar domhan.

4. *The African countries are the poorest in the world.*
___ _____ tíortha na hAfraice na tíortha is _____ ar domhan.

5. *Japan is the most successful (rathúil) country in Asia.*
___ ___ an tSeapáin an tír is _____ san Áise.

6. *Japan and Australia are the two most expensive countries in the world.*
___ _____ an tSeapáin agus an Astráil an dá thír is _____ ar domhan.

7. *Heathrow Airport is the busiest airport in Europe.*
___ ___ Aerfort Heathrow an t-aerfort is _____ san Eoraip.

8. *Errigal is the highest mountain in Donegal.*
___ ___ an Earagail an sliabh is _____ i nDún na nGall.

9. *Death Valley is the hottest place in the world.*
___ ___ Death Valley an áit is _____ ar domhan.

10. *The Blackwater is the widest river in Ireland.*
___ ___ an Abhainn Dhubh an abhainn is _____ in Éirinn.

11. *Iraq and Afghanistan are the two most dangerous (contúirteach) countries in the Middle East.*
___ _____ an Iaráic agus an Afganastáin an dá thír is _____ sa Mheánoirthear.

12. *Switzerland is the cleanest country in the world.*
___ ___ an Eilvéis an tír is _____ ar domhan.

13. *The Amazon is the second longest river in the world.*
___ ___ an Amasóin an dara habhainn is _____ ar domhan.

14. *The roads in Malta are the safest in the EU.*
___ _____ na bóithre i Málta na cinn is _____ san Aontas Eorpach.

15. *Heart disease is the most widespread disease in the world.*
___ ___ an galar croí an galar is _____ ar domhan.

Breischéim na haidiachta san aimsir chaite agus sa mhodh coinníollach

Úsáidtear an fhoirm **níos** nuair atá comparáid á déanamh san aimsir láithreach nó san aimsir fháistineach. Úsáidtear **níos** san aimsir chaite agus sa mhodh coinníollach chomh maith ach is fearr na foirmeacha thíos a úsáid.

ní b' roimh ghuta	Bhí dath **ní b'**éadroime ar an teach roimhe seo.
ní b' roimh f + guta	D'éirigh **ní b'**fhearr liomsa ar scoil ná mar a d'éirigh le mo dheirfiúr Muireann.
ní ba roimh f + consan	Bhí m'aintín Bríd **ní ba** fhlaithiúla ná m'aintín Áine.
ní ba roimh chonsain (leanann séimhiú é)	Mheas mé go raibh an cheist sin **ní ba** dheacra ná na cinn eile.

Sárchéim na haidiachta san aimsir chaite agus sa mhodh coinníollach

Úsáidtear an fhoirm **is** chun *the best, the biggest,* etc. a chur in iúl san aimsir láithreach nó san aimsir fháistineach. Úsáidtear **is** san aimsir chaite agus sa mhodh coinníollach chomh maith ach is fearr na foirmeacha thíos a úsáid.

ab roimh ghuta	B'in an aip **ab** úsáidí a d'íoslódáil mé riamh.
ab roimh f + guta	B'in an scrúdú **ab** fhusa a rinne mé riamh.
ba roimh f + consan	Ba í Aoife an duine **ba** fhlaithiúla dar casadh orm riamh.
ba roimh chonsain (leanann séimhiú é)	Ba í Caroline an duine **ba** dhíograisí sa rang.

Cleachtadh 9.4

Scríobh na habairtí seo san aimsir chaite.

1. Tá Doireann níos óige ná Cathal.

_____

2. Tá sé i bhfad níos freagraí mar dhuine.

_____

3. Is í Cáit an duine is óige sa chlann.

_____

4. Tá Síle i bhfad níos foighní ná Colm.

_____

5. Is é sin an leabhar is fearr sa tsraith.

_____

6. Tá an scrúdú seo níos deacra ná an ceann deireanach a rinne mé.

_____

7. Tá an ceantar sin níos áille ná mo cheantar dúchais féin.

_____

8. Tá an ceantar sin níos forbartha ná na ceantair atá in aice leis.

_____

9. Tá na daoine óga níos frithchléirí ná a gcuid tuismitheoirí.

_____

10. Mí na Samhna an mhí is fliche sa bhliain.

_____

11. Níl duine níos ardaidhmeannaí san áit ná í.

_____

12. Tá siad níos sásta lena gcoinníollacha oibre.

_____

13. Tá an ráta boilscithe níos airde sa tír sin.

_____

14. Is é Séamas an duine is cliste sa rang.

_____

Aonad 10: An Briathar 1 (An Modh Ordaitheach)

San aonad seo foghlaimeoidh tú faoi na nithe seo:

- an chéad agus an dara réimniú den bhriathar

- an modh ordaitheach: an chéad agus an dara réimniú

- an modh ordaitheach uatha agus iolra

- an modh ordaitheach diúltach

- na haidiachtaí sealbhacha **do** agus **bhur**

- na briathra neamhrialta sa mhodh ordaitheach

- forainmneacha pearsanta

Eolas ginearálta faoin mbriathar

Is í fréamh an bhriathair a bhíonn mar cheannfhocal i bhfoclóirí Gaeilge. Is féidir foirmeacha uile an bhriathair a chumadh ón bhfréamh seo. Is ionann an fhréamh agus an dara pearsa uatha den mhodh ordaitheach – an fhoirm a úsáidtear nuair a thugtar ordú do dhuine amháin.

Déantar dhá réimniú de na briathra sa Ghaeilge.

An chéad réimniú
Briathra aonsiollacha mar **bris**, **mol** agus **suigh** agus briathra ilsiollacha a chríochnaíonn ar **-áil** agus **-áin**, mar **sábháil** agus **taispeáin**.

An dara réimniú
Briathra ilsiollacha atá sa dara réimniú. Críochnaíonn cuid acu ar **-igh**, mar **ceannaigh**, agus cinn eile ar **-il**, **-ir** agus **-is**, mar **ceangail**, **imir** agus **inis**.

An modh ordaitheach: an chéad réimniú

Cumtar an dara pearsa iolra den mhodh ordaitheach mar seo:

(a) Cuirtear **-igí** nó **-aigí** le fréamh na mbriathra, ag brath ar cé acu caol nó leathan atá an fhréamh.

Uatha	Iolra
bris	brisigí
tóg	tógaigí

(b) Déantar na hathruithe seo a leanas:

(i) Leathnaítear an **l** in **-áil** agus an **n** in **taispeáin** (is é sin, caitear amach an **i** atá rompu) agus cuirtear **-aigí** leis an bhfréamh.

Uatha	Iolra
marcáil	marcálaigí
taispeáin	taispeánaigí

(ii) Cailltear an **-igh** i mbriathra mar **dóigh** agus **téigh** a bhfuil guta fada iontu agus cuirtear **-igí** leis an gcuid den fhréamh a bhíonn fágtha.

Uatha	Iolra
dóigh	dóigí
léigh	léigí

(iii) Briathra mar **nigh** agus **suigh** a bhfuil guta gairid iontu, cailltear an **-igh** iontu agus cuirtear **-ígí** leis an gcuid den fhréamh a bhíonn fágtha.

Uatha	Iolra
nigh	nígí
suigh	suígí

An modh ordaitheach: an dara réimniú

Cumtar an dara pearsa iolra den mhodh ordaitheach mar seo:

(a) I gcás briathra ilsiollacha a chríochnaíonn ar **-igh**, ligtear ar lár an **-igh** agus cuirtear **-ígí** ina áit.

> *Uatha*   *Iolra*
> ceannaigh   ceannaígí
> éirigh   éirígí

(b) I gcás briathra ilsiollacha a chríochnaíonn ar **-(a)il**, **-(a)in**, **-(a)ir** agus **-(a)is**, coimrítear an deireadh (ligtear ar lár na gutaí idir consan deiridh an chéad siolla agus consan deiridh na fréimhe, e.g. **ceangail > ceangl-**, **imir > imr-**) agus cuirtear **-(a)ígí** leis an bhfréamh choimrithe.

> *Uatha*   *Iolra*
> ceangail   ceanglaígí
> imir   imrígí

An diúltach

Cuirtear **ná** roimh an mbriathar leis an modh ordaitheach diúltach a chumadh. Cuirtear **h** roimh ghuta a leanann **ná**. Ní bhíonn aon athrú i gceist i gcás briathra dar tús consan.

> Ná bris é!
> Ná habair liom go bhfuil sé ar ais.
> Ná himrígí peil ar an bpríomhbhóthar.

Na haidiachtaí sealbhacha do agus bhur

Séimhítear ainmfhocail dar tús consan tar éis **do**. Giorraítear **do** go **d'** roimh ghuta agus roimh **f** + guta.

Uraítear ainmfhocail dar tús consan nó guta tar éis **bhur**.

	do nó d'	bhur
Ainmfhocal dar tús consan:	cuirtear **do** roimhe agus séimhítear é do charr	uraítear é bhur gcarr
Ainmfhocal dar tús guta:	cuirtear **d'** roimhe d'aghaidh	uraítear é bhur n-aghaidh
Ainmfhocal dar tús **f** + guta:	cuirtear **d'** roimhe agus séimhítear é d'fhiacla	uraítear é bhur bhfiacla
Ainmfhocal dar tús **f** + consan:	cuirtear **do** roimhe agus séimhítear é do fhreagra	uraítear é bhur bhfreagra

Na briathra neamhrialta

Briathar	Modh ordaitheach uatha	Modh ordaitheach iolra
Abair	abair	abraigí
Beir	beir	beirigí
Bí	bí	bígí
Clois	----------	----------
Déan	déan	déanaigí
Faigh	faigh	faighigí
Feic	feic	feicigí
Ith	ith	ithigí
Tabhair	tabhair	tugaigí
Téigh	téigh	téigí
Tar	tar	tagaigí

Cleachtadh 10.1

*Scríobh gach ordú san uimhir iolra. Beidh **do** le hathrú go **bhur** i gcás 1, 4 agus 11.*

1. Bailigh an bruscar, le do thoil.

_____

2. Nigh na gréithe.

_____

3. Luigh ar an leaba agus bí ciúin.

_____

4. Ordaigh do dhinnéar go tapa.

_____

5. Ná téigh amach go fóill.

_____

6. Sábháil neart airgid an mhí seo.

_____

7. Brúigh na cnaipí sin.

_____

8. Luaigh leis é.

_____

9. Ná hinis dó faoi Nóra.

_____

10. Abair leo teacht isteach.

_____

11. Dún na fuinneoga sin, le do thoil.

_____

12. Freagair gach ceist ar an bpáipéar.

_____

13. Críochnaigh an obair sin tráthnóna.

_____

14. Ná tabhair aon aird air.

_____

15. Tar ar ais amárach.

_____

Cleachtadh 10.2

Aistrigh na habairtí seo go Gaeilge.

1. *Don't forget* (uimhir uatha) *to call me.*

_____

2. *Ask* (uimhir iolra) *Deirdre to help you.*

_____

3. *Bríd, get one for* **me**.

_____

4. *Children, write that essay now.*

_____

5. *Be back* (uimhir iolra) *here at six.*

_____

6. *Be careful* (uimhir iolra), *the plates are very hot!*

_____

7. *Don't say* (uimhir iolra) *anything to Seán.*

_____

8. *Don't lose* (uimhir uatha) *that money.*

_____

9. *Tell me* (uimhir uatha) *what happened.*

_____

10. *Don't work* (uimhir uatha) *so hard – sit down and relax!*

_____

 Cleachtadh 10.3

Athraigh na focail idir lúibíní más gá.

1. (Déan) _____ bhur ndícheall an obair sin a bheith críochnaithe agaibh roimh a cúig.

2. (Cuir) _____ oraibh bhur (cuid) _____ cótaí nó beidh sibh an-fhuar.

3. (Seachain) _____ sibh féin!

4. (Abair) _____ le Mairéad go mbeidh sibh sa teach tábhairne ag a hocht a chlog.

5. Ná (ith) _____ an t-arán sin, a pháistí.

6. (Bain) _____ díbh bhur (cuid) _____ bróg sula dtagann sibh isteach sa teach.

7. (Tóg) _____ libh an leabhar, ach (bí) _____ cinnte go dtabharfaidh sibh ar ais é.

8. Ná (imigh) _____ go fóill – tá Tomás ag iarraidh labhairt libh.

9. (Tar) _____ isteach agus (suigh) _____ síos. (uimhir iolra)

10. (Ceannaigh) _____ stampaí dom inniu má bhíonn an t-am agaibh.

Forainmneacha pearsanta

Forainmneacha pearsanta a thugtar ar na focail seo thíos; úsáidtear iad in abairtí in áit ainmfhocail. Déanann siad tagairt do dhuine nó do rud gan é a ainmniú.

	Uatha	Iolra
1	mé	muid*
2	tú	sibh
3	sé, é sí, í	siad, iad

* nó **sinn**

Úsáidtear na foirmeacha **é**, **í** agus **iad** nuair a bhíonn forainm sa tríú pearsa ina chuspóir in abairt nó i bhfrása.

> *Samplaí:* Chonaic sé **í** inné.
> Chuala sí **iad** ag teacht isteach ar a dó a chlog ar maidin.

Forainmneacha sa chaint laethúil

Sa Bhéarla, is féidir béim (*stress*) a chur ar fhorainmneacha sa chaint.

> Tomás: I'm going to Dublin at the weekend.
> Sally: *I'm* going there as well.

> Gerry: *I* did all four questions. Did *you* do them?
> Ciara: Unfortunately, I only managed to do three.

Ní féidir béim a chur ar fhorainmneacha sa Ghaeilge, áfach – tá sé mícheart a leithéid a dhéanamh.

> Tá **mé* ag dul freisin. (* = mícheart)

Sa Ghaeilge, is gá foirm threise den fhorainm a úsáid.

> Tomás: Tá mé ag dul go Baile Átha Cliath ag an deireadh seachtaine.
> Sally: Tá **mise** (nó Táim**se**) ag dul ansin freisin.

> Gerry: Rinne **mise** na ceithre cheist. An ndearna **tusa** iad?
> Ciara: Ar an drochuair, níor éirigh liom ach trí cinn a dhéanamh.

Is féidir an focal **féin** a úsáid chomh maith.

> Tomás: Tá mé ag dul go Baile Átha Cliath ag an deireadh seachtaine.
> Sally: Tá mé **féin** ag dul ansin freisin.

	Uatha		Iolra	
	Gnáthfhoirm	**Foirm threise**	**Gnáthfhoirm**	**Foirm threise**
1	mé	mise	muid*	muidne**
2	tú	tusa	sibh	sibhse
3	sé, é sí, í	seisean, eisean sise, ise	siad, iad	siadsan, iadsan

* nó sinn   ** nó sinne

Nuair a úsáidtear an chopail agus foirm threise d'fhorainm pearsanta i gceist, ní féidir foirm threise a úsáid sa fhreagra.

Samplaí: An **tusa** an duine is sine sa chlann?
Ní **mé**.

An **iadsan** a bheidh i gceannas?
Is **iad**.

 Cleachtadh 10.4

Líon na bearnaí sna habairtí seo. Léiríonn an cló trom iodálach béim sa Bhéarla.

1. *He was there as well.*

Bhí _____ ansin freisin.

2. *She was there as well.*

Bhí _____ ansin freisin.

3. *We've been here for an hour now.*

Tá _____ anseo le huair an chloig anois.

4. *I'm from Galway.*

Is as Gaillimh _____.

5. *I'm from Limerick.*

Is as Luimneach _____.

6. *She's older than Brian.*

Tá _____ níos sine ná Brian.

7. *She's older than he is.*

Tá _____ níos sine ná _____.

8. *He was born in Belfast.*

Rugadh i mBéal Feirste _____.

9. *He was born in Derry.*

Rugadh _____ i nDoire.

10. *Are they going to Dublin tomorrow as well?*

An bhfuil _____ ag dul go Baile Átha Cliath amárach freisin?

Cleachtadh 10.5

Líon na bearnaí sna comhráite seo. Léiríonn an cló trom iodálach béim sa Bhéarla.

Comhrá 1

Sinéad: *Máirín was very angry. **I** got an A in that last essay but **she** only got a C.*

Bhí Máirín an-fheargach. Fuair _____ A san aiste dheireanach sin ach ní bhfuair _____ ach C.

Aodh: *I was talking to Claire this morning – **she** got a B.*

Bhí mé ag caint le Claire ar maidin – fuair _____ B.

Comhrá 2

Siobhán: ***I'm** from Dublin. Where are **you** from?*

Is as Baile Átha Cliath _____. Cé as _____?

Julie: *From Cork.*

As Corcaigh.

Comhrá 3 (ag cóisir)

Póilín: *Do you see who's coming in – Síle and Deirbhile!*

An bhfeiceann tú cé atá ag teacht isteach – Síle agus Deirbhile!

Nóra: *You don't often see **them** at a party.*

Ní rómhinic a fheiceann tú _____ ag cóisir.

Comhrá 4 (ag cóisir eile!)

Tomás: ***We're** going now. We'll see you tomorrow.*

Tá _____ ag imeacht anois. Feicfimid tú amárach.

Mairéad: *Wait a minute and **I'll** be with you.*

Fanaigí nóiméad agus beidh _____ libh.

Tomás: *Hurry, Mairéad. **I'm** getting very tired.*

Déan deifir, a Mhairéad. Tá _____ ag éirí an-tuirseach.

Comhrá 5

Sorcha: *Are **you** the eldest in your family?*

An _____ an duine is sine i do theaghlachsa?

Máire: *No. Julie is the eldest.*

Ní _____. Is í Julie an duine is sine.

Sorcha: ***She's** in that photograph you showed me.*

Tá _____ sa ghrianghraf sin a thaispeáin tú dom.

Máire: *Yes, and you saw her on that programme on TG4 last year.*

Tá, agus chonaic tú _____ ar an gclár sin ar TG4 anuraidh.

Aonad 11: An Briathar 2 (An Aimsir Chaite)

San aonad seo foghlaimeoidh tú faoi na nithe seo:

- an aimsir chaite a chumadh

- an aimsir chaite: an chéad réimniú agus an dara réimniú

- claoninsint san aimsir chaite

- ceisteanna agus freagraí: briathra rialta agus neamhrialta

- an chéad phearsa uimhir iolra

- aidiacht bhriathartha in áit na haimsire caite

An aimsir chaite a chumadh: briathra rialta

Briathra dar tús consan

Chun an aimsir chaite a chumadh, séimhítear foirm an bhriathair sa dara pearsa uimhir uatha, modh ordaitheach.

Modh ordaitheach	*Aimsir chaite*
siúil	shiúil mé
bris	bhris sé

Briathra dar tús guta (a, e, i, o, u) nó f

Cuirtear **d'** roimh bhriathra dar tús guta nó **f** agus séimhítear an **f**.

Modh ordaitheach	*Aimsir chaite*
ól	**d'**ól siad
imigh	**d'**imigh sí
freastail	**d'fh**reastail mé

An chéad réimniú

(a) Briathra a bhfuil fréamh aonsiollach acu

Tóg

thóg mé	thógamar
thóg tú	thóg sibh
thóg sé/sí	thóg siad

Caith

chaith mé	chaitheamar
chaith tú	chaith sibh
chaith sé/sí	chaith siad

Dóigh

dhóigh mé	dhómar
dhóigh tú	dhóigh sibh
dhóigh sé/sí	dhóigh siad

Léigh

léigh mé	léamar
léigh tú	léigh sibh
léigh sé/sí	léigh siad

Suigh

shuigh mé	shuíomar
shuigh tú	shuigh sibh
shuigh sé/sí	shuigh siad

(b) Briathra a bhfuil fréamh ilsiollach acu agus a chríochnaíonn ar -**áil**

Sábháil

shábháil mé	shábhálamar
shábháil tú	shábháil sibh
shábháil sé/sí	shábháil siad

(c) Roinnt briathra mar **taispeáin**, **tiomáin**

Taispeáin

thaispeáin mé	thaispeánamar
thaispeáin tú	thaispeáin sibh
thaispeáin sé/sí	thaispeáin siad

Tiomáin

thiomáin mé	thiomáineamar
thiomáin tú	thiomáin sibh
thiomáin sé/sí	thiomáin siad

An dara réimniú

(a) Briathra a bhfuil fréamh ilsiollach acu agus a chríochnaíonn ar **-(a)igh**

Ceannaigh

cheannaigh mé	cheannaíomar
cheannaigh tú	cheannaigh sibh
cheannaigh sé/sí	cheannaigh siad

Imigh

d'imigh mé	d'imíomar
d'imigh tú	d'imigh sibh
d'imigh sé/sí	d'imigh siad

(b) Briathra a bhfuil fréamh ilsiollach acu agus a chríochnaíonn ar **-(a)il**, **-(a)in**, **-(a)ir** agus **-(a)is**. Tabhair faoi deara go gcoimrítear an chéad phearsa uimhir iolra.

Ceangail

cheangail mé	cheanglaíomar
cheangail tú	cheangail sibh
cheangail sé/sí	cheangail siad

Cosain

chosain mé	chosnaíomar
chosain tú	chosain sibh
chosain sé/sí	chosain siad

Imir

d'imir mé	d'imríomar
d'imir tú	d'imir sibh
d'imir sé/sí	d'imir siad

Inis

d'inis mé	d'insíomar
d'inis tú	d'inis sibh
d'inis sé/sí	d'inis siad

(c) Roinnt briathra a bhfuil fréamh ilsiollach acu

Foghlaim

d'fhoghlaim mé	d'fhoghlaimíomar
d'fhoghlaim tú	d'fhoghlaim sibh
d'fhoghlaim sé/sí	d'fhoghlaim siad

Freastail

d'fhreastail mé	d'fhreastalaíomar
d'fhreastail tú	d'fhreastail sibh
d'fhreastail sé/sí	d'fhreastail siad

Gur

Séimhítear briathra dar tús consan tar éis **gur** agus cailltear an **d'** roimh ghutaí agus roimh **f**.

> Tá súil agam gur **ch**eannaigh sé an ceann saor.
> Chuala mé gur inis sí an scéal go léir duit.
> Deirtear gur **fh**reastail siad ar an scoil chéanna.

Ceisteanna agus freagraí: briathra rialta

An mhír cheisteach **ar** a úsáidtear roimh bhriathra *rialta* san aimsir chaite chun ceisteanna a chumadh; séimhítear briathra a leanann é.

> *Ceist:*   Ar **bh**uail tú le Mairéad riamh?
> *Freagraí:*   **Bh**uail./Níor **bh**uail.

Níor an mhír dhiúltach a úsáidtear i gcás briathra rialta. **Nár** an mhír cheisteach dhiúltach.

> Nár **ch**uir tú an litir sin sa phost go fóill?

Pointe tábhachtach
Ní gnách forainm (**mé**, **tú**, **sí**, etc.) a úsáid nuair a fhreagraítear ceisteanna mar na cinn thíos san aimsir chaite – bíonn sé mícheart a leithéid a úsáid de ghnáth.

> *Ceist:*   Ar ól sibh mórán aréir?
> *Freagra:*   D'ól. I bhfad an iomarca.
>
> *Ceist:*   Ar thóg siad mórán trioblóide?
> *Freagra:*   Níor thóg. Bhí siad an-chiúin i mbliana.

Ceisteanna agus freagraí/ráitis: briathra neamhrialta

Úsáidtear **ar** agus **níor** roimh chuid de na briathra neamhrialta agus **an** agus **ní** roimh chuid eile acu.

Abair

Ceist agus freagra

An ndúirt tú léi teacht ar ais?
Nach ndúirt ...?
Dúirt.
Ní dúirt.

Ráiteas

Dúirt mé/tú/sé/sí/sibh/siad
Dúramar

Beir

Ceist agus freagra

Ar rug siad ar na gadaithe sin?
Nár rug ...?
Rug.
Níor rug.

Ráiteas

Rug mé/tú/sé/sí/sibh/siad
Rugamar

Bí

Ceist agus freagra

An raibh sí amuigh mall aréir?
Nach raibh ...?
Bhí.
Ní raibh.

Ráiteas

Bhí mé/tú/sé/sí/sibh/siad
Bhíomar

Clois

Ceist agus freagra

Ar chuala tú an dea-scéala?
Nár chuala ...?
Chuala.
Níor chuala.

Ráiteas

Chuala mé/tú/sé/sí/sibh/siad
Chualamar

Déan

Ceist agus freagra

An ndearna Séamas an scrúdú go fóill?
Nach ndearna ...?
Rinne.
Ní dhearna.

Ráiteas

Rinne mé/tú/sé/sí/sibh/siad
Rinneamar

Faigh

Ceist agus freagra

An bhfuair tú carr nua go fóill?
Nach bhfuair ...?
Fuair.
Ní bhfuair.

Ráiteas

Fuair mé/tú/sé/sí/sibh/siad
Fuaireamar

Feic

Ceist agus freagra

An bhfaca tú an bainisteoir úr ar maidin?
Nach bhfaca ...?
Chonaic.
Ní fhaca.

Ráiteas

Chonaic mé/tú/sé/sí/sibh/siad
Chonaiceamar

Ith

Ceist agus freagra

Ar ith tú bia Síneach riamh?
Nár ith ...?
D'ith.
Níor ith.

Ráiteas

D'ith mé/tú/sé/sí/sibh/siad
D'itheamar

Tabhair

Ceist agus freagra

Ar thug tú an t-airgead dó?
Nár thug ...?
Thug.
Níor thug.

Ráiteas

Thug mé/tú/sé/sí/sibh/siad
Thugamar

Tar

Ceist agus freagra

Ar tháinig Cáit abhaile inné?
Nár tháinig ...?
Tháinig.
Níor tháinig.

Ráiteas

Tháinig mé/tú/sé/sí/sibh/siad
Thángamar

Téigh

Ceist agus freagra

An ndeachaigh sibh chuig an seisiún ceoil aréir?
Nach ndeachaigh ...?
Chuaigh.
Ní dheachaigh.

Ráiteas

Chuaigh mé/tú/sé/sí/sibh/siad
Chuamar

An chéad phearsa iolra

Tá rogha sa chéad phearsa iolra idir an fhoirm tháite (ina nasctar an forainm pearsanta le fréamh an bhriathair) agus an fhoirm scartha (ina gcoinnítear an forainm pearsanta agus fréamh an bhriathair scartha óna chéile).

Bhriseamar dhá fhuinneog.　　Bhris muid dhá fhuinneog.
D'ólamar ár sáith.　　　　　D'ól muid ár sáith.
D'imíomar abhaile.　　　　　D'imigh muid abhaile.

 Cleachtadh 11.1

Cuir Gaeilge ar na habairtí seo thíos agus tabhair freagra dearfach agus freagra diúltach ar gach ceann acu chomh maith.

> Sampla:　　　*Did she tell him the good news?*
> *Ar inis sí an dea-scéala dó? D'inis./Níor inis.*

1. *Did you attend an all-Irish school?*

_____

_____

2. *Did you get the paper?*

_____

_____

3. *Did they not drink all the wine last night?*

_____

_____

4. *Did she say anything else?*

_____

_____

5. *Did she give him the money that she owed him?*

_____

_____

6. *Did you hear that he was home before Christmas?*

_____

_____

7. *Did we ever play that team?*

_____

_____

8. *Did they not go back to Dublin yet?*

_____

_____

9. *Did we not say everything that had to be said?*

_____

_____

10. *Did Brian come home last night?*

_____

_____

Cleachtadh 11.2

Cum ceisteanna a bhféadfadh na briathra seo a bheith mar fhreagraí orthu.

1. Níor ól.

_____

2. Chuaigh.

_____

3. Bhuail.

_____

4. Níor thóg.

_____

5. Chuala.

_____

6. Fuair.

_____

7. Ní dúirt.

_____

8. Theip.

_____

9. Thaitin.

_____

10. Ní fhaca.

_____

 Cleachtadh 11.3

Tabhair freagra dearfach agus freagra diúltach ar na ceisteanna seo.

1. An ndeachaigh sibh chuig an scannán nua sin fós?

_____

2. Ar bhuaigh siad an cluiche?

_____

3. Ar ith tú an bia a d'fhág mé sa chuisneoir duit?

_____

4. An raibh sí ar buile leat?

_____

5. An bhfuair tú seans labhairt le Caoimhe?

_____

6. Ar ordaigh tú do chuid bia fós?

_____

7. Ar éist tú le dlúthdhiosca nua U2?

_____

8. Ar chaith tú mórán ama ansin?

_____

9. Ar thiomáin siad abhaile tar éis na cóisire?

_____

10. Ar rug na gardaí orthu?

_____

Cleachtadh 11.4

*Scríobh an chéad phearsa uimhir iolra de gach briathar. Bain úsáid as an bhfoirm tháite (e.g. **chuamar**, seachas **chuaigh muid**) i ngach cás.*

1. suigh

2. sábháil

3. tiomáin

4. tionóil

5. ceangail

6. cosain

7. fulaing

8. tarraing

9. freastail

10. bagair

11. beir

12. clois

13. déan

14. faigh

15. feic

Aidiacht bhriathartha in áit na haimsire caite

Bíonn deacracht ag daoine go minic an difear a chur in iúl idir (a) rud éigin a tharla roimhe seo agus atá críochnaithe anois/nach mbaineann leis an am i láthair agus (b) rud éigin a tharla roimhe seo ach a bhfuil ceangal aige leis an am i láthair. Is gá an aimsir chaite a úsáid sa chéad chás sin agus an aidiacht bhriathartha a úsáid sa dara cás.

Samplaí:
(a) "Chaill mé mo ghuthán."
Má deir tú "Chaill mé mo ghuthán," tá tú ag tabhairt le fios gur chaill tú é, ach nach bhfuil baint ar bith aige sin leis an am i láthair. Nuair a úsáideann tú abairt mar seo, bíonn daoine ag súil go gcuirfidh tú níos mó eolais ar fáil, e.g. cathain go díreach a chaill tú an guthán.

(b) "Tá mo ghuthán caillte agam."
Tugann sé seo le fios go bhfuil do ghuthán díreach caillte agat. Níl an guthán agat anois agus an t-eolas thuas á thabhairt agat.

Úsáidtear **tar éis** nó **i ndiaidh** go minic freisin le tagairt do rud éigin atá díreach i ndiaidh tarlú. Féach ar an dá abairt seo:

> Bhí leanbh ag mo dheirfiúr.
> Tá mo dheirfiúr i ndiaidh leanbh a bheith aici.

Ní léir ón gcéad abairt sin cathain a rugadh an leanbh ach tugann an dara habairt sin le fios gur le déanaí a tharla sé.

Aonad 12: Na Bunuimhreacha

San aonad seo foghlaimeoidh tú faoi na nithe seo:

- na cineálacha éagsúla uimhreacha atá sa Ghaeilge

- na maoluimhreacha

- na bunuimhreacha

- na deicheanna

- ainmfhocail a bhfuil foirmeacha faoi leith acu i ndiaidh na mbunuimhreacha

- an focal **déag**

- figiúirí in ionad focal

- an t-alt roimh na bunuimhreacha

- uimhreacha, ainmfhocail agus aidiachtaí

- moltaí ón *MHRA Style Guide*

An Coiste Stiúrtha i mbun díospóireachta

Leabharlanna Poiblí Chathair Bhaile Átha Cliath
Dublin City Public Libraries

Cineálacha éagsúla uimhreacha

Tá ceithre chineál uimhreach sa Ghaeilge agus tá rialacha difriúla ag baint le gach cineál acu.

Maoluimhreacha

a haon, a dó, a trí, a ceathair, a cúig, etc.

Bunuimhreacha

leabhar amháin, dhá charr, trí theach, ceithre bliana, etc.

Uimhreacha pearsanta

beirt, triúr, ceathrar, etc.

Orduimhreacha

an chéad duine, an dara lá, an tríú doras, an ceathrú bliain, etc.

San aonad seo, beimid ag díriú ar na maoluimhreacha agus ar na bunuimhreacha amháin.

Na maoluimhreacha

Seo mar a bhíonn na huimhreacha sa chomhaireamh nuair nach mbíonn ainmfhocal ar bith ag teacht ina ndiaidh:

0	náid		
1	a haon	11	a haon déag
2	a dó	12	a dó dhéag
3	a trí	13	a trí déag
4	a ceathair	14	a ceathair déag
5	a cúig	15	a cúig déag
6	a sé	16	a sé déag
7	a seacht	17	a seacht déag
8	a hocht	18	a hocht déag
9	a naoi	19	a naoi déag
10	a deich	20	fiche

Seo an córas is oiriúnaí os cionn 20:

21	fiche a haon
22	fiche a dó
33	tríocha a trí
34	tríocha a ceathair
45	daichead a cúig
56	caoga a sé
67	seasca a seacht
78	seachtó a hocht
89	ochtó a naoi
99	nócha a naoi
101	céad a haon
110	céad a deich
211	dhá chéad a haon déag
322	trí chéad fiche a dó

Na bunuimhreacha

1	aon chathaoir amháin	11	aon chathaoir déag
2	dhá chathaoir	12	dhá chathaoir déag
3	trí chathaoir	13	trí chathaoir déag
4	ceithre chathaoir	14	ceithre chathaoir déag
5	cúig chathaoir	15	cúig chathaoir déag
6	sé chathaoir	16	sé chathaoir déag
7	seacht gcathaoir	17	seacht gcathaoir déag
8	ocht gcathaoir	18	ocht gcathaoir déag
9	naoi gcathaoir	19	naoi gcathaoir déag
10	deich gcathaoir	20	fiche cathaoir

Séimhítear na consain **b**, **c**, **f**, **g**, **m** agus **p** tar éis **aon**. Ní shéimhítear na consain **d**, **s** ná **t** ina dhiaidh.

aon **b**hileog amháin
aon **c**hathaoir déag
ach
aon doras dhéag
aon seans amháin

Seo thíos na príomhrialacha a bhaineann le bunuimhreacha agus ainmfhocal ag teacht go díreach ina ndiaidh.

Grúpa 1: Ainmfhocail a leanann an gnáthnós

(a) Is é an t-ainmneach uatha is gnách a úsáid i ndiaidh na mbunuimhreacha.

trí lá
ocht n-oíche

(b) Séimhítear consain i ndiaidh na n-uimhreacha **2–6** agus uraítear consain agus gutaí i ndiaidh na n-uimhreacha **7–10**.

		Consain	Gutaí
1:	séimhiú ar chonsain seachas **d**, **s** agus **t**	aon **c**harr amháin	aon óstán amháin
2–6:	séimhiú ar chonsain	dhá **c**harr cúig **dh**eoch	trí óstán sé úrscéal
7–10:	urú ar chonsain agus ar ghutaí	seacht **g**coláiste ocht **n**doras deich **bh**fuinneog	naoi **n**-oíche ocht **n**-iarratas deich **n**-uirlis

(c) **Dhá** agus **ceithre** na foirmeacha a úsáidtear roimh ainmfhocail.

a dó	ach	**dhá** oíche
a ceathair	ach	**ceithre** leabhar

(d) Ní féidir urú a chur roimh **s** sa chomhaireamh.

siopa   ocht siopa (níl sé ceart **t** a chur roimh an **s**)

(e) Ní athraítear an t-ainmfhocal nuair a leanann sé uimhir atá inroinnte ar a deich mar **fiche, céad, míle, milliún**, etc., ach amháin an uimhir **deich** féin.

fiche bosca   na céadta cathaoir
tríocha oíche   10,000 saighdiúir
céad teach   na mílte post

Grúpa 2: Bliain, ceann, etc.

Tá foirmeacha faoi leith iolra ag na hainmfhocail thíos a mbaintear úsáid astu i ndiaidh na n-uimhreacha.

	2	3–6	7–10
bliain	bhliain	bliana	mbliana
ceann	cheann	cinn	gcinn
cloigeann	chloigeann	cloigne	gcloigne
fiche	fhichead	fichid	bhfichid
orlach	orlach	horlaí	n-orlaí
pingin	phingin	pingine	bpingine
seachtain	sheachtain	seachtaine	seachtaine
troigh	throigh	troithe	dtroithe
uair	uair	huaire	n-uaire

Cleachtadh 12.1

Athraigh na focail idir lúibíní más gá. Bí ag féachaint ar na rialacha atá le fáil faoi Ghrúpa 1 ar leathanach 111 thuas agus an cleachtadh seo á dhéanamh agat.

1. ceithre (seomra codlata)

_____

2. cúig (úll)

_____

3. seacht (eagrán)

_____

4. ocht (cearc)

_____

5. dhá (pictiúrlann)

_____

6. naoi (teach)

_____

7. trí (post)

_____

8. sé (ábhar)

_____

9. deich (bord)

_____

10. cúig (bosca)

_____

Cleachtadh 12.2

Athraigh na focail idir lúibíní más gá. Bí ag féachaint ar na rialacha atá le fáil faoi Ghrúpa 2 ar leathanach 112 thuas agus an cleachtadh seo á dhéanamh agat.

1. deich (bliain)

_____

2. ocht (ceann)

_____

3. ceithre (ceann)

_____

4. cúig (seachtain)

_____

5. seacht (bliain)

_____

6. sé (uair)

_____

7. sé (bliain)

_____

8. trí (bliain)

_____

9. cúig (troigh)

_____

10. seacht (uair)

_____

 Cleachtadh 12.3

Cuir Gaeilge ar na nithe seo thíos.

1. *five times*

_____

2. *seven offices*

_____

3. *three dogs*

_____

4. *nine years*

_____

5. *five subjects*

_____

6. *eight shops*

_____

7. *three times*

_____

8. *six cinemas*

_____

9. *ten companies* (cuideachta)

_____

10. *two leaflets* (bileog)

_____

11. *nine subjects*

_____

12. *two rooms*

_____

13. *six feet, four inches*

_____

14. *three weeks*

_____

15. *ten weeks*

_____

Déag – i ndiaidh ainmfhocail uatha a chríochnaíonn ar ghuta

Nuair a leanann **déag** ainmfhocal as grúpa 1 thuas (leathanach 111) a chríochnaíonn ar ghuta, séimhítear é. Nuair a leanann **déag** ainmfhocal a chríochnaíonn ar chonsan, ní shéimhítear é.

> trí bhosca **dhéag**
> seacht n-oíche **dhéag**
> sé lá **dhéag**
> ach
> cúig chathaoir déag
> seacht gcáipéis déag
> ocht bhfoireann déag

Nóta
Ní shéimhítear **déag** nuair a leanann sé orduimhir + ainmfhocal, fiú má chríochnaíonn an t-ainmfhocal sin ar ghuta.

> an **t-aonú** lá déag
> an **seachtú** hoíche déag

Déag – i ndiaidh ainmfhocail iolra a chríochnaíonn ar ghuta

Má leanann **déag** ainmfhocal iolra as grúpa 2 thuas (leathanach 112) a chríochnaíonn ar ghuta, ní shéimhítear é.

> trí bliana déag
> seacht seachtaine déag
> sé huaire déag

Úsáid déag – achoimre

Ainmfhocail a leanann an gnáthnós (Grúpa 1 ar leathanach 111 thuas)		Ainmfhocail iolra a chríochnaíonn ar ghuta (Grúpa 2 ar leathanach 112 thuas)
Guta roimh déag	Consan roimh déag	
trí oíche **dhéag**	dhá fhuinneog déag	trí bliana déag
sé chluiche **dhéag**	ceithre theach déag	ceithre huaire déag
seacht ngrúpa **dhéag**	seacht leabhar déag	sé seachtaine déag
naoi n-aiste **dhéag**	naoi mbileog déag	ocht dtroithe déag

Cleachtadh 12.4

Athraigh na focail idir lúibíní más gá.

1. ceithre (seomra) (déag) _____

2. cúig (eagraíocht) (déag) _____

3. seacht (uair) (déag) _____

4. cúig (bliain) (déag) _____

5. naoi (cathaoir) (déag) _____

6. ocht (oíche) (déag) _____

7. sé (uair) (déag) _____

8. cúig (seomra) (déag) _____

9. naoi (orlach) (déag) _____

10. naoi (bosca) (déag) _____

11. aon (siopa) (déag) _____

12. aon (cathaoir) (déag) _____

13. trí (seachtain) (déag) _____

14. ocht (ceann) (déag) _____

Na bunuimhreacha 21–99 mar fhocail

	Consan	Guta
21	aon chathaoir amháin is fiche/cathaoir is fiche	aon óstán amháin is fiche/óstán is fiche
32	dhá chathaoir is tríocha	dhá óstán is tríocha
43	trí chathaoir is daichead/is ceathracha	trí óstán is daichead/is ceathracha
54	ceithre chathaoir is caoga	ceithre óstán is caoga
65	cúig chathaoir is seasca	cúig óstán is seasca
77	seacht gcathaoir is seachtó	seacht n-óstán is seachtó
88	ocht gcathaoir is ochtó	ocht n-óstán is ochtó
99	naoi gcathaoir is nócha	naoi n-óstán is nócha

Na bunuimhreacha a scríobh i bhfigiúirí, 1–19

Scríobhtar uimhreacha mar fhigiúirí i gcomhthéacsanna staitistiúla (e.g. téacsleabhar matamaitice) de ghnáth. Seo an córas a mholtar idir 1 agus 19:

    3 bhileog
    15 bhileog
    7 n-óstán
    18 n-óstán

Na bunuimhreacha a scríobh i bhfigiúirí, 20–

Nuair a scríobhtar na huimhreacha i bhfigiúirí, moltar sa Chaighdeán Oifigiúil Athbhreithnithe "an t-athrú tosaigh is cuí don fhigiúr deiridh a chur i bhfeidhm ar fhoirm chuí an ainmfhocail de réir chórais na mbunuimhreacha". Tá córas níos simplí i bhfeidhm ag an nGúm, áfach: ó 20 amach, is nós leosan gan aon athrú a dhéanamh ar thúslitir an ainmfhocail. Tá sé tábhachtach ceann amháin de na córais thíos a roghnú agus cloí go docht leis, seachas an dá cheann a mheascadh le chéile.

	An Caighdeán Oifigiúil Athbhreithnithe	An Gúm
23	23 theach	23 teach
35	35 óstán	35 óstán
67	67 mbotún	67 botún
123	123 bliana	123 bliain
857	857 gcinn	857 ceann

An t-alt roimh na bunuimhreacha

Bíonn séimhiú ar **dhá** i gcónaí ach amháin i ndiaidh an ailt (**an, sa, don,** etc.) agus i ndiaidh **an chéad**.

> **an** dá bhliain sin
> **sa** dá áit
> **don** dá rang
> **an chéad** dá chúrsa

Uatha an ailt a úsáidtear roimh **dá** + ainmfhocal ach iolra an ailt a úsáidtear roimh **trí, ceithre**, etc. + ainmfhocal.

> **an** dá bhosca
> ach
> **na** trí bhosca
> **na** sé chúrsa
> **na** hocht gcarr déag

Uimhir idir 2 agus 19 + ainmfhocal + aidiacht

Nuair a bhíonn uimhir idir 2 agus 19 roimh ainmfhocal + aidiacht, cuirtear an aidiacht san uimhir iolra agus séimhítear í.

> trí chathaoir ghorma
> seacht mbuidéal ghlasa
> trí chathaoir déag ghorma (nó trí cinn déag de chathaoireacha gorma)
> seacht mbuidéal déag ghlasa (nó seacht gcinn déag de bhuidéil ghlasa)

Fiche agus os a chionn

Tar éis **fiche, tríocha** . . . **nócha, céad, míle, milliún**, bíonn an aidiacht san uimhir uatha agus séimhítear í nuair a cháilíonn sí ainmfhocal baininscneach.

> fiche lá fada
> caoga eagraíocht dheonach
> céad leabhar gorm
> ceithre chéad bileog bhuí
> cúig mhíle geansaí buí
> ocht milliún déag bileog dhearg

Seo an córas is féidir a úsáid i gcás uimhreacha nach bhfuil inroinnte ar a deich:

> ceithre cinn is fiche de bhoscaí móra
> seacht gcinn is daichead de thithe nua

Cleachtadh 12.5

Cuir Gaeilge ar na nithe seo.

1. *those two chairs*

_____

2. *in those two boxes*

_____

3. *the three books*

_____

4. *the first two houses*

_____

5. *the eight chairs*

_____

6. *the eighteen floors*

_____

7. *for* (don) *those two days*

_____

8. *those five nights*

_____

 Cleachtadh 12.6

Bain amach na lúibíní agus athraigh na focail más gá.

1. trí (bileog) (glas)

_____

2. seacht (dlúthdhiosca) (dearg)

_____

3. trí (seomra) (mór)

_____

4. naoi (seomra) (beag)

_____

5. deich (cathaoir) (compordach)

_____

6. trí (bord) (déag) (mór)

_____

7. sé (oíche) (déag) (fada)

_____

8. seacht (oíche) (déag) (fuar)

_____

9. fiche (eagras) (mór)

_____

10. tríocha (cáipéis) (tábhachtach)

_____

11. céad (carthanacht) (Francach)

_____

12. ceithre chéad (bileog) (glas)

_____

13. na mílte (oibrí) (deonach)

_____

14. na mílte (fostaí) (páirtaimseartha)

_____

15. na milliúin (duine) (bocht)

_____

Moltaí an 'MHRA Style Guide'

Seo thíos cuid de na moltaí maidir le huimhreacha atá le fáil sa leabhrán *MHRA Style Guide: A Handbook for Authors, Editors, and Writers of Theses*, a úsáidtear ar bhonn forleathan mar threoirleabhar.

(a) Uimhreacha suas go **céad** a scríobh mar fhocail nuair nach mbíonn comhthéacs staitistiúil i gceist.

dhá lá is fiche
cúig chathaoir is tríocha

(b) Figiúirí a úsáid nuair a bhítear ag tagairt d'imleabhar, do chaibidil agus d'uimhreacha leathanach.

imleabhar 26
Caibidil 3
leathanach 75

(c) Figiúirí a úsáid agus blianta á scríobh.

1956
2016

(d) Uimhreacha ag tús abairtí agus garbhuimhreacha a scríobh mar fhocail.

Dhá chéad duine a rinne an scrúdú sa deireadh.
Bhí timpeall sé mhíle duine i láthair.

(e) **Céad**, **míle**, **milliún** agus **billiún** a scríobh más slánuimhir atá i gceist.

Bhí an teanga sin i réim sa tír míle bliain ó shin.
Tá milliún duine gan dídean sa réigiún sin.

Aonad 13: An Briathar 3 (An Aimsir Láithreach)

San aonad seo foghlaimeoidh tú faoi na nithe seo:

- briathra rialta: an chéad agus an dara réimniú

- claoninsint san aimsir láithreach

- an briathar **bí** san aimsir láithreach agus san aimsir ghnáthláithreach

- na briathra neamhrialta

- ceisteanna agus freagraí: briathra rialta agus neamhrialta

Béaltriail Ardteiste an chailín fhoréignigh

Briathra rialta san aimsir láithreach: an chéad réimniú

(a) Briathra a bhfuil fréamh aonsiollach acu

Tóg

tógaim	tógaimid
tógann tú	tógann sibh
tógann sé/sí	tógann siad

Caith

caithim	caithimid
caitheann tú	caitheann sibh
caitheann sé/sí	caitheann siad

Dóigh

dóim	dóimid
dónn tú	dónn sibh
dónn sé/sí	dónn siad

Léigh

léim	léimid
léann tú	léann sibh
léann sé/sí	léann siad

Suigh

suím	suímid
suíonn tú	suíonn sibh
suíonn sé/sí	suíonn siad

(b) Briathra a bhfuil fréamh ilsiollach acu agus a chríochnaíonn ar **-áil**

Sábháil

sábhálaim	sábhálaimid
sábhálann tú	sábhálann sibh
sábhálann sé/sí	sábhálann siad

(c) Roinnt briathra mar **taispeáin**, **tiomáin**

Taispeáin

taispeánaim	taispeánaimid
taispeánann tú	taispeánann sibh
taispeánann sé/sí	taispeánann siad

Tiomáin

tiomáinim	tiomáinimid
tiomáineann tú	tiomáineann sibh
tiomáineann sé/sí	tiomáineann siad

Briathra rialta san aimsir láithreach: an dara réimniú

(a) Briathra a bhfuil fréamh ilsiollach acu agus a chríochnaíonn ar **-(a)igh**

Ceannaigh

ceannaím	ceannaímid
ceannaíonn tú	ceannaíonn sibh
ceannaíonn sé/sí	ceannaíonn siad

Imigh

imím	imímid
imíonn tú	imíonn sibh
imíonn sé/sí	imíonn siad

(b) Briathra a bhfuil fréamh ilsiollach acu, a chríochnaíonn ar **-(a)il**, **-(a)in**, **-(a)ir** agus **-(a)is** agus a choimrítear

Ceangail

ceanglaím	ceanglaímid
ceanglaíonn tú	ceanglaíonn sibh
ceanglaíonn sé/sí	ceanglaíonn siad

Cosain

cosnaím	cosnaímid
cosnaíonn tú	cosnaíonn sibh
cosnaíonn sé/sí	cosnaíonn siad

Imir

imrím	imrímid
imríonn tú	imríonn sibh
imríonn sé/sí	imríonn siad

Inis

insím	insímid
insíonn tú	insíonn sibh
insíonn sé/sí	insíonn siad

(c) Roinnt briathra a bhfuil fréamh ilsiollach acu

Foghlaim

foghlaimím	foghlaimímid
foghlaimíonn tú	foghlaimíonn sibh
foghlaimíonn sé/sí	foghlaimíonn siad

Freastail

freastalaím	freastalaímid
freastalaíonn tú	freastalaíonn sibh
freastalaíonn sé/sí	freastalaíonn siad

Go

Uraítear briathra dar tús consan agus dar tús guta tar éis **go**.

> Bhí Nuala ag rá go **bh**feiceann sí sa teach tábhairne go minic é.
> Deirtear go **bh**foghlaimíonn daoine níos mó ar an dóigh sin.
> Tá a fhios agam go **n**-imríonn siad formhór na gcluichí ansin.

An briathar bí

Baintear úsáid as an aimsir láithreach chun labhairt faoi rud atá fíor anois nó rud atá fíor i gcónaí.

> Tá mé ag obair mar fhreastalaí i mbialann.
> Tá triúr deartháireacha agam.

Úsáidtear an aimsir ghnáthláithreach chun labhairt faoi rudaí a tharlaíonn go rialta.

> Bím sa bhaile gach tráthnóna timpeall a sé a chlog.

Seo thíos foirmeacha an bhriathair **bí** san aimsir láithreach agus san aimsir ghnáthláithreach.

An aimsir láithreach

Uatha	*Iolra*	*Uatha*	*Iolra*
tá mé/táim	táimid	níl mé/nílim	nílimid
tá tú	tá sibh	níl tú	níl sibh
tá sé/sí	tá siad	níl sé/sí	níl siad

An aimsir ghnáthláithreach

Uatha	*Iolra*	*Uatha*	*Iolra*
bím	bímid	ní bhím	ní bhímid
bíonn tú	bíonn sibh	ní bhíonn tú	ní bhíonn sibh
bíonn sé/sí	bíonn siad	ní bhíonn sé/sí	ní bhíonn siad

Na briathra neamhrialta

Abair

deirim	deirimid
deir tú	deir sibh
deir sé/sí	deir siad

Beir

beirim	beirimid
beireann tú	beireann sibh
beireann sé/sí	beireann siad

Clois
cloisim
cloiseann tú
cloiseann sé/sí

cloisimid
cloiseann sibh
cloiseann siad

Déan
déanaim
déanann tú
déanann sé/sí

déanaimid
déanann sibh
déanann siad

Faigh
faighim
faigheann tú
faigheann sé/sí

faighimid
faigheann sibh
faigheann siad

Feic
feicim
feiceann tú
feiceann sé/sí

feicimid
feiceann sibh
feiceann siad

Ith
ithim
itheann tú
itheann sé/sí

ithimid
itheann sibh
itheann siad

Tabhair
tugaim
tugann tú
tugann sé/sí

tugaimid
tugann sibh
tugann siad

Tar
tagaim
tagann tú
tagann sé/sí

tagaimid
tagann sibh
tagann siad

Téigh
téim
téann tú
téann sé/sí

téimid
téann sibh
téann siad

Ceisteanna agus freagraí san aimsir láithreach: ginearálta

An mhír cheisteach **an** a úsáidtear san aimsir láithreach; uraítear consain a leanann é.

Ceist: An **bh**feiceann tú Mairéad go minic?
Freagraí: Feicim./Ní **fh**eicim.

Ní thagann aon athrú ar bhriathra dar tús guta i ndiaidh **an**.

   An ólann tú Guinness?

Ní fhuaimnítear an **n** in **an** nuair a thagann sé roimh chonsan. Mar sin, scríobhtar **an bhfeiceann** ach deirtear **a' bhfeiceann** nó **bhfeiceann**.

Fuaimnítear an **n** in **an** nuair a thagann sé roimh ghuta. Mar sin, scríobhtar **an ólann** ach deirtear **nólann**.

Is féidir an freagra céanna a thabhairt ar cheisteanna éagsúla san aimsir láithreach.

Ceist:	An dtéann sé ansin go minic?
Freagraí:	Téann./Ní théann.
Ceist:	An dtéann sí ansin go minic?
Freagraí:	Téann./Ní théann.
Ceist:	An dtéann sibh ansin go minic?
Freagraí:	Téann./Ní théann.
Ceist:	An dtéann siad ansin go minic?
Freagraí:	Téann./Ní théann.

Pointe tábhachtach
Seachas sa chéad phearsa uatha, níor cheart forainm (**tú**, **sé**, etc.) a úsáid agus freagra dearfach nó freagra diúltach á thabhairt ar cheist san aimsir láithreach – bíonn sé mícheart de ghnáth forainm a úsáid nuair a bhíonn *Yes* nó *No* mar fhreagra ar cheist.

Ceist:	An bhfeiceann sí Liam go minic?
Freagra:	Feiceann./Ní fheiceann.

Tabhair faoi deara nach bhfuil an forainm **sí** sa fhreagra – níl sé ag teastáil mar go bhfuil sé soiléir cé dó a bhfuil an dara duine ag tagairt.

Tá rogha i gceist sa chéad phearsa uatha:

Ceist	Freagra (rogha 1)	Freagra (rogha 2)
An bhfeiceann tú Liam go minic?	Feiceann./Ní fheiceann.	Feicim./Ní fheicim.

Ní bhaineann an rogha seo ach leis an gcéad phearsa uatha amháin. Sna pearsana eile, níor cheart forainm a úsáid agus freagra á thabhairt agat ar an gcineál ceiste atá le feiceáil thuas.

Ceisteanna agus freagraí/ráitis: briathra neamhrialta

Abair
Ceist agus freagra
An ndeir sí aon rud leis?
Nach ndeir sí ...?
Deir.
Ní deir.

Ráiteas
Deirim
Deir tú/sé/sí
Deirimid
Deir sibh/siad

Beir
Ceist agus freagra
An mbeireann siad orthu de ghnáth?
Nach mbeireann siad ...?
Beireann.
Ní bheireann.

Ráiteas
Beirim
Beireann tú/sé/sí
Beirimid
Beireann sibh/siad

Bí (an aimsir láithreach)
Ceist agus freagra
An bhfuil tú réidh le himeacht?
Nach bhfuil tú ...?
Tá.
Níl.

Ráiteas
Tá mé (nó Táim)
Tá tú/sé/sí
Táimid
Tá sibh/siad

Bí (an aimsir ghnáthláithreach)
Ceist agus freagra
An mbíonn tú ann go minic?
Nach mbíonn tú ...?
Bíonn.
Ní bhíonn.

Ráiteas
Bím
Bíonn tú/sé/sí
Bímid
Bíonn sibh/siad

Clois
Ceist agus freagra
An gcloiseann sí ag teacht isteach iad?
Nach gcloiseann sí ...?
Cloiseann.
Ní chloiseann.

Ráiteas
Cloisim
Cloiseann tú/sé/sí
Cloisimid
Cloiseann sibh/siad

Déan
Ceist agus freagra
An ndéanann sé an obair go léir?
Nach ndéanann sé ...?
Déanann.
Ní dhéanann.

Ráiteas
Déanaim
Déanann tú/sé/sí
Déanaimid
Déanann sibh/siad

Faigh
Ceist agus freagra
An bhfaigheann tú scéala uaithi go minic?
Nach bhfaigheann tú ...?
Faigheann.
Ní fhaigheann.

Ráiteas
Faighim
Faigheann tú/sé/sí
Faighimid
Faigheann sibh/siad

Feic
Ceist agus freagra
An bhfeiceann sibh go minic é?
Nach bhfeiceann sibh ...?
Feiceann.
Ní fheiceann.

Ráiteas
Feicim
Feiceann tú/sé/sí
Feicimid
Feiceann sibh/siad

Ith
Ceist agus freagra
An itheann tú feoil de ghnáth?
Nach n-itheann tú ...?
Itheann.
Ní itheann.

Ráiteas
Ithim
Itheann tú/sé/sí
Ithimid
Itheann sibh/siad

Tabhair
Ceist agus freagra
An dtugann siad aire mhaith di?
Nach dtugann siad ...?
Tugann.
Ní thugann.

Ráiteas
Tugaim
Tugann tú/sé/sí
Tugaimid
Tugann sibh/siad

Tar
Ceist agus freagra
An dtagann sí abhaile ag an deireadh seachtaine?
Nach dtagann sí ...?
Tagann.
Ní thagann.

Ráiteas
Tagaim
Tagann tú/sé/sí
Tagaimid
Tagann sibh/siad

Téigh
Ceist agus freagra
An dtéann sé chuig na himeachtaí sin?
Nach dtéann sé ...?
Téann.
Ní théann.

Ráiteas
Téim
Téann tú/sé/sí
Téimid
Téann sibh/siad

Cleachtadh 13.1

Tabhair freagra dearfach agus freagra diúltach ar gach ceist thíos.

Sampla: An ólann sí mórán ag an deireadh seachtaine?
               Ólann./Ní ólann.

1. An bhfeiceann tú Deirdre go minic?

6. An éiríonn sibh go luath ar maidin?

2. An mbíonn tú i mBéal Feirste mórán anois?

7. An dtéann Maria ansin gach seachtain?

3. An itheann tú bia Síneach?

8. An gcloiseann siad í ar an raidió?

4. An bhfeiceann sí Stiofán mórán anois?

9. An dtiomáineann sibh ansin le chéile?

5. An gcasann tú léi mórán anois?

10. An mbuaileann sí leis go minic?

 Cleachtadh 13.2

Cum ceisteanna a bhféadfadh na briathra seo thíos a bheith mar fhreagraí orthu.

1. Tugann.

9. Taispeánann.

2. Itheann.

10. Feiceann.

3. Ní fhágann.

11. Ní chloiseann.

4. Foghlaimíonn.

12. Ní deir.

5. Ceannaíonn.

13. Ólann.

6. Ní bhíonn.

14. Freastalaíonn.

7. Tógann.

15. Ní chuireann.

8. Ní léann.

Cleachtadh 13.3

Cuir Gaeilge ar na habairtí seo.

1. I don't go there too often.

_____

_____

2. We don't come here during the summer.

_____

_____

3. Does he still work in the restaurant?

_____

_____

4. She doesn't say much – she's very shy.

_____

_____

5. I work in an office in Galway city.

_____

_____

6. I work there every weekend.

_____

_____

7. I'm always busy at Christmas.

_____

_____

8. Are you a member of the basketball club?

_____

_____

9. Do you not hear from her now?

_____

_____

10. I don't buy a Sunday paper.

_____

_____

11. We learn it off by heart (de ghlanmheabhair).

_____

_____

12. We always save a lot during the summer.

_____

_____

13. We don't show him anything.

_____

_____

14. It costs too much.

_____

_____

15. We often attend that event.

_____

_____

Cleachtadh 13.4

Athraigh na focail idir lúibíní más gá.

1. An (féach) _____ tú ar an teilifís go minic?

2. An (imir) _____ tú mórán spóirt?

3. Ní (téigh) _____ sé amach i rith na seachtaine.

4. (Ith) _____ siad an dinnéar ag a seacht a chlog.

5. An (scríobh) _____ tú chuig Bríd go rialta?

6. Ní (bí) _____ sé anseo ar an Aoine.

7. An (bí) _____ ocras ort i gcónaí ag deireadh an lae?

8. (Fág) _____ sí an baile ar a seacht a chlog gach maidin.

9. An (ceap) _____ tú go bhfuil sé seo leadránach?

10. Ní (tabhair) _____ Máirtín aon aird orm.

Aonad 14: Dátaí/Na hOrduimhreacha

San aonad seo foghlaimeoidh tú faoi na nithe seo:

- míonna na bliana

- an dáta a scríobh

- na horduimhreacha

- na dátaí sa chaint

- an focal **déag** i ndiaidh na n-orduimhreacha

- an focal **céad** i ndiaidh an ailt

- orduimhreacha sa tuiseal ginideach

Lá breithe díograiseora

Míonna na bliana

Sa chéad cholún thíos, tá na míonna le fáil mar a scríobhtar sa Ghaeilge iad.

Sa chaint, tá an claonadh ag daoine an focal **mí** a úsáid agus iad ag tagairt do mhí faoi leith.

Feicfidh mé i mí na Bealtaine thú.
Tá sí le pósadh ag deireadh mhí Lúnasa.

Eanáir	mí Eanáir	ag tús mhí Eanáir
Feabhra	mí Feabhra	i lár mhí Feabhra
Márta	mí **an Mhárta**	ag deireadh mhí an Mhárta
Aibreán	mí Aibreáin	i rith mhí Aibreáin
Bealtaine	mí **na** Bealtaine	ag tús mhí na Bealtaine
Meitheamh	mí **an Mheithimh**	i lár mhí an Mheithimh
Iúil	mí Iúil	ag deireadh mhí Iúil
Lúnasa	mí Lúnasa	i rith mhí Lúnasa
Meán Fómhair	mí **Mheán** Fómhair	ag tús mhí Mheán Fómhair
Deireadh Fómhair	mí **Dheireadh** Fómhair	i lár mhí Dheireadh Fómhair
Samhain	mí **na Samhna**	ag deireadh mhí na Samhna
Nollaig	mí **na Nollag**	ag tús mhí na Nollag

An dáta a scríobh

Seo mar a scríobhtar an dáta sa Ghaeilge:

8 Feabhra 2015

Ní mór an t-alt a úsáid nuair a dhéantar tagairt do dhátaí i gcorp téacs.

Beidh mé ar ais an 26 Feabhra.
nó
Beidh mé ar ais ar an 26 Feabhra.
(Is féidir **ar** a úsáid nó é a fhágáil ar lár.)

I dteidil (e.g. ar phóstaer nó i gceannlíne nuachtáin), áfach, is fearr an t-alt a fhágáil ar lár.

Oireachtas na Gaeilge, 1–3 Samhain 2013

Na horduimhreacha

	Na gutaí	Na consain (seachas d, s agus t)	d, s agus t
an chéad	an chéad alt	an chéad **bh**liain	an chéad duine
an dara	an dara **h**alt	an dara bliain	an dara teach
an tríú	an tríú **h**ordú	an tríú bliain	an tríú seans
an ceathrú	an ceathrú **h**alt	an ceathrú fear	an ceathrú seomra
an cúigiú	an cúigiú **h**agallamh	an cúigiú bliain	an cúigiú deoch
an séú	an séú **h**áit	an séú cúrsa	an séú taoiseach
an seachtú	an seachtú **h**Éireannach	an seachtú coláiste	an seachtú tiontú
an t-ochtú	an t-ochtú **h**uair	an t-ochtú mí	an t-ochtú seachtain
an naoú	an naoú **h**amhrán	an naoú bliain	an naoú teach
an deichiú	an deichiú **h**amhránaí	an deichiú file	an deichiú teachta

Na dátaí sa chaint

an chéad lá	an t-aonú lá déag	an t-aonú lá is fiche
an dara lá	an dara lá déag	an dara lá is fiche
an tríú lá	an tríú lá déag	an tríú lá is fiche
an ceathrú lá	an ceathrú lá déag	an ceathrú lá is fiche
an cúigiú lá	an cúigiú lá déag	an cúigiú lá is fiche
an séú lá	an séú lá déag	an séú lá is fiche
an seachtú lá	an seachtú lá déag	an seachtú lá is fiche
an t-ochtú lá	an t-ochtú lá déag	an t-ochtú lá is fiche
an naoú lá	an naoú lá déag	an naoú lá is fiche
an deichiú lá	an fichiú lá	an tríochadú lá
		an t-aonú lá is tríocha

Ná déan dearmad go n-uraítear nó go séimhítear **an chéad**, **an ceathrú** agus **an cúigiú** nuair a leanann siad réamhfhocal simplí agus an t-alt, e.g. **ar an**, **faoin**, **ón**, **roimh an**.

> ar an gcéad lá de mhí Feabhra (Canúint Chonnacht agus Canúint na Mumhan)
> ar an chéad lá de mhí Feabhra (Canúint Uladh)

Cailltear an **t-** sna horduimhreacha **aonú** agus **ochtú** nuair a leanann siad réamhfhocal simplí agus an t-alt, e.g. **ar an**, **faoin**, **ón**, **roimh an**.

> an t-ochtú lá de mhí an Mheithimh
> faoin ochtú lá de mhí an Mheithimh

Ná déan dearmad ach oiread go séimhítear an focal **mí** tar éis **de**.

> ar an gcúigiú lá déag de **mhí** na Nollag
> roimh an dara lá de **mhí** na Samhna

Is féidir **fichead** a úsáid le cois **is fiche**. Níl sé ceart, áfach, **is** a chur roimh **fichead**.

Ceart	Mícheart
an dara lá is fiche an dara lá fichead	*an dara lá is fichead

Déag i ndiaidh na n-orduimhreacha

Bíonn séimhiú ar **déag** sa chás seo a leanas:

> bunuimhir + ainmfhocal uatha a chríochnaíonn ar ghuta + **déag**

> *Sampla:*
> ceithre oíche **dh**éag

Ní bhíonn séimhiú ar **déag** sa chás seo a leanas:

> orduimhir + ainmfhocal uatha (fiú ceann a chríochnaíonn ar ghuta) + **déag**

> *Sampla:*
> an ceathrú hoíche déag

Cleachtadh 14.1

Athraigh na focail idir lúibíní más gá.

1. Tháinig Máirín sa chéad (áit) _____ sa rás agus tháinig Sinéad sa cheathrú (áit) _____.

2. Feicfidh mé tú ar (an t-ochtú lá déag) _____.

3. Bhí sí ansin an chéad (oíche) _____ ach ní fhaca mé í an dara (oíche) _____.

4. Sin an chéad (deoch) _____ a bhí agam le seachtain.

5. Tóg an chéad (casadh) _____ ar dheis agus is é mo theachsa an dara (ceann) _____ ar chlé.

6. Is é seo an seachtú (bliain) _____ agam ag obair san áit seo.

7. Beidh an chéad (cruinniú) _____ ar siúl thuas staighre, sa chúigiú (seomra) _____ ar chlé.

8. Is é seo an t-ochtú (uair) _____ a tháinig sí ar cuairt.

9. Tosóidh an dara (téarma) _____ ar (an séú lá déag) _____ de mhí (Márta) _____.

10. Téigh suas go dtí an seachtú (urlár) _____ agus tóg an tríú (casadh) _____ ar dheis.

 Cleachtadh 14.2

Aistrigh na habairtí seo go Gaeilge. Scríobh na horduimhreacha mar fhocail seachas mar uimhreacha.

1. *I'll see you on the twenty-second of October.*

_____

_____

2. *I was born on the fourteenth of June.*

_____

_____

3. *She'll be back on the eleventh of March.*

_____

_____

4. *The match will now be played on the twentieth of February.*

_____

_____

5. *I'll be at the meeting on the thirty-first of August.*

_____

_____

6. *The concert will be held on the third of November.*

_____

_____

7. *The book will be published on the fourteenth of February.*

_____

_____

8. *I intend to have a party on the twelfth of March.*

Cleachtadh 14.3

Cuir na horduimhreacha **an chéad–an deichiú** *roimh gach ainmfhocal.*

1. bliain	2. duine	3. seomra	4. áit	5. fear
_____	_____	_____	_____	_____
_____	_____	_____	_____	_____
_____	_____	_____	_____	_____
_____	_____	_____	_____	_____
_____	_____	_____	_____	_____
_____	_____	_____	_____	_____
_____	_____	_____	_____	_____
_____	_____	_____	_____	_____
_____	_____	_____	_____	_____
_____	_____	_____	_____	_____

Cleachtadh 14.4

Roghnaigh an leagan ceart as an dá cheann atá os comhair gach orduimhreach thíos. Tá an chéad cheann déanta duit.

1. an cúigiú   (a) bhosca   (b) bosca
2. an naoú   (a) hoifig   (b) oifig
3. an dara   (a) duine   (b) dhuine
4. an t-ochtú   (a) huair   (b) uair
5. an tríú   (a) bliain   (b) bhliain
6. an deichiú   (a) Iodálach   (b) hIodálach
7. an chéad   (a) hoifig   (b) oifig
8. an chéad   (a) bliain   (b) bhliain
9. an séú   (a) doras   (b) dhoras
10. an seachtú   (a) casadh   (b) chasadh

1	2	3	4	5	6	7	8	9	10
(b)									

Céad i ndiaidh an ailt

Séimhítear an orduimhir **céad** i gcónaí i ndiaidh an ailt, san uimhir uatha agus san uimhir iolra.

> an chéad fhear
> na chéad daoine
> na chéad mhíonna den chúrsa

Orduimhreacha agus an tuiseal ginideach

Déantar an t-ainmfhocal atá á cháiliú ag **céad** a infhilleadh sa tuiseal ginideach uatha.

Céad roimh ainmfhocal firinscneach	*Céad roimh ainmfhocal baininscneach*
deireadh an chéad chogaidh	ag tús na chéad bhliana
obair an chéad lae	brí na chéad abairte

Séimhítear na consain **b, c, f, g, m** agus **p** tar éis **céad**. Ní shéimhítear **d, s** ná **t**.

deireadh an chéad chaidrimh	teachtaí na chéad pharlaiminte
ainm an chéad fhir	óráid na chéad mhná
ach	
teaghlach an chéad sagairt	coinníollacha na chéad tairisceana

Na horduimhreacha eile
Ní athraítear ainmfhocail sa ghinideach tar éis na n-orduimhreacha eile.

cuid cainte an dara bean	deireadh an seachtú haois déag
saoránaigh an tríú tír	tosach an ochtú lá
tar éis an ceathrú babhta	imeachtaí an naoú féile
mic léinn an cúigiú cúrsa	freagra an deichiú ceist
cailíní an séú bliain	

An t-aonú agus an t-ochtú
Cailltear an **t-** roimh **aonú** agus **ochtú** sa tuiseal ginideach.

an t-aonú féile déag	imeachtaí an aonú féile déag
an t-ochtú haois déag	ag deireadh an ochtú haois déag

Cleachtadh 14.5

Cuir na horduimhreacha agus na hainmfhocail sa ghinideach.

1. an chéad seachtain

deireadh _____

2. an cúigiú céim

tar éis _____

3. an t-ochtú bliain

faoi dheireadh _____

4. an séú grúpa

baill _____

5. an chéad fhógra

foilsiú _____

6. an chéad teachtaireacht

seoladh _____

7. an naoú ceist

freagra _____

8. an séú rang

daltaí _____

9. an chéad bhliain

mic léinn _____

10. an dara bliain

léachtóirí _____

Aonad 15: Suíomh, Gluaiseacht agus Am

San aonad seo foghlaimeoidh tú faoi na nithe seo:

- dobhriathra treo agus suímh

- na hairde

- dobhriathra ama

- laethanta na seachtaine

- an dóigh le tagairt don am atá imithe

- an dóigh le tagairt don am atá le teacht

Suíomh agus gluaiseacht

Úsáidtear na dobhriathra **síos**, **thíos**, **aníos** de ghnáth chun tagairt do rud éigin atá faoin áit ina bhfuil an cainteoir.

Úsáidtear na dobhriathra **suas**, **thuas**, **anuas** de ghnáth chun tagairt do rud éigin atá os cionn na háite ina bhfuil an cainteoir.

A. Gluaiseacht ón gcainteoir	B. Suíomh	C. Gluaiseacht i dtreo an chainteora
síos Chuaigh sí síos. (*She went down.*)	**thíos** Bhí sí thíos san íoslach. (*She was down in the basement.*)	**aníos** Tháinig sí aníos. (*She came up.*)
suas Chuaigh sé suas. (*He went up.*)	**thuas** Bhí sé thuas san áiléar. (*He was up in the attic.*)	**anuas** Tháinig sé anuas. (*He came down.*)
sall/anonn Chuaigh siad sall/anonn. (*They went over/to the far side.*)	**thall** Bhí siad thall i Londain. (*They were over in London.*)	**anall** Tháinig siad anall. (*They came over.*)
	abhus Tá mé abhus anseo. (*I'm over here/on this side.*)	
isteach Chuaigh sé isteach. (*He went in.*)	**istigh** Bhí sé istigh. (*He was inside.*)	**amach** Tháinig sé amach. (*He came out.*)
amach Chuaigh sí amach. (*She went out.*)	**amuigh** Bhí sí amuigh. (*She was outside.*)	**isteach** Tháinig sí isteach. (*She came in.*)

Nóta
Úsáidtear na dobhriathra **síos** agus **suas** go minic nuair a bhítear ag tagairt do shuíomh éiginnte.

> Tá an teach cúig nóiméad siúil síos an bóthar.
> Tá sé ina chónaí cúpla céad slat suas an bóthar.

 Cleachtadh 15.1

I gcás gach abairte thíos, cuir in iúl cé acu A (gluaiseacht ón gcainteoir), B (suíomh) nó C (gluaiseacht i dtreo an chainteora) atá i gceist. Aistrigh na habairtí go Gaeilge chomh maith.

1. *He came over here last night.*

(a) gluaiseacht ón gcainteoir ☐

(b) suíomh ☐

(c) gluaiseacht i dtreo an chainteora ☐

_____

2. *He walked down the stairs towards me.*

(a) gluaiseacht ón gcainteoir ☐

(b) suíomh ☐

(c) gluaiseacht i dtreo an chainteora ☐

_____

3. She went over to Máirtín's house.

(a) gluaiseacht ón gcainteoir ☐

(b) suíomh ☐

(c) gluaiseacht i dtreo an chainteora ☐

_____

4. She's over in Máirtín's house.

(a) gluaiseacht ón gcainteoir ☐

(b) suíomh ☐

(c) gluaiseacht i dtreo an chainteora ☐

_____

5. She came up the stairs.

(a) gluaiseacht ón gcainteoir ☐

(b) suíomh ☐

(c) gluaiseacht i dtreo an chainteora ☐

_____

6. He's over here.

(a) gluaiseacht ón gcainteoir ☐

(b) suíomh ☐

(c) gluaiseacht i dtreo an chainteora ☐

_____

7. I went over to Scotland for a week.

(a) gluaiseacht ón gcainteoir ☐

(b) suíomh ☐

(c) gluaiseacht i dtreo an chainteora ☐

_____

8. He's over in England at the moment.

(a) gluaiseacht ón gcainteoir ☐

(b) suíomh ☐

(c) gluaiseacht i dtreo an chainteora ☐

_____

9. He's in there.

(a) gluaiseacht ón gcainteoir ☐

(b) suíomh ☐

(c) gluaiseacht i dtreo an chainteora ☐

_____

10. Come out here for a minute.

(a) gluaiseacht ón gcainteoir ☐

(b) suíomh ☐

(c) gluaiseacht i dtreo an chainteora ☐

_____

Cleachtadh 15.2

Cuir na focail seo in abairtí chun a mbrí a léiriú.

1. suas

_____

2. anonn

_____

3. amuigh

_____

4. síos

_____

5. thíos

_____

6. anall

_____

7. thuas

_____

8. abhus

_____

9. isteach

_____

10. istigh

_____

Cleachtadh 15.3

Líon na bearnaí sna habairtí seo. Bain úsáid as na focail atá le fáil fúthu.

1. Ní rachaidh mé _____ anocht mar bhí mé _____ aréir.

2. Tá oifig an rúnaí _____ ar an dara hurlár.

3. Bhuail mé leis nuair a bhí mé _____ sna Stáit Aontaithe.

4. Téigh _____ an staighre agus cas ar chlé.

5. Tá Pádraig ag teacht _____ an staighre.

6. Ar tháinig Síle _____ fós? Níor tháinig ach beidh sí anseo gan mhoill.

7. Bhíomar inár seasamh anseo nuair a shiúil sí _____ fhad linn agus thosaigh sí ag comhrá linn.

8. Sin thall ansin é. Téigh _____ agus labhair leis.

9. Tá sé róthe _____ sa seomra seo.

10. Cá bhfuil mo chuid eochracha? D'fhág mé _____ ar an tseilf sin iad aréir.

| thuas | suas | amach | thuas | istigh | isteach | anall | anuas | anonn | amuigh | thall |

Na hairde

Ainmfhocal	Gluaiseacht	Suíomh	Ag teacht ó shuíomh
an tuaisceart *(the north)*	ó thuaidh *(to the north/northwards)*	thuaidh *(in the north)*	aduaidh *(from the north)*
an deisceart *(the south)*	ó dheas *(to the south/southwards)*	theas *(in the south)*	aneas *(from the south)*
an t-oirthear *(the east)*	soir *(to the east/eastwards)*	thoir *(in the east)*	anoir *(from the east)*
an t-iarthar *(the west)*	siar *(to the west/westwards)*	thiar *(in the west)*	aniar *(from the west)*

Cleachtadh 15.4

Aistrigh na habairtí seo go Gaeilge.

1. *The boat went northwards.*

_____

2. *He's coming from the north.*

_____

3. *They drove south.*

_____

4. *They're going eastwards at the moment.*

_____

5. *I went west to Baile na hAbhann.*

_____

6. *I'm going north-eastwards.*

_____

7. *She's driving from the south at the moment.*

_____

8. *The boat is going south-westwards.*

_____

9. *The people of the north and the south were there.*

_____

10. *He's living in the west.*

_____

Dobhriathra ama

Úsáidtear an dobhriathar **riamh** san aimsir láithreach agus san aimsir chaite. San aimsir fháistineach, áfach, úsáidtear **choíche**, **go brách** agus **go deo** chun an bhrí chéanna a chur in iúl.

> Ní raibh mé riamh sa Fhrainc.
> ach
> Ní bhfaighidh mé pas sa scrúdú sin choíche.
> Ní fheicfidh mé go deo arís í!

Laethanta na seachtaine

Seo mar a ainmnítear laethanta na seachtaine:

> an Luan
> an Mháirt
> an Chéadaoin
> an Déardaoin
> an Aoine
> an Satharn
> an Domhnach
>
> Inniu an Luan.
> Amárach an Mháirt.
> Caitheann sé an Aoine lena mhac.

Úsáidtear **Dé** nuair a bhítear ag tagairt do lá faoi leith atá díreach imithe nó díreach ag teacht.

> Beidh mé ar ais Dé Luain.
> D'fhág sí an tír maidin Déardaoin seo caite.
> Buailfidh mé isteach chugat Dé Máirt.

Níor cheart **an** ná **ar** a chur roimh **Dé** riamh.

Ceart	Mícheart
Beidh mé an-ghnóthach Dé hAoine nó Beidh mé an-ghnóthach ar an Aoine.	*Beidh mé an-ghnóthach an Dé hAoine seo.
Beidh an cluiche ar siúl Dé Sathairn nó Beidh an cluiche ar siúl ar an Satharn.	*Beidh an cluiche ar siúl ar Dé Sathairn.

Tabhair faoi deara go bhfuil an focal **Dé** mar chuid de **Déardaoin** cheana féin. Is minic a deir nó a scríobhann foghlaimeoirí ***Dé Déardaoin**, ach tá sé seo mícheart.

Ní shéimhítear **Dé** riamh.

> Beidh sí ar ais oíche Dhomhnaigh.
> ach
> Beidh cóisir Chiara ar siúl oíche Dé Sathairn.

Tá rogha ann tar éis an fhocail **oíche** – is féidir **Dé** a úsáid nó gan é a úsáid.

> Beidh an cheolchoirm ar siúl oíche Dé Sathairn.
> nó
> Beidh an cheolchoirm ar siúl oíche Shathairn.

An t-am atá imithe agus an t-am atá le teacht

An t-am atá imithe	An t-am atá le teacht
inné	amárach
arú inné	arú amárach/amanathar/anóirthear
Dé Domhnaigh seo caite nó Dé Domhnaigh seo a d'imigh tharainn nó Dé Domhnaigh seo a chuaigh thart	Dé Luain seo chugainn
	an Aoine bheag seo (*this Friday*)
seachtain is an lá inniu (*this day a week ago*)	seachtain ó inniu/ón lá inniu (*this day week*)
	coicís ó inniu/ón lá inniu (*this day fortnight*)
seachtain is an lá inné (*a week ago yesterday*)	coicís ó Dé hAoine seo chugainn (*next Friday fortnight*)
seachtain is an Mháirt seo caite (*last Tuesday week*)	seachtain ó amárach/ón lá amárach (*tomorrow week*)
lá arna mhárach an lá dár gcionn	lá arna mhárach an lá dár gcionn

Cleachtadh 15.5

Cuir Gaeilge ar na habairtí seo.

1. *She's always here on Mondays.*
   _____
   _____

2. *I love Saturdays.*
   _____
   _____

3. *I'll be living in the new apartment from next Monday.*
   _____
   _____

4. *He'll be back on Sunday night.*
   _____
   _____

5. *He'll be on television on Thursday morning.*
   _____
   _____

6. *I'll call in to you this day fortnight.*
   _____
   _____

7. *I'm going on holidays next Friday fortnight.*
   _____
   _____

8. *This day a fortnight ago, we were lying on the beach in Spain.*
   _____
   _____

9. *I was talking to her the day before yesterday.*
   _____
   _____

10. *I left the country the following day.*
    _____
    _____

Aonad 16: An Clásal Coibhneasta

San aonad seo foghlaimeoidh tú faoi na nithe seo:

- cathain a úsáidtear clásal coibhneasta díreach

- cathain a úsáidtear clásal coibhneasta indíreach

- cathain a bhíonn rogha agat idir coibhneas díreach agus coibhneas indíreach

- frásaí diúltacha sa chlásal coibhneasta

Is féidir abairtí a roinnt i gclásail. Is fochlásal é an clásal coibhneasta a thugann eolas breise faoi dhuine nó faoi rud éigin. Sa Ghaeilge, tagann **a/ar** nó **nach/nár** roimh an gclásal coibhneasta.

> Sin í an bhean **a** raibh mé ag caint léi inné.
> Sin fear amháin **nach** mbíonn ag obair go crua.

Clásal coibhneasta díreach/indíreach

Bíonn clásal *coibhneasta díreach* i gceist nuair a bhíonn an t-ainmfhocal ag tús na habairte mar ainmní nó mar chuspóir díreach (an cló trom sna samplaí seo) ag an mbriathar sa chlásal a thagann ina dhiaidh (an cló iodálach sna samplaí seo).

> Sin é **an fear céanna** *a bhí* anseo inné.
> Sin é **an dráma** *a fheicfimid* i gceann seachtaine.

Sa Bhéarla, tagann na focail *that, who, which* roimh chlásal coibhneasta díreach.

Bíonn *clásal coibhneasta indíreach* i gceist nuair a bhíonn (a) forainm, (b) forainm réamhfhoclach nó (c) aidiacht shealbhach (an cló trom) i gclásal ag tagairt siar do mhír (an cló iodálach) i gclásal a thagann roimhe sin san abairt.

> (a) *an fear* ar bhuail Síle **é**;
> (b) *an dráma* ar moladh dúinn amharc **air**;
> (c) *an bhean* a raibh **a mac** anseo inné.

Seo thíos treoir ghinearálta maidir leis an gclásal coibhneasta díreach agus indíreach.

Clásal coibhneasta díreach	Clásal coibhneasta indíreach
Úsáidtear clásal coibhneasta díreach tar éis na bhfocal seo a leanas:	Úsáidtear clásal coibhneasta indíreach tar éis na bhfocal seo a leanas:
cathain **cé chomh minic is** **cá fhad/cén fhad** **cá mhéad/cé mhéad** **cá huair/cén uair** **conas** **mar** **nuair** **cé** + an mhír choibhneasta **a** **cad** + an mhír choibhneasta **a** **céard** + an mhír choibhneasta **a** **cad é mar** + an mhír choibhneasta **a** An mhír choibhneasta **a** a bhíonn roimh gach briathar, rialta agus neamhrialta, i ngach aimsir.	**cé** + forainm réamhfhoclach **cad** + forainm réamhfhoclach **céard** + forainm réamhfhoclach **an áit, cén áit, cá háit** **an chaoi, cén chaoi** **an fáth, cén fáth** **cad chuige/tuige** **an tslí/cén tslí**
An aimsir chaite Cathain **a** d'oscail sé é? Cén uair **a** bhuail tú leis? Cén fhad **a** mhair an scannán? Cathain **a** fuair tú an scéala? (tabhair faoi deara nach séimhítear an briathar seo) Cé **a** dúirt sin leat? (tabhair faoi deara nach séimhítear an briathar seo)	**An aimsir chaite: briathra rialta** Bíonn **ar** roimh na briathra rialta san aimsir chaite. Cén chaoi **ar** bhuail sibh le chéile? Cad chuige **ar** cheannaigh tú an leabhar sin? Cén fáth **ar** fhág tú? Cén áit **ar** imigh tú?

Clásal coibhneasta díreach (ar lean.)	Clásal coibhneasta indíreach (ar lean.)
An aimsir láithreach Cathain **a** osclaíonn sé é? Cén uair **a** théann sé ansin? Céard **a** dhéanann tú ag an deireadh seachtaine?	**An aimsir chaite: briathra neamhrialta** Bíonn **ar** roimh chuid de na briathra neamhrialta agus **a** roimh chuid eile acu san aimsir chaite.
An aimsir fháistineach Cathain **a** osclóidh sé é? Cén uair **a** fheicfidh tú í? Cé mhéad duine **a** bheidh ansin?	Cén fáth **a** ndúirt …? Cén áit **a** ndeachaigh …? Cad chuige **a** ndearna …? Cén áit **a** bhfuair …? Cén áit **a** bhfaca …? Cén chaoi **ar** chuala …? Cad chuige **ar** ith …? Cén fáth **ar** thug …? Cén tslí **ar** tháinig …? Cén chaoi **ar** rug …?
An modh coinníollach Cathain **a** d'osclódh sé é? Cén uair **a** rachadh sé ansin? Cén t-am **a** bheifeá ansin dá bhfágfá anois?	
An aimsir ghnáthchaite Cathain **a** d'osclaíodh sé é? Cén uair **a** théadh sé ansin? Céard **a** bhíodh ar siúl ansin ag an deireadh seachtaine?	**Gach aimsir eile** Bíonn *urú* ar na briathra san aimsir láithreach, san aimsir fháistineach, san aimsir ghnáthchaite agus sa mhodh coinníollach. Úsáidtear an mhír **a**. Cén chaoi **a d**tagann sí abhaile? Cad chuige **a n**-itheann tú an bia sin? Cén fáth **a n**déarfaidh tú é sin? Cén chaoi **a g**cloisfidh tú an guthán sa trácht? Cén áit **a d**téadh sibh ar saoire? Cé dó **a d**tabharfá an t-airgead?
That, which, who Úsáidtear clásal coibhneasta díreach den chuid is mó nuair a bhíonn *who, which* agus *that* i gceist. Sin é an fear a bhí anseo inné. Sin iad na ceisteanna atá le freagairt againn. Sin í an bhean a bhí sa lóistín céanna liom nuair a bhí mé san ollscoil.	**Who had, etc.** Úsáidtear clásal coibhneasta indíreach de ghnáth nuair a bhíonn an chiall seo i gceist: *who had* *for which/in which/of which/on which/to which/out of which, etc.* *whose* *for whom/to whom/with whom,* etc. Sin é an fear a raibh mé ag caint leis inné. Sin í an bhean a ndeachaigh a hiníon chun na hollscoile liom. Bíonn forainm réamhfhoclach le feiceáil in abairtí den chineál seo go minic: Sin é an stáisiún a raibh sí ag obair **dó**.

Treoir

I gcás abairtí a thosaíonn le focail mar **Sin í an bhean** …:

(a) Roinn an abairt ina dhá cuid.

> *Sampla:*   Sin í an bhean a bhí sa rang liom ar scoil.
> Sin í an bhean. + Bhí sí sa rang liom ar scoil.

(b) Má tá an forainm céanna (e.g. **sí** agus **í**, mar atá sa sampla seo) ag teacht díreach tar éis an bhriathair sa dara clásal is atá le fáil sa chéad chlásal, coibhneas díreach atá i gceist.

> *Sampla:*   Sin é an fear. + Bhí **sé** ina chónaí in aice liom.
> Sin é an fear a bhí ina chónaí in aice liom.

(c) *Mura* bhfuil an forainm céanna ag teacht díreach tar éis an bhriathair sa dara clásal is atá le fáil sa chéad chlásal, coibhneas indíreach atá i gceist.

> *Sampla:*   Sin í an bhean. + Bhí **mé** ag caint léi inné.
> Sin í an bhean a raibh mé ag caint léi inné.

Rogha idir coibhneas díreach agus coibhneas indíreach

Focail a chuireann am in iúl
Is féidir coibhneas díreach nó indíreach a úsáid i ndiaidh ainmfhocal a chuireann am in iúl.

> Cén t-am a éiríonn/a n-éiríonn tú ar maidin?
> Cén mhí a thagann/a dtagann sé anseo de ghnáth?
> Cén bhliain a chuaigh/a ndeachaigh sí go Meiriceá?

Ní bhaineann an riail seo le **uair**, áfach – coibhneas díreach a leanann i gcónaí é.

> Cén uair a bhí tú ansin?
> Cá huair a théann tú ar saoire de ghnáth?

Leanann coibhneas díreach an t-ainmfhocal **am** i gcónaí nuair a bhítear ag fiafraí cén t-am atá sé, a bhí sé, etc.

> Cén t-am atá sé anois?

Débhríocht

Tá baol débhríochta in abairtí mar na cinn thíos mar go bhféadfadh aon cheann de na pearsana atá luaite a bheith mar ainmní nó cuspóir díreach ag an mbriathar sa chlásal coibhneasta.

> Sin é an fear a bhuail an carr.
> *That's the man who hit the car* nó *That's the man whom the car hit.*

> Sin í an bhean a ghortaigh an madra.
> *That's the woman who hurt the dog* nó *That's the woman whom the dog hurt.*

Is féidir coibhneas indíreach a úsáid i gcásanna mar seo chun débhríocht a sheachaint.

Sin é an fear ar bhuail an carr é.
That's the man whom the car hit.

Sin í an bhean ar ghortaigh an madra í.
That's the woman whom the dog hurt.

An focal gach

Baintear úsáid as coibhneas indíreach uaireanta le habairtí a shimpliú nó a ghiorrú. Is féidir coibhneas indíreach a úsáid in ionad coibhnis dhírigh in abairtí mar seo thíos chun gach cuid de chuspóir na habairte a chuimsiú, agus an tagairt do **gach** a fhágáil ar lár.

Bhí áthas ar gach duine a bhí i láthair. (Díreach)   D'ith siad gach rud a bhí ann. (Díreach)
Bhí áthas ar a raibh i láthair. (Indíreach)   D'ith siad a raibh ann. (Indíreach)

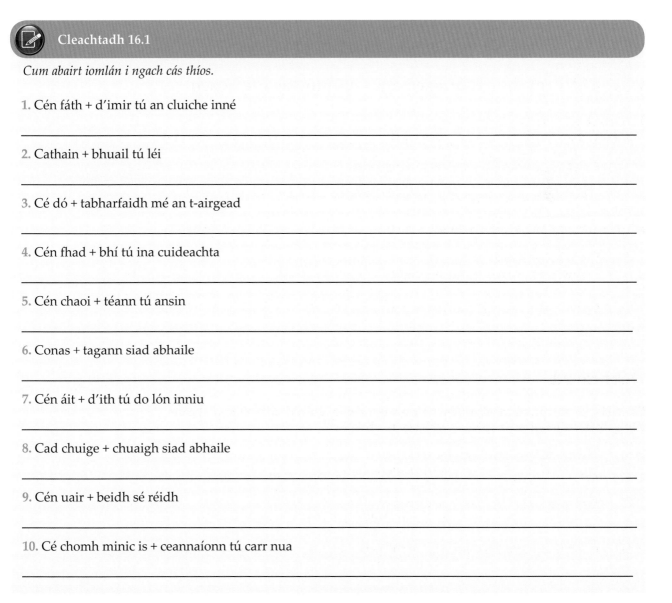

Cleachtadh 16.1

Cum abairt iomlán i ngach cás thíos.

1. Cén fáth + d'imir tú an cluiche inné

_____

2. Cathain + bhuail tú léi

_____

3. Cé dó + tabharfaidh mé an t-airgead

_____

4. Cén fhad + bhí tú ina cuideachta

_____

5. Cén chaoi + téann tú ansin

_____

6. Conas + tagann siad abhaile

_____

7. Cén áit + d'ith tú do lón inniu

_____

8. Cad chuige + chuaigh siad abhaile

_____

9. Cén uair + beidh sé réidh

_____

10. Cé chomh minic is + ceannaíonn tú carr nua

_____

Cleachtadh 16.2

Líon na bearnaí chun na haistriúcháin seo a chríochnú.

1. *Where will the wedding take place and who will be there?*

Cén áit a _____ an bhainis ar siúl agus cé uilig a _____ i láthair?

2. *When will she be home?*

Cathain a _____ sí sa bhaile?

3. *Where did you meet her last night?*

Cén áit ___ _____ tú léi aréir?

4. *Why does she go there?*

Cén fáth a _____ sí ansin?

5. *To whom did you give that money yesterday?*

Cé dó ___ _____ tú an t-airgead sin inné?

6. *How many people will be with you?*

Cé mhéad duine a _____ leat?

7. *How long did you stay there last night?*

Cén fhad ___ _____ tú ansin aréir?

8. *That's the man to whom I sent the information.*

Sin é an fear ___ _____ mé an t-eolas chuige.

9. *That's the woman with whom I was in love when I was at school.*

Sin í an bhean a _____ mé i ngrá léi nuair a bhí mé ar scoil.

10. *That's the person who went to college in Limerick.*

Sin é an duine a _____ chun an choláiste i Luimneach.

11. *That's the man whose son went to college in Galway.*

Sin é an fear a _____ a mhac chun an choláiste i nGaillimh.

12. *How do you go home?*

Conas a _____ tú abhaile?

13. *What did you do at the weekend?*

Céard a _____ tú ag an deireadh seachtaine?

14. *How long did that lecture last yesterday?*

Cén fhad ___ _____ an léacht sin inné?

15. *How did you do that?*

Conas a _____ tú é sin?

16. *What way did she go there?*

Cén tslí ___ _____ sí ansin?

Cleachtadh 16.3

Aistrigh na habairtí seo go Gaeilge.

1. *How long will you be there?*

_____

2. *What will you say to him?*

_____

3. *When did you first meet her?*

_____

4. *Why did she leave?*

_____

5. *What time did he return?*

_____

6. *That's the man whose son got the job in the secondary school.*

_____

7. *How many people were there?*

_____

8. *That's the woman who had a heart attack last summer.*

_____

9. *Where did she go?*

_____

10. *How often did you see him?*

_____

11. *How long is it since you were last here?*

_____

12. *That's the man to whom I gave the money.*

_____

13. *Where did you meet her?*

_____

14. *When will you be back?*

_____

15. *Who went with you?*

_____

Frásaí diúltacha sa chlásal coibhneasta

Is iad na míreanna coibhneasta céanna, **nach** agus **nár**, a úsáidtear i bhfrásaí diúltacha, is cuma cé acu clásal coibhneasta díreach nó clásal coibhneasta indíreach atá i gceist.

Úsáidtear **nár** le briathra rialta san aimsir chaite, agus leis na briathra neamhrialta **beir, clois, ith, tabhair** agus **tar** san aimsir chaite. Leanann séimhiú é.

Úsáidtear **nach** an chuid eile den am, i.e. úsáidtear **nach** leis na briathra rialta agus neamhrialta i ngach aimsir ach amháin an aimsir chaite. San aimsir chaite, úsáidtear **nach** leis na briathra neamhrialta **abair, bí, déan, faigh, feic** agus **téigh**. Leanann urú é.

	Clásal coibhneasta díreach	Clásal coibhneasta indíreach
nár (+ séimhiú)		
(i) Úsáidtear **nár** leis na briathra rialta san aimsir chaite.	Sin é an fear **nár cheannaigh** na ticéid.	Sin é an fear **nár cheannaigh** a mhac na ticéid.
(ii) Úsáidtear **nár** leis na briathra neamhrialta **beir, clois, ith, tabhair** agus **tar** san aimsir chaite.	Sin í an bhean **nár thug** an t-airgead dom.	Sin í an bhean **nár thug** a hiníon an t-airgead dom.
nach (+ urú)		
(i) Úsáidtear **nach** leis na briathra rialta agus neamhrialta i ngach aimsir ach amháin an aimsir chaite.	Sin í an bhean **nach dtabharfadh** an t-airgead dom.	Sin í an bhean **nach dtabharfadh** a hiníon an t-airgead dom.
(ii) Úsáidtear **nach** leis na briathra neamhrialta **abair, bí, déan, faigh, feic** agus **téigh** san aimsir chaite.	Sin é an fear **nach ndearna** an scrúdú.	Sin é an fear **nach ndearna** a mhac an scrúdú.

Aonad 17: Na hUimhreacha Pearsanta

San aonad seo foghlaimeoidh tú faoi na nithe seo:

- daoine a chomhaireamh: duine amháin–deichniúr

- daoine a chomhaireamh: aon duine dhéag–fiche duine

- uimhreacha pearsanta, ainmfhocail agus aidiachtaí

- tuiseal ginideach na n-uimhreacha pearsanta

Daoine a chomhaireamh: 1–10

(a) Úsáidtear na foirmeacha seo a leanas:

duine amháin	seisear
beirt	seachtar
triúr	ochtar
ceathrar	naonúr
cúigear	deichniúr

(b) Is í foirm an ghinidigh iolra den ainmfhocal a úsáidtear i ndiaidh **beirt–deichniúr** de ghnáth.

ceathrar ceoltóirí
cúigear páistí
seisear ban

(c) Séimhítear consain a leanann **beirt**.

beirt **ch**eoltóirí
an bheirt **mh**ac

Ní shéimhítear **d**, **s**, **t** tar éis **beirt**, áfach.

beirt deartháireacha
beirt tráchtairí

(d) Ní féidir an focal **duine** a úsáid leis na huimhreacha pearsanta **beirt–deichniúr**.

triúr = *three people* (mar sin, ní gá **daoine** a chur leis an bhfocal **triúr**)

Tá sé tábhachtach an méid seo a thuiscint:

Tá rialacha éagsúla ag baint le daoine a chomhaireamh (2–10) agus le rudaí a chomhaireamh (2–10).

Daoine a chomhaireamh	*Rudaí a chomhaireamh*
ceoltóir amháin	teach amháin
beirt cheoltóirí	dhá theach
triúr ceoltóirí	trí theach
seachtar ceoltóirí	seacht dteach

Nóta

In *Gramadach na Gaeilge agus Litriú na Gaeilge: An Caighdeán Oifigiúil* moltar foirm an ainmnigh uatha den ainmfhocal a úsáid tar éis **beirt–deichniúr**, e.g. beirt cheoltóir, ochtar cléireach.

In *Gramadach na Gaeilge: An Caighdeán Oifigiúil, Caighdeán Athbhreithnithe* agus in *Foclóir Gaeilge–Béarla* Néill Uí Dhónaill, áfach, moltar foirm an ghinidigh iolra den ainmfhocal a úsáid tar éis **beirt–deichniúr**, e.g. beirt cheoltóirí, ochtar cléireach.

Táthar ag cloí leis an nós atá le fáil sa Chaighdeán Athbhreithnithe agus in *Foclóir Gaeilge–Béarla* go forleathan anois. Mar sin, cé go bhfuil an dá nós sa chaint, b'fhearr cloí le foirm an ghinidigh iolra den ainmfhocal i ndiaidh na n-uimhreacha pearsanta **beirt–deichniúr** agus an Ghaeilge á scríobh agat.

Daoine a chomhaireamh: achoimre

	Na consain (seachas d, s agus t)	Na consain d, s agus t	Na gutaí
beirt: séimhítear na consain **b, c, f, g, m** agus **p** ina dhiaidh	beirt **mh**ac	beirt deartháireacha	beirt iníonacha
triúr–deichniúr: ní thagann aon athrú ar thús na bhfocal a leanann iad	triúr mac léinn ceathrar páistí cúigear gardaí seisear ceoltóirí seachtar meicneoirí ochtar ban naonúr fear deichniúr feirmeoirí	triúr deirfiúracha ceathrar saighdiúirí cúigear teachtaí seisear dochtúirí seachtar sagart ochtar dearthóirí naonúr tionóntaí deichniúr teifeach	triúr iascairí ceathrar iníonacha cúigear oifigeach seisear easpag seachtar eolaithe ochtar amhránaithe naonúr aisteoirí deichniúr iarrthóirí

 Cleachtadh 17.1

Athraigh na focail idir lúibíní más gá.

Mar a luaitear ag tús an aonaid, cuirtear ainmfhocail sa tuiseal ginideach uimhir iolra i ndiaidh na n-uimhreacha pearsanta. Féach in Foclóir Gaeilge–Béarla Uí Dhónaill *mura bhfuil tú cinnte cén fhoirm atá ag na hainmfhocail thíos sa ghinideach iolra – gheobhaidh tú an t-eolas sin tar éis* gpl. *nó* pl.

1. triúr (páiste) _____

2. ceathrar (ceoltóir) _____

3. cúigear (amhránaí) _____

4. seachtar (bean) _____

5. ochtar (othar) _____

6. seachtar (iníon) _____

7. beirt (deirfiúr) _____

8. cúigear (mac) _____

9. ochtar (mac léinn) _____

10. beirt (máthair) _____

11. naonúr (seoltóir) _____

12. beirt (seanadóir) _____

13. beirt (fear) _____

14. seisear (eachtrannach) _____

15. ceathrar (Seapánach) _____

✎ Cleachtadh 17.2

Aistrigh na nithe seo go Gaeilge.

1. *six soldiers* _____

2. *two doctors* _____

3. *ten singers* _____

4. *three daughters* _____

5. *two sons* _____

6. *four teachers* _____

7. *seven workers* _____

8. *nine nurses* _____

9. *five waitresses* _____

10. *ten men* _____

Daoine a chomhaireamh: 11–20

Úsáidtear an córas céanna chun 11–20 duine a chomhaireamh is a úsáidtear chun rudaí a chomhaireamh.

Daoine a chomhaireamh	*Rudaí a chomhaireamh*
aon cheoltóir déag	aon chathaoir déag
dhá dhuine dhéag/dháréag	dhá oíche dhéag
seacht n-eolaí dhéag	seacht scoil déag
naoi siopadóir déag	naoi siopa dhéag

Tabhair faoi deara go séimhítear **déag** nuair a leanann sé ainmfhocal a chríochnaíonn ar ghuta.

cúig pháiste **dhéag**
ach
cúig mhac déag

Séimhítear na consain **b, c, f, g, m** agus **p** tar éis **aon**. Ní shéimhítear na consain **d, s** ná **t** tar éis **aon**.

aon **bh**ainisteoir déag
aon **ph**áiste dhéag
ach
aon duine dhéag
aon tiománaí dhéag

Cleachtadh 17.3

Scríobh gach ceann acu seo i bhfocail.

1. 13 + mac   _____

2. 11 + múinteoir   _____

3. 17 + bean   _____

4. 16 + fear   _____

5. 19 + altra   _____

6. 12 + aoi   _____

7. 14 + ceoltóir   _____

8. 18 + páiste   _____

9. 14 + polaiteoir   _____

10. 20 + amhránaí   _____

11. 19 + fear   _____

12. 11 + damhsóir   _____

13. 12 + príosúnach   _____

14. 13 + aisteoir   _____

15. 17 + iarrthóir   _____

Uimhreacha pearsanta, ainmfhocail agus aidiachtaí

	beirt	triúr–dháréag
tréaniolraí	Is í foirm an ainmnigh iolra den aidiacht a úsáidtear agus ní shéimhítear í. **beirt pháistí deasa**	Is í foirm an ghinidigh iolra den aidiacht a úsáidtear agus ní shéimhítear í. **triúr páistí deasa** **ceathrar scoláirí díograiseacha**
lagiolraí	Is í foirm an ainmnigh iolra den aidiacht a úsáidtear agus séimhítear í. **beirt fhear dheasa** .... *Nóta:* Cé go bhfuil an t-ainmfhocal **bean** neamhrialta, caitear leis mar a bheadh lagiolra ann, e.g. **beirt bhan mhóra**	Is í foirm an ghinidigh iolra den aidiacht a úsáidtear agus ní shéimhítear í. **triúr fear deas** **ceathrar mac léinn díograiseach**

Tuiseal ginideach na n-uimhreacha pearsanta

	Uimhreacha pearsanta loma Tabhair faoi deara gur ainmfhocail fhirinscneacha iad na huimhreacha pearsanta ar fad seachas **beirt**.	Uimhreacha pearsanta + ainmfhocal, gan an t-alt Tabhair faoi deara nach gcuirtear an uimhir phearsanta sa ghinideach agus nach séimhítear í.	Uimhreacha pearsanta + alt + ainmfhocal Tabhair faoi deara go n-athraíonn tús na n-uimhreacha pearsanta ach nach gcaolaítear iad.
2	comhrá na beirte/comhrá beirte	comhrá beirt bhan	comhrá na beirte ban
3	scripteanna an triúir/ scripteanna triúir	scripteanna triúr scoláirí	scripteanna an triúr scoláirí
4	fadhbanna an cheathrair/ fadhbanna ceathrair	fadhbanna ceathrar mac léinn	fadhbanna an cheathrar mac léinn
5	cótaí an chúigir/cótaí cúigir	cótaí cúigear custaiméirí	cótaí an chúigear custaiméirí
6	foirmeacha an tseisir/ foirmeacha seisir	foirmeacha seisear iarrthóirí	foirmeacha an tseisear iarrthóirí
7	tuairimí an tseachtair/ tuairimí seachtair	tuairimí seachtar ball	tuairimí an tseachtar ball
8	tuismitheoirí an ochtair/ tuismitheoirí ochtair	tuismitheoirí ochtar páistí	tuismitheoirí an ochtar páistí
9	airgead an naonúir/ airgead naonúir	airgead naonúr siopadóirí	airgead an naonúr siopadóirí
10	troid an deichniúir/ troid deichniúir	troid deichniúr fear	troid an deichniúr fear

Aonad 18: An Briathar 4 (An Aimsir Fháistineach)

San aonad seo foghlaimeoidh tú faoi na nithe seo:

- briathra rialta: an chéad agus an dara réimniú

- claoninsint san aimsir fháistineach

- na briathra neamhrialta

- na briathra **abair** agus **faigh**

- ceisteanna agus freagraí: briathra rialta agus neamhrialta

Briathra rialta san aimsir fháistineach: an chéad réimniú

(a) Briathra a bhfuil fréamh aonsiollach acu

Tóg

tógfaidh mé	tógfaimid
tógfaidh tú	tógfaidh sibh
tógfaidh sé/sí	tógfaidh siad

Caith

caithfidh mé	caithfimid
caithfidh tú	caithfidh sibh
caithfidh sé/sí	caithfidh siad

Dóigh

dófaidh mé	dófaimid
dófaidh tú	dófaidh sibh
dófaidh sé/sí	dófaidh siad

Léigh

léifidh mé	léifimid
léifidh tú	léifidh sibh
léifidh sé/sí	léifidh siad

Suigh

suífidh mé	suífimid
suífidh tú	suífidh sibh
suífidh sé/sí	suífidh siad

(b) Briathra a bhfuil fréamh ilsiollach acu agus a chríochnaíonn ar -**áil**

Sábháil

sábhálfaidh mé	sábhálfaimid
sábhálfaidh tú	sábhálfaidh sibh
sábhálfaidh sé/sí	sábhálfaidh siad

(c) Roinnt briathra mar **taispeáin**, **tiomáin**

Taispeáin

taispeánfaidh mé	taispeánfaimid
taispeánfaidh tú	taispeánfaidh sibh
taispeánfaidh sé/sí	taispeánfaidh siad

Tiomáin

tiomáinfidh mé	tiomáinfimid
tiomáinfidh tú	tiomáinfidh sibh
tiomáinfidh sé/sí	tiomáinfidh siad

Briathra rialta san aimsir fháistineach: an dara réimniú

(a) Briathra a bhfuil fréamh ilsiollach acu a chríochnaíonn ar **-(a)igh**

Ceannaigh

ceannóidh mé	ceannóimid
ceannóidh tú	ceannóidh sibh
ceannóidh sé/sí	ceannóidh siad

Imigh

imeoidh mé	imeoimid
imeoidh tú	imeoidh sibh
imeoidh sé/sí	imeoidh siad

(b) Briathra a bhfuil fréamh ilsiollach acu, a chríochnaíonn ar **-(a)il**, **-(a)in**, **-(a)ir** agus **-(a)is** agus a choimrítear

Ceangail

ceanglóidh mé	ceanglóimid
ceanglóidh tú	ceanglóidh sibh
ceanglóidh sé/sí	ceanglóidh siad

Cosain

cosnóidh mé	cosnóimid
cosnóidh tú	cosnóidh sibh
cosnóidh sé/sí	cosnóidh siad

Imir

imreoidh mé	imreoimid
imreoidh tú	imreoidh sibh
imreoidh sé/sí	imreoidh siad

Inis

inseoidh mé	inseoimid
inseoidh tú	inseoidh sibh
inseoidh sé/sí	inseoidh siad

(c) Roinnt briathra a bhfuil fréamh ilsiollach acu

Foghlaim

foghlaimeoidh mé	foghlaimeoimid
foghlaimeoidh tú	foghlaimeoidh sibh
foghlaimeoidh sé/sí	foghlaimeoidh siad

Freastail

freastalóidh mé	freastalóimid
freastalóidh tú	freastalóidh sibh
freastalóidh sé/sí	freastalóidh siad

Go

Uraítear briathra dar tús consan agus dar tús guta tar éis **go**.

Chuala mé go **m**beidh Stiofán ag an gcruinniú sin amárach.
Deirtear go **d**tiocfaidh níos mó daoine anseo i mbliana.
Tá súil agam go **n**-imeoidh siad ag an deireadh seachtaine.

Na briathra neamhrialta

Abair

déarfaidh mé	déarfaimid
déarfaidh tú	déarfaidh sibh
déarfaidh sé/sí	déarfaidh siad

Beir

béarfaidh mé	béarfaimid
béarfaidh tú	béarfaidh sibh
béarfaidh sé/sí	béarfaidh siad

Bí

beidh mé	beimid
beidh tú	beidh sibh
beidh sé/sí	beidh siad

Clois

cloisfidh mé	cloisfimid
cloisfidh tú	cloisfidh sibh
cloisfidh sé/sí	cloisfidh siad

Déan

déanfaidh mé	déanfaimid
déanfaidh tú	déanfaidh sibh
déanfaidh sé/sí	déanfaidh siad

Faigh

gheobhaidh mé	gheobhaimid
gheobhaidh tú	gheobhaidh sibh
gheobhaidh sé/sí	gheobhaidh siad

Feic

feicfidh mé	feicfimid
feicfidh tú	feicfidh sibh
feicfidh sé/sí	feicfidh siad

Ith

íosfaidh mé	íosfaimid
íosfaidh tú	íosfaidh sibh
íosfaidh sé/sí	íosfaidh siad

Tabhair

tabharfaidh mé	tabharfaimid
tabharfaidh tú	tabharfaidh sibh
tabharfaidh sé/sí	tabharfaidh siad

Tar

tiocfaidh mé	tiocfaimid
tiocfaidh tú	tiocfaidh sibh
tiocfaidh sé/sí	tiocfaidh siad

Téigh

rachaidh mé	rachaimid
rachaidh tú	rachaidh sibh
rachaidh sé/sí	rachaidh siad

Na briathra abair agus faigh

Ní shéimhítear an briathar **abair** tar éis na míre diúltaí **ní** san aimsir fháistineach.

ní déarfaidh mé, ní déarfaidh tú, etc.

Tá diúltach an-neamhrialta ag an mbriathar **faigh**.

ní bhfaighidh mé	ní bhfaighimid
ní bhfaighidh tú	ní bhfaighidh sibh
ní bhfaighidh sé/sí	ní bhfaighidh siad

Ceisteanna agus freagraí san aimsir fháistineach: ginearálta

An mhír cheisteach **an** a úsáidtear san aimsir fháistineach. Uraítear consain a leanann é.

Ceist:	An **bh**feicfidh tú Mairéad anocht?
Freagraí:	Feicfidh./Ní **f**heicfidh.

Ní thagann aon athrú ar bhriathra dar tús guta i ndiaidh **an**.

An imreoidh tú cluiche leadóige liom amárach?

Seo mar a deirtear sa chaint é:

Nimreoidh tú ...?

Nach an mhír cheisteach dhiúltach a úsáidtear san aimsir fháistineach. Uraítear consain a leanann é.

Nach **m**beidh tú ar ais ag an deireadh seachtaine?

Is féidir an freagra céanna a thabhairt ar cheisteanna éagsúla san aimsir fháistineach.

Ceist:	An rachaidh tú ansin amárach?
Freagraí:	Rachaidh./Ní rachaidh.
Ceist:	An rachaidh sí ansin amárach?
Freagraí:	Rachaidh./Ní rachaidh.
Ceist:	An rachaidh sibh ansin amárach?
Freagraí:	Rachaidh./Ní rachaidh.
Ceist:	An rachaidh siad ansin amárach?
Freagraí:	Rachaidh./Ní rachaidh.

Pointe tábhachtach
Ní gnách forainm (**mé**, **tú**, **sí**, etc.) a úsáid nuair a fhreagraítear ceisteanna mar an ceann thíos san aimsir fháistineach – bíonn sé mícheart a leithéid a úsáid de ghnáth.

> *Ceist:*   An bhfeicfidh sí é agus í ansin?
> *Freagra:* Ní fheicfidh.

Tabhair faoi deara nach bhfuil an forainm **sí** sa fhreagra – níl sé ag teastáil mar go bhfuil sé soiléir cé dó a bhfuil an dara duine ag tagairt.

Ceisteanna agus freagraí/ráitis: briathra neamhrialta

Abair
Ceist agus freagra
An ndéarfaidh siad aon rud léi?
Nach ndéarfaidh siad ...?
Déarfaidh.
Ní déarfaidh.

Ráiteas
Déarfaidh mé
Déarfaidh tú/sé/sí
Déarfaimid
Déarfaidh sibh/siad

Beir
Ceist agus freagra
An mbéarfaidh siad uirthi an t-am seo?
Nach mbéarfaidh siad ...?
Béarfaidh.
Ní bhéarfaidh.

Ráiteas
Béarfaidh mé
Béarfaidh tú/sé/sí
Béarfaimid
Béarfaidh sibh/siad

Bí
Ceist agus freagra
An mbeidh sibh ann anocht?
Nach mbeidh sibh ...?
Beidh.
Ní bheidh.

Ráiteas
Beidh mé
Beidh tú/sé/sí
Beimid
Beidh sibh/siad

Clois
Ceist agus freagra
An gcloisfidh tú clog an dorais?
Nach gcloisfidh tú ...?
Cloisfidh.
Ní chloisfidh.

Ráiteas
Cloisfidh mé
Cloisfidh tú/sé/sí
Cloisfimid
Cloisfidh sibh/siad

Déan
Ceist agus freagra
An ndéanfaidh siad a rogha rud?
Nach ndéanfaidh siad ...?
Déanfaidh.
Ní dhéanfaidh.

Ráiteas
Déanfaidh mé
Déanfaidh tú/sé/sí
Déanfaimid
Déanfaidh sibh/siad

Faigh
Ceist agus freagra
An bhfaighidh tú deis bualadh le Dónall?
Nach bhfaighidh tú ...?
Gheobhaidh.
Ní bhfaighidh.

Ráiteas
Gheobhaidh mé
Gheobhaidh tú/sé/sí
Gheobhaimid
Gheobhaidh sibh/siad

Feic

Ceist agus freagra

An bhfeicfidh sibh í ag an deireadh seachtaine?
Nach bhfeicfidh sibh ...?
Feicfidh.
Ní fheicfidh.

Ráiteas

Feicfidh mé
Feicfidh tú/sé/sí
Feicimid
Feicfidh sibh/siad

Ith

Ceist agus freagra

An íosfaidh tú greim liom?
Nach n-íosfaidh tú ...?
Íosfaidh.
Ní íosfaidh.

Ráiteas

Íosfaidh mé
Íosfaidh tú/sé/sí
Íosfaimid
Íosfaidh sibh/siad

Tabhair

Ceist agus freagra

An dtabharfaidh siad seans eile dó?
Nach dtabharfaidh siad ...?
Tabharfaidh.
Ní thabharfaidh.

Ráiteas

Tabharfaidh mé
Tabharfaidh tú/sé/sí
Tabharfaimid
Tabharfaidh sibh/siad

Tar

Ceist agus freagra

An dtiocfaidh sí isteach?
Nach dtiocfaidh sí ...?
Tiocfaidh.
Ní thiocfaidh.

Ráiteas

Tiocfaidh mé
Tiocfaidh tú/sé/sí
Tiocfaimid
Tiocfaidh sibh/siad

Téigh

Ceist agus freagra

An rachaidh siad in éineacht leatsa?
Nach rachaidh siad ...?
Rachaidh.
Ní rachaidh.

Ráiteas

Rachaidh mé
Rachaidh tú/sé/sí
Rachaimid
Rachaidh sibh/siad

Cleachtadh 18.1

Tabhair freagra dearfach agus freagra diúltach ar gach ceann de na ceisteanna thíos.

> *Sampla: An imreoidh tú cluiche gailf liom tráthnóna? Imreoidh./Ní imreoidh.*

1. An dtabharfaidh tú an litir seo do Michelle?

   _____

2. An léifidh tú an aiste seo dom?

   _____

3. An sábhálfaidh sibh mórán airgid má théann sibh

   ar an mbád? _____

4. An gceannóidh siad ceann uait?

   _____

5. An bhfaighimid lá saor?

   _____

6. An dtiocfaidh siad ar ais amárach?

   _____

7. An rachaidh sí leat go Gaillimh?

   _____

8. An ndéanfaidh tú gar dom?

   _____

9. An ndéarfaidh sibh leis bualadh isteach chugam?

   _____

10. An íosfaidh siad an cineál sin bia?

   _____

 Cleachtadh 18.2

Cum ceisteanna a bhféadfadh na briathra seo thíos a bheith mar fhreagraí orthu.

1. Tabharfaidh.   _____
2. Íosfaidh.   _____
3. Ní fhágfaidh.   _____
4. Foghlaimeoidh.   _____
5. Ceannóidh.   _____
6. Ní bheidh.   _____
7. Taispeánfaidh.   _____
8. Feicfidh.   _____
9. Ní déarfaidh.   _____
10. Seinnfidh.   _____
11. Ní thiomáinfidh.   _____
12. Ní shábhálfaidh.   _____
13. Gheobhaidh.   _____
14. Ní ólfaidh.   _____

Cleachtadh 18.3

*Cuir **go** roimh gach ceann de na habairtí thíos.*

> *Sampla: Beidh sé ansin anocht.   Tá súil agam go mbeidh sé ansin anocht.*

1. Feicfidh mé Siobhán ag an deireadh seachtaine.

Tá súil agam _____

2. Tabharfaidh mé an t-airgead dó amárach.

Abair leis _____

3. Gheobhaidh mé tuilleadh péinte sa siopa tráthnóna.

Abair léi _____

4. Cuirfidh mé scéala chucu i gceann seachtaine.

Abair leo _____

5. Taispeánfaidh sí an aiste dom.

Tá súil agam _____

6. Íosfaidh siad an bia seo.

Tá mé cinnte _____

7. Béarfaidh siad ar an dúnmharfóir sin.

Tá gach dóchas agam _____

8. Gheobhaimid torthaí maithe.

Tá mé dóchasach _____

9. Inseoidh sí an scéal ar fad dó.

Tá barúil agam _____

10. Imreoidh siad an cluiche Dé Sathairn.

Cloisim _____

Cleachtadh 18.4

*Cuir **nach** roimh gach ceann de na habairtí thíos.*

Sampla: Brisfidh siad an trealamh. Tá súil agam _____ *Tá súil agam nach mbrisfidh siad an trealamh.*

1. Beidh sí ar buile.

Tá mé cinnte _____

2. Imeoidh sí amárach.

Tá súil agam _____

3. Ceannóidh siad an seancharr ó Dhónall.

Tá súil agam _____

4. Inseoidh sé gach rud di.

Tá mé dóchasach _____

5. Ní déarfaidh siad tada.

Is dóigh liom féin _____

6. Ní chosnóidh sé an oiread sin.

Tá mé cinnte _____

7. Tiomáinfidh siad go tapa.

Abair léi _____

8. Sábhálfaidh sí go leor airgid.

Tá faitíos orm _____

9. Ní íosfaidh siad an bia go léir.

Tá mé cinnte _____

10. Foghlaimeoidh siad drochnósanna uaidh.

Tá súil agam _____

Aonad 19: Aidiachtaí Sealbhacha

San aonad seo foghlaimeoidh tú faoi na nithe seo:

- aidiachtaí sealbhacha sa chaint

- aidiachtaí sealbhacha roimh **f**

- foirmeacha treise

- aidiachtaí sealbhacha agus réamhfhocail

- **cónaí, suí, seasamh**

- réamhfhocal + aidiacht shealbhach roimh ainm briathartha

	Roimh chonsain		Roimh ghutaí	
1	**mo** + séimhiú	mo **dh**eartháir	**m'**	**m'**uncail
2	**do** + séimhiú	do **dh**eartháir	**d'**	**d'**uncail
3	**a** (*his*) + séimhiú	a **dh**eartháir	**a** (*his*)	a uncail
	a (*her*)	a deartháir	**a** (*her*) + **h**	a **h**uncail
1	**ár** + urú	ár **n**deartháir	**ár** + urú	ár **n**-uncail
2	**bhur** + urú	bhur **n**deartháir	**bhur** + urú	bhur **n**-uncail
3	**a** (*their*) + urú	a **n**deartháir	**a** (*their*) + urú	a **n**-uncail

Aidiachtaí sealbhacha sa chaint

Níl sé ceart béim a chur ar **mo**, **do**, etc. – is gá foirmeacha treise a úsáid.

> Tá *mo dheartháir sa bhaile freisin.   (* = mícheart)
> Tá mo dheartháir**se** sa bhaile freisin.   (an leagan ceart)

Aidiachtaí sealbhacha roimh f

Sa chéad agus sa dara pearsa uatha, scríobhtar **m'** agus **d'** roimh **f** + guta.

> **m'fh**iacla
> **d'fh**uinneog

Tabhair faoi deara, áfach, gur **mo** agus **do** a scríobhtar roimh **f** + consan.

> mo **fh**leasc
> do **fh**reagra

Foirmeacha treise

			I ndiaidh consain chaoil		I ndiaidh consain leathain
1	mo	+ -se	mo dheartháirse	+ -sa	mo theachsa
2	do	+ -se	d'athairse	+ -sa	do bheansa
3	a (*his*)	+ -sean	a dheartháirsean	+ -san	a phostsan
	a (*her*)	+ -se	a deartháirse	+ -sa	a postsa
1	ár	+ -ne	ár ndeartháirne	+ -na	ár n-ábharna
2	bhur	+ -se	bhur n-athairse	+ -sa	bhur n-ábharsa
3	a (*their*)	+ -sean	a ndeartháirsean	+ -san	a n-ábharsan

Sa chaint, tá sé de nós ag daoine aidiachtaí sealbhacha a sheachaint agus na leaganacha seo thíos a úsáid ina n-áit.

deartháir s'agamsa
deartháir s'agatsa
deartháir s'aigesean
deartháir s'aicise

deartháir s'againne
deartháir s'agaibhse
deartháir s'acusan

Aidiachtaí sealbhacha agus réamhfhocail

Seo an rud a tharlaíonn nuair a thagann na réamhfhocail **de**, **do**, **faoi**, **i**, **le**, **ó**, **trí** roimh na haidiachtaí sealbhacha:

de nó **do** + **a** = **dá** Thug mé tacaíocht dá **fh**eachtas (*his campaign*). Thug mé tacaíocht dá feachtas (*her campaign*). Thug mé tacaíocht dá **bh**feachtas (*their campaign*).	**de** nó **do** + **ár** = **dár** Thug sé tacaíocht dár **bh**feachtas (*our campaign*).
faoi + **a** = **faoina** Bhí sé ag caint faoina uncail (*his uncle*). Bhí sí ag caint faoina **h**uncail (*her uncle*). Bhí siad ag caint faoina **n**-uncail (*their uncle*).	**faoi** + **ár** = **faoinár** Bhí sé ag caint faoinár **n**-uncail (*our uncle*).
i + **a** = **ina** Tá sé ina **ch**ónaí ansin le tamall anuas. Tá sí ina cónaí ansin le tamall anuas. Tá siad ina **g**cónaí ansin le tamall anuas.	**i** + **ár** = **inár** Táimid inár **g**cónaí ansin le tamall anuas.

le + a = lena Bhí mé ag caint lena **ph**áistí (*his children*). Bhí mé ag caint lena páistí (*her children*). Bhí mé ag caint lena **b**páistí (*their children*).	**le + ár = lenár** Bhí siad ag caint lenár **b**páistí (*our children*).
ó + a = óna Fuair mé tacaíocht mhaith óna uncail (*his uncle*). Fuair mé tacaíocht mhaith óna **h**uncail (*her uncle*). Fuair mé tacaíocht mhaith óna **n**-uncail (*their uncle*).	**ó + ár = ónár** Fuaireamar tacaíocht mhaith ónár **n**-uncail (*our uncle*).
trí + a = trína Shiúil mé trína **ph**áirc (*his field*). Shiúil mé trína páirc (*her field*). Shiúil mé trína **b**páirc (*their field*).	**trí + ár = trínár** Shiúil sí trínár **b**páirc (*our field*).

Tabhair faoi deara an difear idir:

(a) réamhfhocal + aidiacht shealbhach (**mo**, **do**, etc.): focal amháin agus
(b) réamhfhocal + an t-alt san uimhir iolra: dhá fhocal

(a)
faoina cairde (*about her friends*)
óna oifig (*from his office*)

(b)
faoi na báid (*under/about the boats*)
ó na scoileanna (*from the schools*)

 Cleachtadh 19.1

Cuir Gaeilge ar na nithe seo thíos. Léiríonn an cló trom iodálach go bhfuil béim i gceist.

1. *your brother* _____

2. ***your*** *brother* _____

3. ***their*** *son* _____

4. *their daughter* _____

5. *my friends* _____

6. ***my*** *friends* _____

7. *his apartment* _____

8. *her apartment* _____

9. ***his*** *apartment* _____

10. ***her*** *apartment* _____

Cleachtadh 19.2

Aistrigh na habairtí seo go Gaeilge.

1. *I gave her mother a lift.* _____

2. *I got a present from her aunt.* _____

3. *I looked through his essay.* _____

4. *I looked through their essays.* _____

5. *I got a call from his uncle.* _____

6. *He gave our campaign a lot of help.* _____

7. *I was at school with their sister.* _____

8. *She's very good to her father.* _____

9. *The cat ran through our garden.* _____

10. *She's on her own* (aonar). _____

Cónaí, suí, seasamh

Cónaí

1	tá mé i mo chónaí	táimid inár gcónaí
2	tá tú i do chónaí	tá sibh in bhur gcónaí
3	tá sé ina chónaí	tá siad ina gcónaí
	tá sí ina cónaí	

Suí

1	tá mé i mo shuí	táimid inár suí
2	tá tú i do shuí	tá sibh in bhur suí
3	tá sé ina shuí	tá siad ina suí
	tá sí ina suí	

Seasamh

1	tá mé i mo sheasamh	táimid inár seasamh
2	tá tú i do sheasamh	tá sibh in bhur seasamh
3	tá sé ina sheasamh	tá siad ina seasamh
	tá sí ina seasamh	

Ní úsáidtear an focal **ag** le **suí** ná le **seasamh** ach amháin nuair a bhíonn gluaiseacht i gceist.

Suíomh	Gluaiseacht
Tá sé ina shuí in aice leis an doras. *He's sitting beside the door (i.e. he's seated beside the door).*	Sin ansin é. Tá sé ag suí ansin in aice leis an doras. *That's him there. He's sitting down there beside the door (i.e. he's in the process of sitting down there beside the door).*
Bhí mé i mo sheasamh in aice léi sa scuaine. *I was standing (i.e. I was in a standing position) beside her in the queue.*	Bhí mé ag seasamh suas agus bhuail mé mo cheann ar dhoras an chófra. *I was standing up (i.e. I was in the process of standing up) and I hit my head on the door of the cupboard.*

Cleachtadh 19.3

Cuir Gaeilge ar na habairtí seo.

1. *I live in Dublin.* _____

2. *We live in the countryside.* _____

3. *I was sitting down when she walked in the door*

   (i.e. I was in the process of sitting down). _____

4. *I heard that you were living in France for a year.* _____

5. *We were sitting beside her at dinner*

   (i.e. we were seated). _____

6. *He's sitting down there beside Síle*

   (i.e. he's in the process of sitting down). _____

7. *He's sitting there beside Síle (i.e. he's seated).* _____

8. *They were standing at the back of the hall*

   (i.e. they were in a standing position). _____

9. *I saw her as I was standing up*

   (i.e. as I was in the process of standing up). _____

10. *They live in Galway.* _____

Cleachtadh 19.4

Cuir na focail seo in abairtí lena mbrí a léiriú.

1. ag seasamh _____

2. ina seasamh _____

3. ina sheasamh _____

4. ag suí _____

5. ina shuí _____

6. ina suí _____

Ainm briathartha + forainm

Ní féidir forainm a úsáid díreach i ndiaidh ainm bhriathartha – is gá úsáid a bhaint as aidiacht shealbhach.

An leagan mícheart
*ag bualadh mé
*ag cáineadh í

An leagan ceart
do mo bhualadh
dá cáineadh

		Uimhir uatha		Uimhir iolra
1	do mo do m′	Bhí sé do mo cháineadh. Bhí sé do m′ionsaí.	dár	Bhí sé dár gcáineadh. Bhí sé dár n-ionsaí.
2	do do do d′	Bhí sé do do cháineadh. Bhí sé do d′ionsaí.	do bhur	Bhí sé do bhur gcáineadh. Bhí sé do bhur n-ionsaí.
3	á	Bhí sé á cháineadh. (fir.) Bhí sé á cáineadh. (bain.) Bhí sé á ionsaí. (fir.) Bhí sé á hionsaí. (bain.)	á	Bhí sé á gcáineadh. Bhí sé á n-ionsaí.

Bíonn dhá bhrí le habairtí den chineál seo sa tríú pearsa uatha agus iolra.

Bhí sé á cháineadh. (*He was criticising him./He was being criticised.*)

Bhí sí á cáineadh. (*She was criticising her./She was being criticised.*)

Bhí siad á gcáineadh. (*They were criticising them./They were being criticised.*)

Cleachtadh 19.5

Déan abairtí de na focail seo.

1. Bhí siad + ag bualadh + mé

_____

2. Bhí sí + ag múineadh + iad

_____

3. Bhí sé i gcónaí + ag ceartú + muid

_____

4. Tá sí + ag déanamh + é

_____

5. Bhí mé + ag bualadh + iad

_____

6. Bhí tú + ag maslú + í

_____

7. Tá sibh + ag crá + muid

_____

8. Táimid + ag aistriú + iad

_____

9. Bhí siad + ag iompar + iad

_____

10. Bhí sé + ag ciapadh + tú

_____

Aonad 20: Na Forainmneacha Réamhfhoclacha

San aonad seo foghlaimeoidh tú faoi na nithe seo:

- na forainmneacha réamhfhoclacha éagsúla, gach pearsa uatha agus iolra

- abairtí úsáideacha ina bhfuil forainmneacha réamhfhoclacha le fáil

	1ú uatha	2ú uatha	3ú uatha (fir.)	3ú uatha (bain.)	1ú iolra	2ú iolra	3ú iolra
ag	agam	agat	aige	aici	againn	agaibh	acu
ar	orm	ort	air	uirthi	orainn	oraibh	orthu
as	asam	asat	as	aisti	asainn	asaibh	astu
chuig	chugam	chugat	chuige	chuici	chugainn	chugaibh	chucu
de	díom	díot	de	di	dínn	díbh	díobh
do	dom	duit	dó	di	dúinn	daoibh	dóibh
faoi	fúm	fút	faoi	fúithi	fúinn	fúibh	fúthu
i	ionam	ionat	ann	inti	ionainn	ionaibh	iontu
idir	----------	----------	----------	----------	eadrainn	eadraibh	eatarthu
ionsar	ionsorm	ionsort	ionsair	ionsuirthi	ionsorainn	ionsoraibh	ionsorthu
le	liom	leat	leis	léi	linn	libh	leo
ó	uaim	uait	uaidh	uaithi	uainn	uaibh	uathu
roimh	romham	romhat	roimhe	roimpi	romhainn	romhaibh	rompu
thar	tharam	tharat	thairis	thairsti	tharainn	tharaibh	tharstu
trí	tríom	tríot	tríd	tríthi	trínn	tríbh	tríothu

Abairtí úsáideacha

Ag
Tá súile gorma aici.
Tá fiacla deasa aige.
Tá droch-chroí aici.
Tá Fraincis mhaith acu.

Ar
Tá aiféala uirthi.
Níor thug sí aird ar bith orm.
Tháinig sé aniar aduaidh orm.
Tá áthas oraibh.
Bhagair sé orm.
Tá biseach air.
Tá brón orm.
Tá cáil uirthi.
Tá sí an-cheanúil orthu.
Chroith siad lámh orm. (*They waved at me.*)
Tá codladh ort.
Rinne mé dearmad air (nó **de**).
Chuir sé déistin air.
Tá sí eolach air.
Tá fearg orainn.
Tá fonn orm an obair a dhéanamh anois.
Tá gruaig fhionn air.

Tá náire orm.
Tá sí neamhspleách orthu anois.
Tá ocras orm.
Theip uirthi sa scrúdú.
Tá tart uirthi.
Tá tinneas cinn air.
Tá uaigneas orthu.

As
Lig sí béic aisti.
Tá siad bródúil asam.
Tá Bríd freagrach as anois.
Baineadh geit asam.
Lig sé scread as.
Baineadh tuisle aisti.

Chuig
Chuir mé téacs chuici.
Sín an leabhar sin chugam, le do thoil.

De
Tá mé an-bhuíoch díot.
Déan neamhiontas de.
D'fhiafraigh mé di cathain a chonaic sí é.

Do
Bheannaigh mé di.
Chuir sé i gcuimhne dom go raibh an cheolchoirm ar siúl an oíche sin.
Is fíor duit!
Tá an obair fóirsteanach/oiriúnach di.
Rinne sí gar dom.

Faoi
Fágfaidh mé an cinneadh sin fút féin.
Bhí fuadar fúthu.
Tá an-ghealladh faoi mar scríbhneoir.
Rinne siad gearán fúm. (*They complained about me.*)
Tá sí imníoch faoi.
Bhí siad ag magadh faoi (nó **air**).

I
Tá féith an cheoil inti.
Tá an-chumas go deo ann.
Níl aon dochar iontu.

Idir
Roinn siad an t-airgead eatarthu.
Níl ach bliain eatarthu.
Bhíomar ag caint eadrainn féin.
D'éirigh eatarthu ag an gcruinniú.
Ní raibh ach cúpla méadar eatarthu sa rás.
Thosaigh troid eatarthu.

Le
Bhí an t-ádh libh (nó **oraibh**).
Tá siad báúil liom.
Bhuail mé leis inné.
Ghabh siad buíochas linn.
Ní cuimhin léi mé. (*She doesn't remember me.*)
Tá mé in éad leat.
D'éirigh go maith liom sa scrúdú.
Chroith sí lámh liom. (*She shook my hand.*)
Thaitin an scannán leo.
Rinne sé gearán liom. (*He complained to me.*)

Ó
Níl an t-airgead uathu.
Braithim uaim go mór í.
Fuair mé litir uaithi.

Roimh
Tá eagla orthu romhainn.
Chuir sí an-fháilte romham.
Tá turas fada romhat.

Thar
D'eitil an t-éan tharam.
Ní chuirfinn thairsti é.

Trí
Chuaigh an phian tríom.
Chuaigh creathán tríthi.

Ag agus ar
Tá airgead agat orm. (*I owe you money.*)
Tá aithne aige orthu.
Tá amhras aige orm (nó **fúm**). (nó Tá sé in amhras fúm.)
Bhí ceist aige orm.
Tá cion agam uirthi.
Tá cuimhne aige orm.
Bhí eolas acu air.
Tá fuath acu orm (nó **dom**).
Tá gean agam air.
Bhí grá aici orm (nó **dom**).
Tá an ghráin aige orm.
Tá meas acu orm.

Ag agus as
Bhí muinín aige asam (nó **ionam**).
Bhí iontaoibh acu aisti.

Ag agus i
Bhí dúil aige inti.
Tá suim agam ann.
Tá muinín aici ionainn (nó **asainn**).

Ag agus le
Tá bá aici linn.
Tá coinne agam léi.
Tá dáimh aige leo.

Ar agus as
Bhí bród air astu. (nó Bhí sé bródúil astu.)

Ar agus le
Bhí fearg air liom.
Tá éad air leo. (nó Tá sé in éad leo.)

Ar agus roimh
Tá eagla uirthi rompu.
Bhí faitíos orthu romham.
Bhí doicheall air roimpi.

Cleachtadh 20.1

Cuir an forainm réamhfhoclach ceart in áit gach réamhfhocail agus forainm atá idir na lúibíní.

1. Tá mé in éad (le + í). _____

2. Rinne sé gearán (le + iad). _____

3. Tá eagla orthu (roimh + iad). _____

4. Chuir mé litir (chuig + é). _____

5. Bíonn siad i gcónaí ag magadh (faoi + muid). _____

6. Thosaigh troid (idir + muid). _____

7. Tá súile gorma (ag + é). _____

8. Tá mé an-bhuíoch (de + sibh). _____

9. Tá suim agam (in + sibh). _____

10. Níl aon mhuinín aici (as + muid). _____

11. Táim bródúil (as + sibh). _____

12. Tá aithne agam (ar + iad). _____

13. Tá tinneas cinn (ar + mé). _____

14. Tá meas agam (ar + í). _____

15. Cuireann sé déistin (ar + mé). _____

16. Theip (ar + mé) sa scrúdú. _____

17. Tá gruaig fhada dhubh (ar + iad). _____

18. Tá cáil (ar + í) mar scríbhneoir. _____

19. Tá fuath agam (ar + iad). _____

20. Tá cion agam (ar + iad). _____

Cleachtadh 20.2

Cuir an forainm réamhfhoclach ceart ar fáil i ngach cás.

1. sí
Tá aiféala _____.

2. sé
Ní cuimhin _____ mé.

3. sí
Bheannaigh mé _____.

4. mé
D'fhiafraigh sé _____ cathain a bhí mé ansin.

5. siad/muid
Tá €100 _____ _____. (*We owe them €100.*)

6. siad
Ná tabhair aird ar bith _____.

7. sí
Lig sí béic _____.

8. siad
Tá an-ghealladh _____.

9. sibh
Tá eagla air _____.

10. sí
Tá mé go mór in éad _____.

11. mé
Rinne siad neamhiontas _____.

12. siad
D'fhiafraigh mé _____ cathain a bheadh an cruinniú ar siúl.

13. siad
Fágfaidh mé an cinneadh sin _____ féin.

14. sí
Tá féith an cheoil _____.

15. muid
D'éirigh _____ ag an gcruinniú. (*We quarrelled at the meeting.*)

Cleachtadh 20.3

Aistrigh na habairtí seo go Gaeilge.

1. She has nice teeth. _____

2. I'm afraid of him. _____

3. I have no confidence in them. _____

4. I'm very grateful to them. _____

5. They're lonely. _____

6. He has long hair and blue eyes. _____

7. I respect them. _____

8. They're jealous of her. _____

9. I'm interested in her. _____

10. I hate her. _____

11. He's afraid of them. _____

12. I sent them a letter. _____

13. They complained about her. _____

14. They really miss me. _____

15. I did them a favour. _____

16. They were ashamed. _____

17. He was making fun of her. _____

18. They were making fun of us. _____

19. I have an appointment with them. _____

20. I greeted him. _____

Aonad 21: An Chopail Is

San aonad seo foghlaimeoidh tú faoi na nithe seo:

- an chopail san aimsir láithreach

- ceisteanna agus freagraí san aimsir láithreach

- an chopail san aimsir chaite agus sa mhodh coinníollach

- ceisteanna agus freagraí san aimsir chaite agus sa mhodh coinníollach

An chopail san aimsir láithreach

	Dearfach	Diúltach	Ceisteach Dearfach	Ceisteach Diúltach
	is	ní	an	nach
Spleách	gur* (roimh chonsain agus roimh ghutaí) gurb* (roimh ghutaí)	nach		

*Gur agus gurb

Úsáidtear **gur** roimh chonsain.

> Ceapaim gur múinteoir maith é.
> Ceapaim gur deas an fear é.

Úsáidtear **gur** roimh (a) ainmfhocail dar tús guta, (b) réamhfhocail agus (c) forainmneacha réamhfhoclacha.

> (a) Deir sí gur Astrálach é.
> (b) Ceapaim gur ag an oifig a bhíonn sé.
> (c) Measaim gur aicise a bheidh an bua.

Úsáidtear **gurb** roimh (a) aidiachtaí dar tús guta, (b) na forainmneacha **ea**, **é**, **í**, **iad**, **eisean**, **ise**, **iadsan** (go hiondúil), agus (c) dobhriathra dar tús guta (go hiondúil).

> (a) Ceapaim gurb álainn an bhean í.
> (b) Deir sí gurb é an duine is fearr sa rang é.
> (c) Deirtear gurb annamh a thagann sé.

Úsáidtear **gur** roimh na dobhriathra **ann** agus **ansin**.

> Is dócha gur ansin a bheidh sé ar siúl.

 Cleachtadh 21.1

Scríobh an fhoirm chuí den chopail (aimsir láithreach) i ngach bearna. Tá gach abairt dearfach.

1. Is dócha _____ í Aoife is cúis leis.

2. Ceapaim _____ plean maith é.

3. Deirtear _____ amhránaí maith í.

4. Ceapaim _____ uafásach an rud é.

5. Measaim _____ le Bríd é.

6. Measaim _____ ea.

7. Is cosúil _____ as an Ísiltír í.

8. Deirtear _____ iadsan a dhéanann an obair ar fad.

9. Sílim _____ leosan an teach.

10. Deirtear _____ uirthise atá an locht.

11. Sílim _____ maith an rud é.

12. Is cosúil _____ amhlaidh atá an scéal.

Ceisteanna agus freagraí

(a) Nuair a bhíonn forainm (e.g. **mé**, **tú**, **í**) díreach tar éis **an** nó **nach**, bíonn forainm sa fhreagra chomh maith.

> An í Nuala an múinteoir? Is í./Ní **hí**.

> An iad sin na fir a tháinig ar maidin? Is iad./Ní **hiad**.

(b) Nuair a bhíonn ainmfhocal idir **an** nó **nach** agus an forainm, úsáidtear **is ea** nó **ní hea** sa fhreagra.

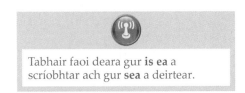

Tabhair faoi deara gur **is ea** a scríobhtar ach gur **sea** a deirtear.

> An **meicneoir** é Tomás? Is ea./Ní **hea**.

(c) Nuair a bhíonn forainm réamhfhoclach (mar shampla, **agat(sa)**, **dúinn(e)**, **leat(sa)**) díreach tar éis **an** nó **nach**, bíonn an forainm réamhfhoclach céanna sa fhreagra. Ní féidir foirm threise den fhorainm réamhfhoclach a úsáid sa fhreagra, áfach.

> An **agatsa** atá mo pheann?
> Is **agam**.

> Nach **dósan** a thugtar an t-airgead?
> Is **dó**.

(d) Nuair a bhíonn aidiacht díreach tar éis **an** nó **nach**, bíonn an aidiacht chéanna sa fhreagra. Tabhair faoi deara nach gcuirtear aon **h** roimh aidiacht dar tús guta a leanann an chopail dhiúltach **ní**.

> Nach deas an lá é.
> Is deas./Ní deas.

> Nach iontach an scéal é sin!
> Is iontach, go deimhin./Ní iontach.

Cleachtadh 21.2

Tabhair freagra dearfach agus freagra diúltach ar na ceisteanna seo.

1. An í Deirdre an cailín is sine sa chlann?   _____   _____

2. Nach dochtúir í Siobhán?   _____   _____

3. An chugatsa a chuireann daoine an t-airgead?   _____   _____

4. Nach breá an t-amhrán é sin!   _____   _____

5. An freastalaithe iad an bheirt sin?   _____   _____

6. An iad REM na ceoltóirí is fearr leat?   _____   _____

7. An amhránaí maith é Daniel O'Donnell?   _____   _____

8. An aoibhinn beatha an scoláire, dar leatsa?   _____   _____

9. An dósan a thabharfaidh mé an seic?   _____   _____

10. An mac léinn tú?   _____   _____

11. An tusa an duine is óige sa chlann?   _____   _____

12. An é Caoimhín an duine is óige sa chlann?   _____   _____

Cleachtadh 21.3

Cuir Gaeilge ar na habairtí seo agus tabhair freagra dearfach agus diúltach orthu chomh maith.

1. *Are these **yours**?*
_____

2. *Is Cathal your brother?*
_____

3. *Isn't that Joanne over there?*
_____

4. *Is he French?*
_____

5. *Are those the ones we need?*
_____

6. *Are **you** the secretary?*
_____

7. *Aren't **you** Máire's daughter?*
_____

8. *Is she an honest person?*
_____

9. *Is Ros na Rún your favourite television programme?*
_____

10. *Is this **my** pen?*
_____

11. *Is Máirtín not a mechanic?*
_____

12. *Are they good teachers?*
_____

An chopail san aimsir chaite agus sa mhodh coinníollach

	An aimsir láithreach	An aimsir chaite agus an modh coinníollach	
		Roimh chonsain agus roimh fl-, fr-	Roimh ghutaí agus roimh f + guta
Dearfach	is	ba	b'
Diúltach	ní	níor	níorbh
Ceisteach	an	ar	arbh
Ceisteach diúltach	nach	nár	nárbh
Spleách	gur(b)	gur	gurbh

Séimhítear túschonsain tar éis na bhfoirmeacha éagsúla den chopail san aimsir chaite.

> Ba **dh**uine aclaí é uair amháin.
> Ba **fh**reagra maith é.
> Níor **mh**áthair rómhaith í.
> Ar **mh**áthair mhaith í?

Nár **mh**ac léinn anseo é? Ba ea.
Chuala mé gur **dh**rochdhuine é.

Tabhair faoi deara go n-úsáidtear **ba** roimh na forainmneacha go léir san aimsir chaite.

Ba í Síle ab óige.
Ba iad na páistí a chonaic é.

Roimh ghutaí agus roimh f + guta

B'iontach an scannán é.
B'ait an duine í.
Níorbh athair rómhaith é.
Níorbh eol dó go raibh sí anseo.
Arbh eisean an duine ab óige?
Arbh eolaí é?
Nárbh eisean an duine a rinne an obair?
Nárbh iontach an lá é!
Mheas mé i gcónaí gurbh eolaí é.
Níorbh **fh**éidir leis teacht.
Arbh **fh**earr leat pionta?

Ceisteanna agus freagraí san aimsir chaite agus sa mhodh coinníollach

Ainmfhocail chinnte
Arbh í Caoimhe an duine ab óige?
Ba í./Níorbh í.

Ainmfhocail éiginnte
Ar **dh**uine deas é?
Ba ea./Níorbh ea.

Nárbh **fh**earr duit fanacht anseo?
B'fhearr./Níorbh fhearr.

 Cleachtadh 21.4

Scríobh an fhoirm chuí den chopail (aimsir chaite) i ngach bearna. Tá gach abairt dearfach.

1. Dúirt sé _____ amhránaí maith í.

2. _____ dheirfiúracha iad?

3. _____ dhuine deas é Seoirse?

4. Chuala mé _____ í Síle a bhí ceaptha mar bhainisteoir.

5. _____ iadsan a dhéanadh an obair go léir.

6. Dúirt Dónall _____ fhear cairdiúil é an príomhoide.

7. Dúirt Seosaimhín _____ dhuine fial é Eoin.

8. _____ chairde iad nuair a bhí siad ag éirí aníos?

9. _____ cheoltóir é Tomás freisin?

10. Dúradh _____ iad Ciarán agus Gearóid an bheirt ab fhearr sa rang.

Cleachtadh 21.5

Tá na habairtí seo san aimsir láithreach. Scríobh san aimsir chaite iad.

1. Is bean dheas í. _____

2. An duine díograiseach é? _____

3. Is í Síle an rúnaí. _____

4. Ní hé Liam a dhéanann an obair. _____

5. Is iontach an lá é. _____

6. Is deirfiúracha iad Michelle agus Deirdre. _____

7. Nach cairde iad an bheirt sin? _____

8. An é do chara é? _____

9. Is é Breandán a uncail. _____

10. Is fiú duit é a cheannach. _____

 Cleachtadh 21.6

Tabhair freagra dearfach agus freagra diúltach ar gach ceist.

1. Arbh í Deirdre an cailín ba shine sa chlann? _____ _____

2. Ar dhochtúir í Siobhán? _____ _____

3. Ar fhreastalaithe iad an bheirt sin? _____ _____

4. Arbh iad an bheirt sin na ceoltóirí ab fhearr leat? _____ _____

5. Arbh é Darren an príomhamhránaí? _____ _____

6. Arbh aoibhinn beatha an scoláire, dar leatsa? _____ _____

7. Arbh fhearr airgead a thabhairt di? _____ _____

8. Ar mhac léinn é ag an am? _____ _____

9. Arbh iad Eithne agus a cara a bhí sa teach leat? _____ _____

10. Arbh é Caoimhín an duine ab fhearr? _____ _____

Aonad 22: An Briathar 5 (An Modh Coinníollach/Má agus Dá)

San aonad seo foghlaimeoidh tú faoi na nithe seo:

- briathra rialta sa mhodh coinníollach: an chéad réimniú agus an dara réimniú

- **go**, **dá** agus **mura**

- an briathar **bí**

- ceisteanna agus freagraí sa mhodh coinníollach: ginearálta

- ceisteanna agus freagraí/ráitis: briathra neamhrialta

- **má** agus **mura**

- **b'fhéidir**

- claoninsint sa mhodh coinníollach

Briathra rialta sa mhodh coinníollach: an chéad réimniú

(a) Briathra a bhfuil fréamh aonsiollach acu

Mol

Consan leathan	Foirmeacha ceisteacha	dá (*if*)	mura (*if I, you, etc. didn't*)
mholfainn mholfá mholfadh sé/sí	an molfainn? an molfá? an molfadh sé/sí?	dá molfainn dá molfá dá molfadh sé/sí	mura molfainn mura molfá mura molfadh sé/sí
mholfaimis mholfadh sibh mholfaidís	an molfaimis? an molfadh sibh? an molfaidís?	dá molfaimis dá molfadh sibh dá molfaidís	mura molfaimis mura molfadh sibh mura molfaidís

Diúltach: ní mholfainn, ní mholfá, etc.

Cuir

Consan caol	Foirmeacha ceisteacha	dá (*if*)	mura (*if I, you, etc. didn't*)
chuirfinn chuirfeá chuirfeadh sé/sí	an gcuirfinn? an gcuirfeá? an gcuirfeadh sé/sí?	dá gcuirfinn dá gcuirfeá dá gcuirfeadh sé/sí	mura gcuirfinn mura gcuirfeá mura gcuirfeadh sé/sí
chuirfimis chuirfeadh sibh chuirfidís	an gcuirfimis? an gcuirfeadh sibh? an gcuirfidís?	dá gcuirfimis dá gcuirfeadh sibh dá gcuirfidís	mura gcuirfimis mura gcuirfeadh sibh mura gcuirfidís

Diúltach: ní chuirfinn, ní chuirfeá, etc.

Dóigh

	Foirmeacha ceisteacha	dá (*if*)	mura (*if I, you, etc. didn't*)
dhófainn dhófá dhófadh sé/sí	an ndófainn? an ndófá? an ndófadh sé/sí?	dá ndófainn dá ndófá dá ndófadh sé/sí	mura ndófainn mura ndófá mura ndófadh sé/sí
dhófaimis dhófadh sibh dhófaidís	an ndófaimis? an ndófadh sibh? an ndófaidís?	dá ndófaimis dá ndófadh sibh dá ndófaidís	mura ndófaimis mura ndófadh sibh mura ndófaidís

Diúltach: ní dhófainn, ní dhófá, etc.

Léigh

	Foirmeacha ceisteacha	dá (*if*)	mura (*if I, you, etc. didn't*)
léifinn léifeá léifeadh sé/sí	an léifinn? an léifeá? an léifeadh sé/sí?	dá léifinn dá léifeá dá léifeadh sé/sí	mura léifinn mura léifeá mura léifeadh sé/sí
léifimis léifeadh sibh léifidís	an léifimis? an léifeadh sibh? an léifidís?	dá léifimis dá léifeadh sibh dá léifidís	mura léifimis mura léifeadh sibh mura léifidís

Diúltach: ní léifinn, ní léifeá, etc.

(b) Briathra a bhfuil fréamh ilsiollach acu agus a chríochnaíonn ar -**áil**

Sábháil

	Foirmeacha ceisteacha	dá (*if*)	mura (*if I, you, etc. didn't*)
shábhálfainn shábhálfá shábhálfadh sé/sí	an sábhálfainn? an sábhálfá? an sábhálfadh sé/sí?	dá sábhálfainn dá sábhálfá dá sábhálfadh sé/sí	mura sábhálfainn mura sábhálfá mura sábhálfadh sé/sí
shábhálfaimis shábhálfadh sibh shábhálfaidís	an sábhálfaimis? an sábhálfadh sibh? an sábhálfaidís?	dá sábhálfaimis dá sábhálfadh sibh dá sábhálfaidís	mura sábhálfaimis mura sábhálfadh sibh mura sábhálfaidís

Diúltach: ní shábhálfainn, ní shábhálfá, etc.

(c) Roinnt briathra mar **taispeáin**, **tiomáin**

Taispeáin

	Foirmeacha ceisteacha	dá (*if*)	mura (*if I, you, etc. didn't*)
thaispeánfainn thaispeánfá thaispeánfadh sé/sí	an dtaispeánfainn? an dtaispeánfá? an dtaispeánfadh sé/sí?	dá dtaispeánfainn dá dtaispeánfá dá dtaispeánfadh sé/sí	mura dtaispeánfainn mura dtaispeánfá mura dtaispeánfadh sé/sí
thaispeánfaimis thaispeánfadh sibh thaispeánfaidís	an dtaispeánfaimis? an dtaispeánfadh sibh? an dtaispeánfaidís?	dá dtaispeánfaimis dá dtaispeánfadh sibh dá dtaispeánfaidís	mura dtaispeánfaimis mura dtaispeánfadh sibh mura dtaispeánfaidís

Diúltach: ní thaispeánfainn, ní thaispeánfá, etc.

Tiomáin

	Foirmeacha ceisteacha	dá (*if*)	mura (*if I, you, etc. didn't*)
thiomáinfinn thiomáinfeá thiomáinfeadh sé/sí	an dtiomáinfinn? an dtiomáinfeá? an dtiomáinfeadh sé/sí?	dá dtiomáinfinn dá dtiomáinfeá dá dtiomáinfeadh sé/sí	mura dtiomáinfinn mura dtiomáinfeá mura dtiomáinfeadh sé/sí
thiomáinfimis thiomáinfeadh sibh thiomáinfidís	an dtiomáinfimis? an dtiomáinfeadh sibh? an dtiomáinfidís?	dá dtiomáinfimis dá dtiomáinfeadh sibh dá dtiomáinfidís	mura dtiomáinfimis mura dtiomáinfeadh sibh mura dtiomáinfidís

Diúltach: ní thiomáinfinn, ní thiomáinfeá, etc.

Briathra rialta sa mhodh coinníollach: an dara réimniú

(a) Briathra a bhfuil fréamh ilsiollach acu agus a chríochnaíonn ar -(a)igh

Ceannaigh

Consan leathan	Foirmeacha ceisteacha	dá (*if*)	mura (*if I, you, etc. didn't*)
cheannóinn cheannófá cheannódh sé/sí	an gceannóinn? an gceannófá? an gceannódh sé/sí?	dá gceannóinn dá gceannófá dá gceannódh sé/sí	mura gceannóinn mura gceannófá mura gceannódh sé/sí
cheannóimis cheannódh sibh cheannóidís	an gceannóimis? an gceannódh sibh? an gceannóidís?	dá gceannóimis dá gceannódh sibh dá gceannóidís	mura gceannóimis mura gceannódh sibh mura gceannóidís

Diúltach: ní cheannóinn, ní cheannófá, etc.

Imigh

Consan caol	Foirmeacha ceisteacha	dá (*if*)	mura (*if I, you, etc. didn't*)
d'imeoinn d'imeofá d'imeodh sé/sí	an imeoinn? an imeofá? an imeodh sé/sí?	dá n-imeoinn dá n-imeofá dá n-imeodh sé/sí	mura n-imeoinn mura n-imeofá mura n-imeodh sé/sí
d'imeoimis d'imeodh sibh d'imeoidís	an imeoimis? an imeodh sibh? an imeoidís?	dá n-imeoimis dá n-imeodh sibh dá n-imeoidís	mura n-imeoimis mura n-imeodh sibh mura n-imeoidís

Diúltach: ní imeoinn, ní imeofá, etc.

(b) Briathra a bhfuil fréamh ilsiollach acu, a chríochnaíonn ar **-(a)il**, **-(a)in**, **-(a)ir** agus **-(a)is** agus a choimrítear

Ceangail

	Foirmeacha ceisteacha	dá (*if*)	mura (*if I, you, etc. didn't*)
cheanglóinn cheanglófá cheanglódh sé/sí	an gceanglóinn? an gceanglófá? an gceanglódh sé/sí?	dá gceanglóinn dá gceanglófá dá gceanglódh sé/sí	mura gceanglóinn mura gceanglófá mura gceanglódh sé/sí
cheanglóimis cheanglódh sibh cheanglóidís	an gceanglóimis? an gceanglódh sibh? an gceanglóidís?	dá gceanglóimis dá gceanglódh sibh dá gceanglóidís	mura gceanglóimis mura gceanglódh sibh mura gceanglóidís

Diúltach: ní cheanglóinn, ní cheanglófá, etc.

Cosain

	Foirmeacha ceisteacha	dá (*if*)	mura (*if I, you, etc. didn't*)
chosnóinn chosnófá chosnódh sé/sí	an gcosnóinn? an gcosnófá? an gcosnódh sé/sí?	dá gcosnóinn dá gcosnófá dá gcosnódh sé/sí	mura gcosnóinn mura gcosnófá mura gcosnódh sé/sí
chosnóimis chosnódh sibh chosnóidís	an gcosnóimis? an gcosnódh sibh? an gcosnóidís?	dá gcosnóimis dá gcosnódh sibh dá gcosnóidís	mura gcosnóimis mura gcosnódh sibh mura gcosnóidís

Diúltach: ní chosnóinn, ní chosnófá, etc.

Imir

	Foirmeacha ceisteacha	dá (*if*)	mura (*if I, you, etc. didn't*)
d'imreoinn d'imreofá d'imreodh sé/sí	an imreoinn? an imreofá? an imreodh sé/sí?	dá n-imreoinn dá n-imreofá dá n-imreodh sé/sí	mura n-imreoinn mura n-imreofá mura n-imreodh sé/sí
d'imreoimis d'imreodh sibh d'imreoidís	an imreoimis? an imreodh sibh? an imreoidís?	dá n-imreoimis dá n-imreodh sibh dá n-imreoidís	mura n-imreoimis mura n-imreodh sibh mura n-imreoidís

Diúltach: ní imreoinn, ní imreofá, etc.

Inis

	Foirmeacha ceisteacha	dá (*if*)	mura (*if I, you, etc. didn't*)
d'inseoinn d'inseofá d'inseodh sé/sí	an inseoinn? an inseofá? an inseodh sé/sí?	dá n-inseoinn dá n-inseofá dá n-inseodh sé/sí	mura n-inseoinn mura n-inseofá mura n-inseodh sé/sí
d'inseoimis d'inseodh sibh d'inseoidís	an inseoimis? an inseodh sibh? an inseoidís?	dá n-inseoimis dá n-inseodh sibh dá n-inseoidís	mura n-inseoimis mura n-inseodh sibh mura n-inseoidís

Diúltach: ní inseoinn, ní inseofá, etc.

(c) Roinnt briathra a bhfuil fréamh ilsiollach acu

Foghlaim

	Foirmeacha ceisteacha	dá (*if*)	mura (*if I, you, etc. didn't*)
d'fhoghlaimeoinn d'fhoghlaimeofá d'fhoghlaimeodh sé/sí	an bhfoghlaimeoinn? an bhfoghlaimeofá? an bhfoghlaimeodh sé/sí?	dá bhfoghlaimeoinn dá bhfoghlaimeofá dá bhfoghlaimeodh sé/sí	mura bhfoghlaimeoinn mura bhfoghlaimeofá mura bhfoghlaimeodh sé/sí
d'fhoghlaimeoimis d'fhoghlaimeodh sibh d'fhoghlaimeoidís	an bhfoghlaimeoimis? an bhfoghlaimeodh sibh? an bhfoghlaimeoidís?	dá bhfoghlaimeoimis dá bhfoghlaimeodh sibh dá bhfoghlaimeoidís	mura bhfoghlaimeoimis mura bhfoghlaimeodh sibh mura bhfoghlaimeoidís

Diúltach: ní fhoghlaimeoinn, ní fhoghlaimeofá, etc.

Freastail

	Foirmeacha ceisteacha	dá (*if*)	mura (*if I, you, etc. didn't*)
d'fhreastalóinn d'fhreastalófá d'fhreastalódh sé/sí	an bhfreastalóinn? an bhfreastalófá? an bhfreastalódh sé/sí?	dá bhfreastalóinn dá bhfreastalófá dá bhfreastalódh sé/sí	mura bhfreastalóinn mura bhfreastalófá mura bhfreastalódh sé/sí
d'fhreastalóimis d'fhreastalódh sibh d'fhreastalóidís	an bhfreastalóimis? an bhfreastalódh sibh? an bhfreastalóidís?	dá bhfreastalóimis dá bhfreastalódh sibh dá bhfreastalóidís	mura bhfreastalóimis mura bhfreastalódh sibh mura bhfreastalóidís

Diúltach: ní fhreastalóinn, ní fhreastalófá, etc.

Ná déan dearmad!

Cuirtear **d'** roimh ghutaí agus roimh **f** sa mhodh coinníollach dearfach.

ól	**d'**ólfainn	ní ólfainn
fan	**d'**fhanfainn	ní fhanfainn

Go, dá agus mura

Sa mhodh coinníollach, uraítear briathra dar tús consan agus dar tús guta tar éis **go**, **dá** agus **mura**.

> Deirtear go **d**tiocfadh níos mó daoine dá mbeadh óstán anseo.
> Dá **n**déarfainn é sin leis, bheadh sé ar buile.
> Mura **n**-ólfadh sí oiread ní bheadh sí i gcónaí i dtrioblóid.

An briathar bí

	Foirmeacha ceisteacha	dá (*if*)	mura (*if I, you, etc. didn't*)
bheinn bheifeá bheadh sé/sí	an mbeinn? an mbeifeá? an mbeadh sé/sí?	dá mbeinn dá mbeifeá dá mbeadh sé/sí	mura mbeinn mura mbeifeá mura mbeadh sé/sí
bheimis bheadh sibh bheidís	an mbeimis? an mbeadh sibh? an mbeidís?	dá mbeimis dá mbeadh sibh dá mbeidís	mura mbeimis mura mbeadh sibh mura mbeidís

Cleachtadh 22.1

Aistrigh na habairtí seo go Gaeilge.

1. *If we didn't send the money to him (chuige), he'd be angry.*

2. *If he bought a new car, he would have no problems.*

3. *Would you take a drink?* (úsáid an briathar **ól**)

4. *Would you buy one for **me**?*

5. *We would save a lot of money if we had central heating.*

6. *If I didn't save money during the summer, I'd be poor now.*

7. *Would you read out that number again for me, please?*

8. *I'd show you the book if I had it with me.*

9. *You'd sit listening to him all night.*

10. *If they'd learnt the poems properly, they would have had no problem in the exam.*

Cleachtadh 22.2

Cuir na briathra seo sa mhodh coinníollach.

1. An (mol) (tú) _____ do dhaoine dul ansin?

2. Dá (cuir) (siad) _____ costais ar fáil, rachainn ann cinnte.

3. Dá (ceannaigh) (muid) _____ ceann eadrainn, ní (bí) _____ sé ródhaor.

4. An (ceannaigh) (sibh) _____ carr nua dá (bí) _____ an t-airgead agaibh?

5. (Imir) (muid) _____ iad dá (bí) _____ an fhoireann go léir anseo.

6. Ní (cuir) (muid) _____ brú ort é sin a dhéanamh.

7. (Imigh) (sé) _____ ar maidin dá (bí) _____ síob aige.

8. (Taispeáin) (mé) _____ duit é dá mbeadh an t-am agam.

9. Dá (léigh) (siad) _____ na nótaí, (tuig) (siad) _____ an scéal gan deacracht ar bith.

10. (Bí) (muid) _____ ar buile dá (tarlaigh) _____ sé sin.

11. Nach (tiomáin) (siad) _____ ar ais ina gcarr féin?

12. Ní (foghlaim) (muid) _____ mórán mura (bí) _____ Tadhg i mbun an ranga.

Ceisteanna agus freagraí sa mhodh coinníollach: ginearálta

An mhír cheisteach **an** a úsáidtear sa mhodh coinníollach chun ceist a chumadh; uraítear consain a leanann é.

> *Ceist:*   An **m**beifeá sásta le deich euro san uair?
> *Freagraí:* **B**heinn./Ní **b**heinn.

Ní thagann aon athrú ar bhriathra dar tús guta i ndiaidh **an**.

> An ólfá oiread dá mbeinnse ansin?

Seo mar a deirtear sa chaint é:

Nólfá ...?

Is féidir an freagra céanna a thabhairt ar cheisteanna éagsúla sa mhodh coinníollach.

> *Ceist:*   An rachadh sé ansin ina aonar?
> *Freagraí:* Rachadh./Ní rachadh.
> *Ceist:*   An rachadh sí ansin ina haonar?
> *Freagraí:* Rachadh./Ní rachadh.
> *Ceist:*   An rachadh sibh ansin in bhur n-aonar?
> *Freagraí:* Rachadh./Ní rachadh.
> *Ceist:*   An rachaidís ansin ina n-aonar?
> *Freagraí:* Rachadh./Ní rachadh.

Pointe tábhachtach
Seachas sa chéad phearsa uatha, níor cheart forainm (**sé**, **sí**, etc.) a úsáid agus freagra dearfach nó freagra diúltach á thabhairt ar cheist sa mhodh coinníollach – bíonn sé mícheart de ghnáth forainm a úsáid nuair a bhíonn *Yes* nó *No* mar fhreagra ar cheist.

> *Ceist:*   An bhfoghlaimeodh sé níos mó ar an idirlíon?
> *Freagra:*   D'fhoghlaimeodh.

Tabhair faoi deara nach bhfuil an forainm **sé** sa fhreagra – níl sé ag teastáil mar go bhfuil sé soiléir cé dó a bhfuil an dara duine ag tagairt.

Tá rogha i gceist sa chéad phearsa uatha:

Ceist	Freagra (rogha 1)	Freagra (rogha 2)
An rachfá amach san oíche amárach dá mbeadh an t-airgead agat?	Rachadh./Ní rachadh.	Rachainn./Ní rachainn.

Is é rogha 2 thuas an ceann is coitianta ach tá rogha 1 ceart chomh maith.

Ní bhaineann an rogha seo ach leis an gcéad phearsa uatha amháin. Sna pearsana eile, níor cheart forainm a úsáid agus freagra á thabhairt agat ar an gcineál ceiste atá le feiceáil thuas.

Ceisteanna agus freagraí/ráitis: briathra neamhrialta

Abair
Ceist agus freagra
An ndéarfaidís aon rud léi?
Nach ndéarfaidís ...?
Déarfadh./Ní déarfadh.
dá ndéarfaidís .../mura ndéarfaidís ...

Ráiteas

Déarfainn	Déarfaimis
Déarfá	Déarfadh sibh
Déarfadh sé/sí	Déarfaidís

Clois
Ceist agus freagra
An gcloisfeá é dá mbeifeá ansin?
Nach gcloisfeá ...?
Chloisfinn./Ní chloisfinn.
dá gcloisfeá .../mura gcloisfeá ...

Ráiteas

Chloisfinn	Chloisfimis
Chloisfeá	Chloisfeadh sibh
Chloisfeadh sé/sí	Chloisfidís

Beir
Ceist agus freagra
An mbéarfaidís orthu dá mbeadh siad ansin go luath?
Nach mbéarfaidís ...?
Bhéarfadh./Ní bhéarfadh.
dá mbéarfaidís .../mura mbéarfaidís ...

Ráiteas

Bhéarfainn	Bhéarfaimis
Bhéarfá	Bhéarfadh sibh
Bhéarfadh sé/sí	Bhéarfaidís

Déan
Ceist agus freagra
An ndéanfaidís a rogha rud?
Nach ndéanfaidís ...?
Dhéanfadh./Ní dhéanfadh.
dá ndéanfaidís .../mura ndéanfaidís ...

Ráiteas

Dhéanfainn	Dhéanfaimis
Dhéanfá	Dhéanfadh sibh
Dhéanfadh sé/sí	Dhéanfaidís

Bí
Ceist agus freagra
An mbeifeá sásta cabhrú linn?
Nach mbeifeá ...?
Bheinn./Ní bheinn.
dá mbeifeá .../mura mbeifeá ...

Ráiteas

Bheinn	Bheimis
Bheifeá	Bheadh sibh
Bheadh sé/sí	Bheidís

Faigh
Ceist agus freagra
An bhfaighfeá am saor dá mbeadh sé uait?
Nach bhfaighfeá ...?
Gheobhainn./Ní bhfaighinn.
dá bhfaighfeá .../mura bhfaighfeá ...

Ráiteas

Gheobhainn	Gheobhaimis
Gheofá	Gheobhadh sibh
Gheobhadh sé/sí	Gheobhaidís

Feic
Ceist agus freagra
An bhfeicfeá í dá mbeadh sí ansin?
Nach bhfeicfeá ...?
D'fheicfinn./Ní fheicfinn.
dá bhfeicfeá .../mura bhfeicfeá ...

Ráiteas

D'fheicfinn	D'fheicfimis
D'fheicfeá	D'fheicfeadh sibh
D'fheicfeadh sé/sí	D'fheicfidís

Téigh
Ceist agus freagra
An rachadh sibh ann as bhur stuaim féin?
Nach rachadh sibh ...?
Rachadh./Ní rachadh.
dá rachadh sibh .../mura rachadh sibh ...

Ráiteas

Rachainn	Rachaimis
Rachfá	Rachadh sibh
Rachadh sé/sí	Rachaidís

Ith
Ceist agus freagra
An íosfadh sí bia Síneach?
Nach n-íosfadh sí ...?
D'íosfadh./Ní íosfadh.
dá n-íosfadh sí .../mura n-íosfadh sí ...

Ráiteas

D'íosfainn	D'íosfaimis
D'íosfá	D'íosfadh sibh
D'íosfadh sé/sí	D'íosfaidís

Tabhair
Ceist agus freagra
An dtabharfá iasacht dó?
Nach dtabharfá ...?
Thabharfainn./Ní thabharfainn.
dá dtabharfá .../mura dtabharfá ...

Ráiteas

Thabharfainn	Thabharfaimis
Thabharfá	Thabharfadh sibh
Thabharfadh sé/sí	Thabharfaidís

Tar
Ceist agus freagra
An dtiocfaidís ar ais anseo?
Nach dtiocfaidís ...?
Thiocfadh./Ní thiocfadh.
dá dtiocfaidís .../mura dtiocfaidís ...

Ráiteas

Thiocfainn	Thiocfaimis
Thiocfá	Thiocfadh sibh
Thiocfadh sé/sí	Thiocfaidís

Cleachtadh 22.3

Cuir Gaeilge ar na habairtí seo.

1. *He'd be angry if I said that.*
_____

2. *She'd be annoyed if I didn't buy her a present.*
_____

3. *If you didn't say anything, they'd never know.*
_____

4. *If they came here in time, there would have been no problem.*
_____

5. *If you'd eaten your dinner, you wouldn't be hungry now.*
_____

6. *If she did more work, she'd do better in her exams.*
_____

7. *They were hoping that they'd hear him singing live.*
_____

8. *If we didn't go to the lectures, that question would be difficult.*
_____

9. *He was hoping that **I** would do all the work.*
_____

10. *She was hoping that she'd get a letter from me.*
_____

 Cleachtadh 22.4

Cuir na briathra idir lúibíní sa mhodh coinníollach.

1. Dá (téigh) (mé) _____ leis go Gaillimh, (caill) (mé) _____ cúig léacht.

2. Bhí siad ag súil go (bí) (sí) _____ ansin ar a hocht gach maidin.

3. Ar mhaith leat go (faigh) (siad) _____ leabhair nua nó an bhfuil cinn athláimhe ceart go leor?

4. Ní (ith) (siad) _____ an dinnéar.

5. Mura (tar) (sibh) _____ bhí sé i gceist agam glaoch ar bhur n-árasán.

6. Ar mhaith leat go (téigh) (muid) _____ leat?

7. Ní (bí) (muid) _____ déanach dá (fág) (muid) _____ in am.

8. Dá (feic) (siad) _____ ansin é bheadh imní orthu.

9. Buíochas le Dia go bhfuaireamar an t-airgead. Mura (faigh) (muid) _____ é, ní (bí) (muid) _____ in ann dul amach ag an deireadh seachtaine.

10. Ní (bí) (sí) _____ róshásta mura (ith) (mé) _____ an dinnéar go léir.

Má agus mura

An aimsir láithreach

Úsáidtear **má** agus an aimsir láithreach den bhriathar go minic le tagairt don am atá le teacht. Séimhítear túschonsain a leanann **má**.

> Má **dh**éanann tú an obair sin ag an deireadh seachtaine, íocfaidh mé táille níos airde leat.
> Má **fh**eiceann tú í, abair léi go raibh mé ag cur a tuairisce.

Ní shéimhítear na briathra **bí** agus **abair** tar éis **má**.

> Má **tá** sé ina chodladh, ná múscail é.
> Má **deir** sé rudaí mar sin, ní bheidh aon mheas ag daoine air.

An aimsir ghnáthláithreach den bhriathar **bí** a úsáidtear tar éis **má** nuair a bhítear ag tagairt don am atá romhainn.

> Má **bh**íonn sé ansin ...

Mura an fhoirm dhiúltach de **má**. Leanann urú é.

> Mura **d**téann sé amárach, beidh sé rómhall.
> Mura **g**cloiseann tú uaim, ná bíodh imní ort.

An aimsir chaite

Úsáidtear **má** san aimsir chaite chomh maith.

> Má chonaic mé ansin é, ní cuimhin liom é.
> Má d'fhág sí ar a trí a chlog, beidh sí anseo gan mhoill.

Ní chailltear an **d'** i mbriathra nuair a thagann **má** rompu.

> **D'**ól sé an méid sin.
> Má **d'**ól sé an méid sin, ní cúis iontais é go bhfuil sé tinn inniu.

> **D'**fhreastail sí ar an scoil sin.
> Má **d'**fhreastail sí ar an scoil sin, ba cheart go mbeadh caighdeán an-mhaith Gaeilge aici.

Ní shéimhítear na briathra **faigh** agus **abair** tar éis **má** san aimsir chaite.

> Má **fuair** sé pas, bhí sé tuillte aige.
> Má **dúirt** sé é sin, tá iontas orm.

Cleachtadh 22.5

Cuir Gaeilge ar na habairtí seo.

1. If she sees me here, she'll be angry.

_____

2. If she returns soon, ask her to call me.

_____

3. If you see Mairéad, tell her to give me a call.

_____

4. If he doesn't come tomorrow, I'll call him again.

_____

5. If she asks you a question, don't answer her.

_____

6. If he got two thousand euro for his car, he got too much.

_____

7. If they lost the money, they'll be in trouble.

_____

8. If they don't give him enough money, he'll leave the job.

_____

9. If you get a copy, send one to me.

_____

10. If you don't get a copy, don't worry.

_____

11. If I don't go to Galway tomorrow, I'll go on Saturday morning.

_____

12. If you (iolra) were present, I didn't see you.

_____

13. If he said that, I didn't hear him.

_____

14. If he got the job, **I** didn't hear about it.

_____

15. If she stayed late, **I** didn't notice her.

_____

B'fhéidir

Is minic a úsáidtear an aimsir fháistineach tar éis **b'fhéidir** agus tagairt á déanamh d'fhéidearthacht san am atá romhainn. Tá sé seo mícheart, áfach: is gá an modh coinníollach a úsáid.

> B'fhéidir go rachainn ann tar éis na hoibre.
> B'fhéidir go mbeadh Síle liom an chéad uair eile.

Claoninsint

Nuair a dhéantar claoninsint ar abairt san aimsir fháistineach a úsáideadh san am a chuaigh thart, cuirtear sa mhodh coinníollach í.

An abairt a úsáideadh san am a chuaigh thart	Claoninsint
"Beidh mé ansin ag an deireadh seachtaine," arsa Síle.	Dúirt Síle go mbeadh sí ansin ag an deireadh seachtaine.
"Baileoimid na haistí ón rúnaí amárach," arsa Brian.	Dúirt Brian go mbaileoidís na haistí ón rúnaí an lá dár gcionn.

Freagra ar cheist sa mhodh coinníollach

Sa chaint laethúil, is nós le daoine ceist sa mhodh coinníollach a fhreagairt san aimsir fháistineach nuair a bhíonn tairiscint i gceist.

> Seosaimhín: An mbeadh deoch eile agat?
> Ciarán: Beidh, cinnte. Go raibh maith agat.

An t-am atá imithe agus an t-am atá le teacht

Is féidir an modh coinníollach a úsáid le tagairt a dhéanamh don am atá imithe agus don am atá le teacht.

> *An t-am atá imithe*
> Rachainn ann dá mbeadh an t-airgead agam.
> *I'd have gone if I had the money.*

> *An t-am atá le teacht*
> Rachainn ann dá mbeadh an t-airgead agam.
> *I'd go if I had the money.*

Aonad 23: An Briathar 6 (An Briathar Saor)

San aonad seo foghlaimeoidh tú faoi na nithe seo:

- briathar saor na mbriathra rialta

- an briathar **bí**

- briathar saor na mbriathra neamhrialta

Tagraíonn an briathar saor do ghníomh. Ní luaitear gníomhaí pearsanta leis.

> Goideadh mála Shíle inné.
> Níor tugadh an t-airgead ar ais di.

Briathra rialta

Ní shéimhítear briathar saor na mbriathra rialta ach amháin:

> (a) san aimsir ghnáthchaite, dearfach agus diúltach
> (b) sa mhodh coinníollach, dearfach agus diúltach
> (c) san aimsir láithreach agus san aimsir fháistineach, diúltach.

Séimhítear consan tosaigh na mbriathra rialta tar éis **ní** i ngach aimsir.

> Ní **gh**lantar an teach sin go rómhinic.

An mhír cheisteach **an** a úsáidtear i ngach aimsir, seachas san aimsir chaite. Ní athraíonn gutaí tosaigh tar éis **an** ach uraítear consain.

> An itear mórán glasraí sa tír seo?
> An **n**gortaítear mórán daoine ar na bóithre?

Cuir

Aimsir chaite	Aimsir ghnáthchaite	Aimsir láithreach	Aimsir fháistineach	Modh coinníollach
cuireadh	chuirtí	cuirtear	cuirfear	chuirfí
níor cuireadh	ní chuirtí	ní chuirtear	ní chuirfear	ní chuirfí
ar cuireadh …?	an gcuirtí …?	an gcuirtear …?	an gcuirfear …?	an gcuirfí …?

An aimsir chaite
Tabhair faoi deara nach séimhítear briathar saor na mbriathra rialta san aimsir chaite agus go n-úsáidtear **níor** seachas **ní** roimhe sa diúltach.

> Dúnadh an doras./**Níor** dúnadh an doras.

Tabhair faoi deara freisin gurb í an mhír cheisteach **ar** (seachas **an**) a úsáidtear san aimsir chaite i gcás na mbriathra rialta.

> **Ar** gortaíodh mórán daoine?
> **Ar** óladh an bheoir go léir?

An chéad réimniú

(a) Briathra a bhfuil fréamh aonsiollach acu

Consan leathan
Glan

Aimsir chaite	Aimsir ghnáthchaite	Aimsir láithreach	Aimsir fháistineach	Modh coinníollach
glanadh	ghlantaí	glantar	glanfar	ghlanfaí
níor glanadh	ní ghlantaí	ní ghlantar	ní ghlanfar	ní ghlanfaí
ar glanadh …?	an nglantaí …?	an nglantar …?	an nglanfar …?	an nglanfaí …?
gur glanadh	go nglantaí	go nglantar	go nglanfar	go nglanfaí

Consan caol
Caith

Aimsir chaite	Aimsir ghnáthchaite	Aimsir láithreach	Aimsir fháistineach	Modh coinníollach
caitheadh	chaití	caitear	caithfear	chaithfí
níor caitheadh	ní chaití	ní chaitear	ní chaithfear	ní chaithfí
ar caitheadh …?	an gcaití …?	an gcaitear …?	an gcaithfear …?	an gcaithfí …?
gur caitheadh	go gcaití	go gcaitear	go gcaithfear	go gcaithfí

Briathra dar tús guta nó f
Íoc

Aimsir chaite	Aimsir ghnáthchaite	Aimsir láithreach	Aimsir fháistineach	Modh coinníollach
íocadh	d'íoctaí	íoctar	íocfar	d'íocfaí
níor íocadh	ní íoctaí	ní íoctar	ní íocfar	ní íocfaí
ar íocadh …?	an íoctaí …?	an íoctar …?	an íocfar …?	an íocfaí …?
gur íocadh	go n-íoctaí	go n-íoctar	go n-íocfar	go n-íocfaí

Fág

Aimsir chaite	Aimsir ghnáthchaite	Aimsir láithreach	Aimsir fháistineach	Modh coinníollach
fágadh	d'fhágtaí	fágtar	fágfar	d'fhágfaí
níor fágadh	ní fhágtaí	ní fhágtar	ní fhágfar	ní fhágfaí
ar fágadh …?	an bhfágtaí …?	an bhfágtar …?	an bhfágfar …?	an bhfágfaí …?
gur fágadh	go bhfágtaí	go bhfágtar	go bhfágfar	go bhfágfaí

(b) Briathra a bhfuil fréamh ilsiollach acu agus a chríochnaíonn ar -**áil**

Sábháil

Aimsir chaite	Aimsir ghnáthchaite	Aimsir láithreach	Aimsir fháistineach	Modh coinníollach
sábháladh	shábháiltí	sábháiltear	sábhálfar	shábhálfaí
níor sábháladh	ní shábháiltí	ní shábháiltear	ní shábhálfar	ní shábhálfaí
ar sábháladh …?	an sábháiltí …?	an sábháiltear …?	an sábhálfar …?	an sábhálfaí …?
gur sábháladh	go sábháiltí	go sábháiltear	go sábhálfar	go sábhálfaí

(c) Briathra a chríochnaíonn ar -**áin**, -**óil** nó -**úir**

Taispeáin

Aimsir chaite	Aimsir ghnáthchaite	Aimsir láithreach	Aimsir fháistineach	Modh coinníollach
taispeánadh	thaispeántaí	taispeántar	taispeánfar	thaispeánfaí
níor taispeánadh	ní thaispeántaí	ní thaispeántar	ní thaispeánfar	ní thaispeánfaí
ar taispeánadh …?	an dtaispeántaí …?	an dtaispeántar …?	an dtaispeánfar …?	an dtaispeánfaí …?
gur taispeánadh	go dtaispeántaí	go dtaispeántar	go dtaispeánfar	go dtaispeánfaí

Tionóil

Aimsir chaite	Aimsir ghnáthchaite	Aimsir láithreach	Aimsir fháistineach	Modh coinníollach
tionóladh	thionóltaí	tionóltar	tionólfar	thionólfaí
níor tionóladh	ní thionóltaí	ní thionóltar	ní thionólfar	ní thionólfaí
ar tionóladh …?	an dtionóltaí …?	an dtionóltar …?	an dtionólfar …?	an dtionólfaí …?
gur tionóladh	go dtionóltaí	go dtionóltar	go dtionólfar	go dtionólfaí

Ceiliúir

Aimsir chaite	Aimsir ghnáthchaite	Aimsir láithreach	Aimsir fháistineach	Modh coinníollach
ceiliúradh	cheiliúrtaí	ceiliúrtar	ceiliúrfar	cheiliúrfaí
níor ceiliúradh	ní cheiliúrtaí	ní cheiliúrtar	ní cheiliúrfar	ní cheiliúrfaí
ar ceiliúradh …?	an gceiliúrtaí …?	an gceiliúrtar …?	an gceiliúrfar …?	an gceiliúrfaí …?
gur ceiliúradh	go gceiliúrtaí	go gceiliúrtar	go gceiliúrfar	go gceiliúrfaí

An dara réimniú

(a) Briathra a bhfuil fréamh ilsiollach acu agus a chríochnaíonn ar **-(a)igh**

Consan leathan
Ionsaigh

Aimsir chaite	Aimsir ghnáthchaite	Aimsir láithreach	Aimsir fháistineach	Modh coinníollach
ionsaíodh	d'ionsaítí	ionsaítear	ionsófar	d'ionsófaí
níor ionsaíodh	ní ionsaítí	ní ionsaítear	ní ionsófar	ní ionsófaí
ar ionsaíodh …?	an ionsaítí …?	an ionsaítear …?	an ionsófar …?	an ionsófaí …?
gur ionsaíodh	go n-ionsaítí	go n-ionsaítear	go n-ionsófar	go n-ionsófaí

Consan caol
Bailigh

Aimsir chaite	Aimsir ghnáthchaite	Aimsir láithreach	Aimsir fháistineach	Modh coinníollach
bailíodh	bhailítí	bailítear	baileofar	bhaileofaí
níor bailíodh	ní bhailítí	ní bhailítear	ní bhaileofar	ní bhaileofaí
ar bailíodh …?	an mbailítí …?	an mbailítear …?	an mbaileofar …?	an mbaileofaí …?
gur bailíodh	go mbailítí	go mbailítear	go mbaileofar	go mbaileofaí

(b) Briathra a bhfuil fréamh ilsiollach acu, a chríochnaíonn ar **-(a)il**, **-(a)in**, **-(a)ir** nó **-(a)is** agus a choimrítear

Ceangail

Aimsir chaite	Aimsir ghnáthchaite	Aimsir láithreach	Aimsir fháistineach	Modh coinníollach
ceanglaíodh	cheanglaítí	ceanglaítear	ceanglófar	cheanglófaí
níor ceanglaíodh	ní cheanglaítí	ní cheanglaítear	ní cheanglófar	ní cheanglófaí
ar ceanglaíodh …?	an gceanglaítí …?	an gceanglaítear …?	an gceanglófar …?	an gceanglófaí …?
gur ceanglaíodh	go gceanglaítí	go gceanglaítear	go gceanglófar	go gceanglófaí

Cosain

Aimsir chaite	Aimsir ghnáthchaite	Aimsir láithreach	Aimsir fháistineach	Modh coinníollach
cosnaíodh	chosnaítí	cosnaítear	cosnófar	chosnófaí
níor cosnaíodh	ní chosnaítí	ní chosnaítear	ní chosnófar	ní chosnófaí
ar cosnaíodh …?	an gcosnaítí …?	an gcosnaítear …?	an gcosnófar …?	an gcosnófaí …?
gur cosnaíodh	go gcosnaítí	go gcosnaítear	go gcosnófar	go gcosnófaí

Imir

Aimsir chaite	Aimsir ghnáthchaite	Aimsir láithreach	Aimsir fháistineach	Modh coinníollach
imríodh	d'imrítí	imrítear	imreofar	d'imreofaí
níor imríodh	ní imrítí	ní imrítear	ní imreofar	ní imreofaí
ar imríodh...?	an imrítí ...?	an imrítear ...?	an imreofar ...?	an imreofaí ...?
gur imríodh	go n-imrítí	go n-imrítear	go n-imreofar	go n-imreofaí

Inis

Aimsir chaite	Aimsir ghnáthchaite	Aimsir láithreach	Aimsir fháistineach	Modh coinníollach
insíodh	d'insítí	insítear	inseofar	d'inseofaí
níor insíodh	ní insítí	ní insítear	ní inseofar	ní inseofaí
ar insíodh...?	an insítí ...?	an insítear ...?	an inseofar ...?	an inseofaí ...?
gur insíodh	go n-insítí	go n-insítear	go n-inseofar	go n-inseofaí

(c) Roinnt briathra a bhfuil fréamh ilsiollach acu

Fulaing

Aimsir chaite	Aimsir ghnáthchaite	Aimsir láithreach	Aimsir fháistineach	Modh coinníollach
fulaingíodh	d'fhulaingítí	fulaingítear	fulaingeofar	d'fhulaingeofaí
níor fulaingíodh	ní fhulaingítí	ní fhulaingítear	ní fhulaingeofar	ní fhulaingeofaí
ar fulaingíodh ...?	an bhfulaingítí ...?	an bhfulaingítear ...?	an bhfulaingeofar ...?	an bhfulaingeofaí ...?
gur fulaingíodh	go bhfulaingítí	go bhfulaingítear	go bhfulaingeofar	go bhfulaingeofaí

An briathar bí

Tabhair faoi deara go bhfuil foirmeacha ar leith ag an mbriathar **bí** san aimsir láithreach agus san aimsir ghnáthláithreach.

Bí

Aimsir chaite	Aimsir ghnáthchaite	Aimsir láithreach/Aimsir ghnáthláithreach	Aimsir fháistineach	Modh coinníollach
bhíothas	bhítí	táthar/bítear	beifear	bheifí
ní rabhthas	ní bhítí	níltear/ní bhítear	ní bheifear	ní bheifí
an rabhthas ...?	an mbítí ...?	an bhfuiltear ...? an mbítear ...?	an mbeifear ...?	an mbeifí ...?
go rabhthas	go mbítí	go bhfuiltear go mbítear	go mbeifear	go mbeifí

Na briathra neamhrialta

Tabhair faoi deara go n-úsáidtear **ní**, **an** agus **go** le cuid de na briathra neamhrialta san aimsir chaite, agus **níor**, **ar** agus **gur** le cinn eile.

Abair

Aimsir chaite	Aimsir ghnáthchaite	Aimsir láithreach	Aimsir fháistineach	Modh coinníollach
dúradh	deirtí	deirtear	déarfar	déarfaí
ní dúradh	ní deirtí	ní deirtear	ní déarfar	ní déarfaí
an ndúradh …?	an ndeirtí …?	an ndeirtear …?	an ndéarfar …?	an ndéarfaí …?
go ndúradh	go ndeirtí	go ndeirtear	go ndéarfar	go ndéarfaí

Beir

Aimsir chaite	Aimsir ghnáthchaite	Aimsir láithreach	Aimsir fháistineach	Modh coinníollach
rugadh	bheirtí	beirtear	béarfar	bhéarfaí
níor rugadh	ní bheirtí	ní bheirtear	ní bhéarfar	ní bhéarfaí
ar rugadh …?	an mbeirtí …?	an mbeirtear …?	an mbéarfar …?	an mbéarfaí …?
gur rugadh	go mbeirtí	go mbeirtear	go mbéarfar	go mbéarfaí

Clois

Aimsir chaite	Aimsir ghnáthchaite	Aimsir láithreach	Aimsir fháistineach	Modh coinníollach
chualathas	chloistí	cloistear	cloisfear	chloisfí
níor chualathas	ní chloistí	ní chloistear	ní chloisfear	ní chloisfí
ar chualathas …?	an gcloistí …?	an gcloistear …?	an gcloisfear …?	an gcloisfí …?
gur chualathas	go gcloistí	go gcloistear	go gcloisfear	go gcloisfí

Déan

Aimsir chaite	Aimsir ghnáthchaite	Aimsir láithreach	Aimsir fháistineach	Modh coinníollach
rinneadh	dhéantaí	déantar	déanfar	dhéanfaí
ní dhearnadh	ní dhéantaí	ní dhéantar	ní dhéanfar	ní dhéanfaí
an ndearnadh …?	an ndéantaí …?	an ndéantar …?	an ndéanfar …?	an ndéanfaí …?
go ndearnadh	go ndéantaí	go ndéantar	go ndéanfar	go ndéanfaí

Faigh

Aimsir chaite	Aimsir ghnáthchaite	Aimsir láithreach	Aimsir fháistineach	Modh coinníollach
fuarthas	d'fhaightí	faightear	gheofar	gheofaí
ní bhfuarthas	ní fhaightí	ní fhaightear	ní bhfaighfear	ní bhfaighfí
an bhfuarthas …?	an bhfaightí …?	an bhfaightear …?	an bhfaighfear …?	an bhfaighfí …?
go bhfuarthas	go bhfaightí	go bhfaightear	go bhfaighfear	go bhfaighfí

Feic

Aimsir chaite	Aimsir ghnáthchaite	Aimsir láithreach	Aimsir fháistineach	Modh coinníollach
chonacthas	d'fheictí	feictear	feicfear	d'fheicfí
ní fhacthas	ní fheictí	ní fheictear	ní fheicfear	ní fheicfí
an bhfacthas…?	an bhfeictí …?	an bhfeictear …?	an bhfeicfear …?	an bhfeicfí …?
go bhfacthas	go bhfeictí	go bhfeictear	go bhfeicfear	go bhfeicfí

Ith

Aimsir chaite	Aimsir ghnáthchaite	Aimsir láithreach	Aimsir fháistineach	Modh coinníollach
itheadh	d'ití	itear	íosfar	d'íosfaí
níor itheadh	ní ití	ní itear	ní íosfar	ní íosfaí
ar itheadh…?	an ití …?	an itear …?	an íosfar …?	an íosfaí …?
gur itheadh	go n-ití	go n-itear	go n-íosfar	go n-íosfaí

Tabhair

Aimsir chaite	Aimsir ghnáthchaite	Aimsir láithreach	Aimsir fháistineach	Modh coinníollach
tugadh	thugtaí	tugtar	tabharfar	thabharfaí
níor tugadh	ní thugtaí	ní thugtar	ní thabharfar	ní thabharfaí
ar tugadh …?	an dtugtaí …?	an dtugtar …?	an dtabharfar …?	an dtabharfaí …?
gur tugadh	go dtugtaí	go dtugtar	go dtabharfar	go dtabharfaí

Tar

Aimsir chaite	Aimsir ghnáthchaite	Aimsir láithreach	Aimsir fháistineach	Modh coinníollach
thángthas	thagtaí	tagtar	tiocfar	thiocfaí
níor thángthas	ní thagtaí	ní thagtar	ní thiocfar	ní thiocfaí
ar thángthas …?	an dtagtaí …?	an dtagtar …?	an dtiocfar …?	an dtiocfaí …?
gur thángthas	go dtagtaí	go dtagtar	go dtiocfar	go dtiocfaí

Téigh

Aimsir chaite	Aimsir ghnáthchaite	Aimsir láithreach	Aimsir fháistineach	Modh coinníollach
chuathas	théití	téitear	rachfar	rachfaí
ní dheachthas	ní théití	ní théitear	ní rachfar	ní rachfaí
an ndeachthas…?	an dtéití …?	an dtéitear …?	an rachfar …?	an rachfaí …?
go ndeachthas	go dtéití	go dtéitear	go rachfar	go rachfaí

Cleachtadh 23.1

Tabhair freagra dearfach agus diúltach ar na ceisteanna seo.   *Dearfach*   *Diúltach*

1. Ar gortaíodh mórán daoine?   _____   _____
2. An nglantar an oifig seo gach lá?   _____   _____
3. An mbaileofar an t-airgead ag deireadh na hoíche?   _____   _____
4. An bhfacthas é le tamall anuas?   _____   _____
5. An gcloistear ar an raidió mórán anois í?   _____   _____
6. An ionsófaí é dá rachadh sé ansin?   _____   _____
7. An ndearnadh botún, meas tú?   _____   _____
8. An íosfar an bia go léir?   _____   _____
9. An moltar do dhaoine gan dul ann san oíche?   _____   _____
10. An dtaispeántaí daoine timpeall an fhoirgnimh?   _____   _____
11. An rachfar ar aghaidh leis an gcluiche?   _____   _____
12. An íoctaí tú gach seachtain?   _____   _____

Cleachtadh 23.2

Scríobh an dobhriathar ceisteach ceart (**an** nó **ar**) agus an fhoirm cheart den bhriathar sna bearnaí i ngach abairt.

1. _____ _____ go maith léi? Níor caitheadh.
2. _____ _____ cluiche ar an bpáirc sin go minic? Imrítear.
3. _____ _____ aon rud leat? Ní deirtí.
4. _____ _____ scéal uaidh le tamall anuas? Ní bhfuarthas.
5. _____ _____ prátaí sa tír ag an am sin? D'ití.
6. _____ _____ ar an airgead sin a goideadh riamh? Níor thángthas.
7. _____ _____ iad go minic? D'ionsaítí.
8. _____ _____ iad ag deireadh an lae? Bailítear.
9. _____ _____ dó faoi bhás Nuala? Ní inseofar.
10. _____ _____ níos mó oibre dá mbeifeá thusa ansin? Dhéanfaí.
11. _____ _____ ciontach é dá mbeadh sé saibhir? Ní bhfaighfí.
12. _____ _____ aon aird ar a chuid tuairimí? Ní thugtar.

Cleachtadh 23.3

Cuir gach briathar sa cholún ceart.

1. d'ionsófaí
2. deirtí
3. ionsófar
4. níor glanadh
5. ceiliúrfar

6. sábháladh
7. ní bhailítí
8. ní thaispeánfar
9. gheofaí
10. íoctar

11. ní shábháiltear
12. fágadh
13. ní bheifí
14. ní fhágtar
15. thugtaí

Aimsir chaite	Aimsir ghnáthchaite	Aimsir láithreach	Aimsir fháistineach	Modh coinníollach

 Cleachtadh 23.4

Cuir Gaeilge ar na habairtí seo.

1. *The work was neglected.*

2. *Has she been seen recently? No.*

3. *I used to be given a lot of help.*

4. *I'm sure you'll be advised to undertake the work.*

5. *No evidence was found against him.*

6. *Those criminals have not been caught yet and I'm sure they will never be caught.*

7. *A lot of books are bought and read at Christmas.*

8. *No one was killed in the accident but three people were badly injured.*

9. *The work will not be finished in time.*

10. *I'm sure the match will be played before the end of the summer.*

Aonad 24: An tAinm Briathartha agus an Aidiacht Bhriathartha

San aonad seo foghlaimeoidh tú faoi na nithe seo:

- aidiachtaí briathartha a chumadh

- aidiachtaí briathartha neamhrialta

- ainmneacha briathartha a chumadh

- ainmneacha briathartha neamhrialta

- **á** agus ainm briathartha

Cumann Caomhnaithe na hAidiachta Briathartha

Aidiachtaí briathartha

Cuirtear **-ta**, **-te**, **-tha**, **-the**, **-a**, **-e** nó **-fa** le fréamh an bhriathair leis an aidiacht bhriathartha a chumadh sa Ghaeilge.

(a) **-ta**, **-te**
Cuirtear iad seo le briathra a chríochnaíonn ar **-ch**, **-d**, **-l**, **-n**, **-s**.

Consan leathan		*Consan caol*	
múch	múchta	sroich	sroichte
stad	stadta	goid	goidte
mol	molta	buail	buailte
líon	líonta	roinn	roinnte
las	lasta	bris	briste

Má bhíonn **-th** caol ag deireadh na fréimhe, fágtar an **-th** ar lár.

caith	caite
ith	ite

Má chríochnaíonn fréamh briathair aonsiollaigh ar **-gh**, fágtar an **-gh** ar lár.

léigh	léite
luaigh	luaite

Eisceacht:

faigh	faighte

(b) **-tha**, **-the**
Cuirtear na deirí seo le briathra a chríochaíonn ar **-b**, **-c**, **-g**, **-m**, **-p**, **-r**.

Consan leathan		*Consan caol*	
scríob	scríobtha	stróic	stróicthe
íoc	íoctha	lig	ligthe
póg	pógtha	léim	léimthe
cum	cumtha	scaip	scaipthe
ceap	ceaptha	beir	beirthe
cíor	cíortha		

Tabhair faoi deara go leathnaítear roinnt briathra a chríochnaíonn ar chonsan caol agus go gcuirtear **-t(h)a**, seachas **-t(h)e**, leo.

cuir	curtha
foghlaim	foghlamtha
siúil	siúlta
taispeáin	taispeánta

Má chríochnaíonn briathar a bhfuil dhá shiolla ina fhréamh ar **-aigh** nó **-igh**, fágtar an **-gh** ar lár.

Consan leathan		*Consan caol*	
ceannaigh	ceannaithe	bailigh	bailithe

(c) **-a**, **-e**

Má chríochnaíonn fréamh an bhriathair ar **-t**, cuirtear **-a** nó **-e** léi chun an aidiacht bhriathartha a chumadh.

Consan leathan		*Consan caol*	
tacht	tachta	scoilt	scoilte
cleacht	cleachta	loit	loite

(d) **-fa**

Má chríochnaíonn fréamh an bhriathair ar **-bh** nó **-mh**, fágtar an **-bh** nó -**mh** ar lár agus cuirtear **-fa** ina áit.

gabh	gafa
scríobh	scríofa

Aidiachtaí briathartha neamhrialta

abair	ráite
fógair	fógartha
imir	imeartha
inis	inste
tabhair	tugtha
tar	tagtha
téigh	dulta

Ainmneacha briathartha

(a) Mar a luadh ar leathanach 84, nuair a bhíonn ainmfhocal ina chuspóir díreach ag ainm briathartha, bíonn sé sa tuiseal ginideach de ghnáth.

an teach	ag ceannach an tí
beoir	ag ól beorach

Nuair nach dtagann an t-alt **an** roimh an ainmfhocal, áfach, agus nuair a leanann aidiacht é, ní bhíonn ginideach i gceist.

Sampla 1
ag ceannach an tí mhóir

Sampla 2
ag ceannach teach mór

Sa chéad sampla, tá ainm briathartha i gceist (**ceannach**) a bhfuil an t-alt **an** ag teacht ina dhiaidh + ainmfhocal (**teach**) + aidiacht (**mór**), dá bhrí sin tá an t-ainmfhocal agus an aidiacht sa tuiseal ginideach.

Sa dara sampla, áfach, níl aon alt i gceist, mar sin níl an t-ainmfhocal ná an aidiacht sa ghinideach.

(b) De ghnáth, ní bhíonn ainmfhocal atá ina chuspóir díreach ag ainm briathartha sa tuiseal ginideach nuair a thagann **a** + ainm briathartha ina dhiaidh:

(1)   (2)   (3)   (4)
focal/focail a leanann an ginideach é/iad   +   cuspóir   +   a   +   ainm briathartha

Sampla 1
(1)   (2)   (3)   (4)
tar éis   +   an dinnéar   +   a   +   ullmhú
= tar éis an dinnéar a ullmhú

Sampla 2
(1)   (2)   (3)   (4)
tar éis   +   an scoil   +   a   +   fhágáil
= tar éis an scoil a fhágáil

(c) Nuair nach mbíonn cuspóir díreach san abairt, seo an t-ord focal a bhíonn i gceist:

> Ba bhreá liom bualadh le Bríd.
> Ar mhaith leat dul amach?

Nuair a bhíonn cuspóir díreach i gceist, áfach, tagann an cuspóir díreach sin ar dtús, agus tagann an mhír **a**, a leanann séimhiú é, roimh an ainm briathartha.

> Ba mhaith liom an carr sin **a ch**eannach.
> Is mian liom an scrúdú **a dh**éanamh.
> Tá fonn orm an dlúthdhiosca sin **a ch**óipeáil.

(d) Ní féidir le forainm a bheith mar chuspóir ag ainm briathartha – is gá aidiacht shealbhach a úsáid ina áit.

Leagan mícheart	Leagan ceart
*Bhí sé ag bualadh mé.	Bhí sé do mo bhualadh.
*Bhí siad ag cáineadh í go géar.	Bhí siad á cáineadh go géar.
*Tá súil agam go bhfuil siad ag íoc tú go maith.	Tá súil agam go bhfuil siad do d'íoc go maith.

Tá níos mó eolais le fáil faoi na haidiachtaí sealbhacha in Aonad 19.

Ainmneacha briathartha a chumadh

(a) Cuirtear an deireadh -**adh** nó -**eadh** le fréamh cuid de na briathra sa chéad réimniú.

glan   glan*adh*
bris   bris*eadh*

(b) I gcás cuid de na briathra sa dara réimniú a chríochnaíonn ar -**aigh** nó -**igh**, fágtar an -**aigh** nó -**igh** ar lár agus cuirtear -**ú** nó -**iú** ina áit.

críochnaigh   críochn*ú*
aistrigh   aistr*iú*

(c) Seo briathra a chríochnaíonn ar **-aigh** nó **-igh** a bhfuil ainm briathartha neamhrialta acu:

Fréamh	Ainm briathartha	Fréamh	Ainm briathartha
admhaigh	admháil	eisigh	eisiúint
báigh	bá	fiafraigh	fiafraí
brúigh	brú	glaoigh	glaoch
buaigh	buachan	guigh	guí
ceannaigh	ceannach	imigh	imeacht
cloígh	cloí	impigh	impí
coinnigh	coinneáil	ionsaigh	ionsaí
cónaigh	cónaí	léigh	léamh
cráigh	crá	luigh	luí
cuardaigh	cuardach	nigh	ní
cuimhnigh	cuimhneamh	pléigh	plé
dóigh	dó	sásaigh	sásamh
dúisigh	dúiseacht	smaoinigh	smaoineamh
éiligh	éileamh	suigh	suí
éirigh	éirí	téigh (*heat*)	téamh

(d) Cuirtear **-t** le fréamh cuid de na briathra.

Fréamh	Ainm briathartha
bagair	bagair**t**

Ainmneacha briathartha eile atá mar an gcéanna: bain, cogain, cosain, cuimil, díbir, fógair, freagair, fulaing, imir, labhair, múscail, oscail, roinn, seachain, tabhair, taispeáin, tarraing, tiomáin, tuirling

(e) *Deirí eile*

-(e)áil

Fréamh	Ainm briathartha
clois	cloist**eáil**
fág	fág**áil**
faigh	f**áil**
feic	feic**eáil**
gabh	gabh**áil**
tóg	tóg**áil**

-(e)an

Fréamh	Ainm briathartha
leag	leag**an**
lig	lig**ean**
tréig	tréig**ean**

-(a)int

Fréamh	Ainm briathartha
féach	féach**aint**
tairg	tairisc**int**
tuig	tuisc**int**

-(i)úint

Fréamh	Ainm briathartha
creid	creid**iúint**
lean	lean**úint**
oil	oil**iúint**
oir	oir**iúint**

-(e)amh

Fréamh	Ainm briathartha
caith	caith**eamh**
déan	déan**amh**
seas	seas**amh**
tuill	tuill**eamh**

(f) Is ionann an fhréamh agus an t-ainm briathartha i gcás roinnt briathra.

Fréamh	*Ainm briathartha*
aithris	aithris

Ainmneacha briathartha eile atá mar an gcéanna: amharc, at, coimeád, dearmad, díol, éag, fás, foghlaim, goid, goin, íoc, leigheas, léim, lorg, marcáil, meas, ól, robáil, sábháil, scríobh, snámh, stad, teagasc, teip, trácht, triail, triall, troid, úsáid

(g) Leathnaítear consan deiridh fhréamh na mbriathra thíos chun an t-ainm briathartha a chumadh.

Fréamh	*Ainm briathartha*
braith	brath
ceangail	ceangal
cogair	cogar
cuir	cur
freastail	freastal
goil	gol
iompair	iompar
loit	lot
siúil	siúl
soláthair	soláthar
taistil	taisteal
tomhais	tomhas

Ainmneacha briathartha neamhrialta

abair	rá
codail	codladh
éist	éisteacht
fan	fanacht
gluais	gluaiseacht
iarr	iarraidh
inis	insint
ith	ithe
mair	maireachtáil
scread	screadach
seinn	seinm
tar	teacht
téigh	dul
tit	titim

Cleachtadh 24.1

Scríobh aidiacht bhriathartha gach ceann de na briathra seo.

1. braith	_____	11. faigh	_____
2. clois	_____	12. ardaigh	_____
3. ith	_____	13. treabh	_____
4. póg	_____	14. achtaigh	_____
5. léim	_____	15. croith	_____
6. siúil	_____	16. cíor	_____
7. tar	_____	17. léigh	_____
8. fógair	_____	18. caith	_____
9. taispeáin	_____	19. deighilt	_____
10. coisric	_____	20. imir	_____

 Cleachtadh 24.2

Scríobh ainm briathartha gach ceann de na briathra seo.

1. seinn	ag _____	11. cuir	ag _____
2. codail	ag _____	12. clois	ag _____
3. fág	ag _____	13. scanraigh	ag _____
4. tuig	ag _____	14. úsáid	ag _____
5. buaigh	ag _____	15. taistil	ag _____
6. éirigh	ag _____	16. lig	ag _____
7. tiomáin	ag _____	17. freastail	ag _____
8. maisigh	ag _____	18. lean	ag _____
9. tit	ag _____	19. dóigh	ag _____
10. teip	ag _____	20. leag	ag _____

 Cleachtadh 24.3

Aistrigh na focail agus na habairtí seo go Gaeilge.

1. *doing the work* _____
2. *doing good work* _____
3. *eating bread* _____
4. *eating the bread* _____
5. *eating brown bread* _____
6. *I want to finish that work.* _____
7. *He intends to buy that house.* _____
8. *She wants to see that new film.* _____
9. *I have to wash the floor.* _____
10. *She has to clean the house.* _____

Á + ainm briathartha

Nuair a bhíonn forainm sa tríú pearsa uatha nó iolra mar chuspóir ag ainm briathartha, úsáidtear an fhoirm **á** seachas **a**.

> Tá an aiste sin á déanamh agam faoi láthair.
> Tá an t-airgead sin á íoc ar ais agam de réir a chéile.

Athraíonn túslitir an ainm bhriathartha i ndiaidh **á** cuid den am, ag brath ar inscne agus uimhir an ainmfhocail a bhfuiltear ag tagairt dó.

	Tagairt siar d'ainmfhocal firinscneach	Tagairt siar d'ainmfhocal baininscneach	Tagairt siar d'ainmfhocal san uimhir iolra
consan	Tá an fear sin á cháineadh go leanúnach.	Tá an bhean sin á cáineadh go leanúnach.	Tá na daoine sin á gcáineadh go leanúnach.
guta	Tá an cruinniú á eagrú againn faoi láthair.	Tá an chomhdháil á heagrú againn faoi láthair.	Tá na léachtaí á n-eagrú againn faoi láthair.

Cleachtadh 24.4

Scríobh an t-ainm briathartha i ngach abairt thíos agus athraigh é más gá.

1. Tá an tuarascáil á (pléigh) _____ acu le cúpla lá anois.

2. Tá cumhachtaí speisialta á (tabhair) _____ acu do na póilíní ar bhonn rialta.

3. Tá bainisteoirí á (earcaigh) _____ acu i láthair na huaire.

4. Tá an t-ionad nua á (oscail) _____ go hoifigiúil ag an Aire inniu.

5. Tá an bhratach á (ardaigh) _____ acu anois díreach.

6. Tá an teach á (athchóirigh) _____ acu.

7. Tá na pleananna sin á (déan) _____ againn faoi láthair.

8. Tá mé cinnte go bhfuil an fear sin á (ceistigh) _____ acu mar gheall ar na coireanna.

9. Is dócha go bhfuil an scéal sin á (fiosraigh) _____ aici.

10. Tá an fhadhb sin á (seachain) _____ acu.

Aonad 25: An Briathar 7 (An Aimsir Ghnáthchaite)

San aonad seo foghlaimeoidh tú faoi na nithe seo:

- briathra rialta san aimsir ghnáthchaite

- claoninsint san aimsir ghnáthchaite

- na briathra neamhrialta san aimsir ghnáthchaite

- ceisteanna agus freagraí san aimsir ghnáthchaite

Úsáid na haimsire gnáthchaite

Úsáidtear an aimsir ghnáthchaite chun tagairt do ghníomhartha a tharlaíodh go rialta san am a chuaigh thart.

Briathra rialta san aimsir ghnáthchaite: an chéad réimniú

(a) Briathra a bhfuil fréamh aonsiollach acu

Tóg

thógainn	thógaimis
thógtá	thógadh sibh
thógadh sé/sí	thógaidís

Caith

chaithinn	chaithimis
chaiteá	chaitheadh sibh
chaitheadh sé/sí	chaithidís

Dóigh

dhóinn	dhóimis
dhóiteá	dhódh sibh
dhódh sé/sí	dhóidís

Léigh

léinn	léimis
léiteá	léadh sibh
léadh sé/sí	léidís

Suigh

shuínn	shuímis
shuiteá	shuíodh sibh
shuíodh sé/sí	shuídís

(b) Briathra a bhfuil fréamh ilsiollach acu agus a chríochnaíonn ar **-áil**

Sábháil

shábhálainn	shábhálaimis
shábháilteá	shábháladh sibh
shábháladh sé/sí	shábhálaidís

(c) Roinnt briathra mar **taispeáin, tiomáin**

Taispeáin

thaispeánainn	thaispeánaimis
thaispeántá	thaispeánadh sibh
thaispeánadh sé/sí	thaispeánaidís

Tiomáin

thiomáininn	thiomáinimis
thiomáinteá	thiomáineadh sibh
thiomáineadh sé/sí	thiomáinidís

Briathra rialta san aimsir ghnáthchaite: an dara réimniú

(a) Briathra a bhfuil fréamh ilsiollach acu agus a chríochnaíonn ar **-(a)igh**

Ceannaigh

cheannaínn	cheannaímis
cheannaíteá	cheannaíodh sibh
cheannaíodh sé/sí	cheannaídís

Imigh

d'imínn	d'imímis
d'imíteá	d'imíodh sibh
d'imíodh sé/sí	d'imídís

(b) Briathra a bhfuil fréamh ilsiollach acu, a chríochnaíonn ar **-(a)il**, **-(a)in**, **-(a)ir** agus **-(a)is** agus a choimrítear

Ceangail

cheanglaínn	cheanglaímis
cheanglaíteá	cheanglaíodh sibh
cheanglaíodh sé/sí	cheanglaídís

Cosain

chosnaínn	chosnaímis
chosnaíteá	chosnaíodh sibh
chosnaíodh sé/sí	chosnaídís

Imir

d'imrínn	d'imrímis
d'imríteá	d'imríodh sibh
d'imríodh sé/sí	d'imrídís

Inis

d'insínn	d'insímis
d'insíteá	d'insíodh sibh
d'insíodh sé/sí	d'insídís

(c) Roinnt briathra a bhfuil fréamh ilsiollach acu

Foghlaim

d'fhoghlaimínn	d'fhoghlaimímis
d'fhoghlaimíteá	d'fhoghlaimíodh sibh
d'fhoghlaimíodh sé/sí	d'fhoghlaimídís

Freastail

d'fhreastalaínn	d'fhreastalaímis
d'fhreastalaíteá	d'fhreastalaíodh sibh
d'fhreastalaíodh sé/sí	d'fhreastalaídís

Go

Uraítear briathra dar tús consan agus dar tús guta tar éis **go**. An fhoirm spléach den bhriathar a úsáidtear ina dhiaidh.

Chuala mé go **bh**faighidís neart oibre uaidh gach samhradh.
Bhí Síle ag rá go **d**téadh sí go Dún na nGall go minic nuair a bhí a máthair beo.
Deirtear go **n**-óladh sé an t-uafás.

Na briathra neamhrialta

Abair
deirinn
deirteá
deireadh sé/sí

deirimis
deireadh sibh
deiridís

Beir
bheirinn
bheirteá
bheireadh sé/sí

bheirimis
bheireadh sibh
bheiridís

Bí
bhínn
bhíteá
bhíodh sé/sí

bhímis
bhíodh sibh
bhídís

Clois
chloisinn
chloisteá
chloiseadh sé/sí

chloisimis
chloiseadh sibh
chloisidís

Déan
dhéanainn
dhéantá
dhéanadh sé/sí

dhéanaimis
dhéanadh sibh
dhéanaidís

Faigh
d'fhaighinn
d'fhaighteá
d'fhaigheadh sé/sí

d'fhaighimis
d'fhaigheadh sibh
d'fhaighidís

Feic
d'fheicinn
d'fheicteá
d'fheiceadh sé/sí

d'fheicimis
d'fheiceadh sibh
d'fheicidís

Ith
d'ithinn
d'iteá
d'itheadh sé/sí

d'ithimis
d'itheadh sibh
d'ithidís

Tabhair
thugainn
thugtá
thugadh sé/sí

thugaimis
thugadh sibh
thugaidís

Tar

thagainn	thagaimis
thagtá	thagadh sibh
thagadh sé/sí	thagaidís

Téigh

théinn	théimis
théiteá	théadh sibh
théadh sé/sí	théidís

Ceisteanna agus freagraí san aimsir ghnáthchaite: ginearálta

An mhír cheisteach **an** a úsáidtear san aimsir ghnáthchaite; uraítear consain a leanann é.

Ceist:	An d**t**éadh sí ansin go minic roimhe seo?
Freagraí:	T**h**éadh./Ní t**h**éadh.

Ní thagann aon athrú ar bhriathra dar tús guta i ndiaidh **an**.

An i**t**í níos mó ríse ansin fadó ná mar a itear na laethanta seo?

Seo mar a deirtear sa chaint é:

Nití ...?

Is féidir an freagra céanna a thabhairt ar cheisteanna éagsúla san aimsir ghnáthchaite.

Ceist:	An bhfeiceadh sí iad gach lá?
Freagraí:	D'fheiceadh./Ní fheiceadh.
Ceist:	An bhfeiceadh sé í gach lá?
Freagraí:	D'fheiceadh./Ní fheiceadh.
Ceist:	An bhfeiceadh sibh í gach lá?
Freagraí:	D'fheiceadh./Ní fheiceadh.
Ceist:	An bhfeicidís í gach lá?
Freagraí:	D'fheiceadh./Ní fheiceadh.

Pointe tábhachtach
Seachas sa chéad phearsa, níor cheart forainm (**sé**, **sí**, etc.) a úsáid agus freagra dearfach nó freagra diúltach á thabhairt ar cheist san aimsir ghnáthchaite – bíonn sé mícheart de ghnáth forainm a úsáid nuair a bhíonn *Yes* nó *No* mar fhreagra ar cheist.

Ceist:	An dtugadh sí aon chabhair dó?
Freagra:	Thugadh – go minic.

Tabhair faoi deara nach bhfuil an forainm **sí** sa fhreagra – níl sé ag teastáil mar go bhfuil sé soiléir cé dó a bhfuil an dara duine ag tagairt.

Tá rogha i gceist sa chéad phearsa uatha:

Ceist	Freagra (rogha 1)	Freagra (rogha 2)
An éisteá leis an raidió go minic sula dtéiteá chun na hoibre?	D'éisteadh./Ní éisteadh.	D'éistinn./Ní éistinn.

Is é rogha 2 thuas an ceann is coitianta ach tá rogha 1 ceart chomh maith.

Ní bhaineann an rogha seo ach leis an gcéad phearsa uatha amháin. Sna pearsana eile, níor cheart forainm a úsáid agus freagra á thabhairt agat ar an gcineál ceiste atá le feiceáil thuas.

Ceisteanna agus freagraí/ráitis: briathra neamhrialta

Abair
Ceist agus freagra
An ndeireadh sí aon rud leo?
Nach ndeireadh sí ...?
Deireadh.
Ní deireadh.

Ráiteas
Deirinn
Deirteá
Deireadh sé/sí
Deirimis
Deireadh sibh
Deiridís

Beir
Ceist agus freagra
An mbeiridís orthu go hiondúil?
Nach mbeiridís orthu ...?
Bheireadh.
Ní bheireadh.

Ráiteas
Bheirinn
Bheirteá
Bheireadh sé/sí
Bheirimis
Bheireadh sibh
Bheiridís

Bí
Ceist agus freagra
An mbíodh sé leat chuig na cluichí i gcónaí?
Nach mbíodh sé ...?
Bhíodh.
Ní bhíodh.

Ráiteas
Bhínn
Bhíteá
Bhíodh sé/sí
Bhímis
Bhíodh sibh
Bhídís

Clois
Ceist agus freagra
An gcloisteá uaithi go minic?
Nach gcloisteá ...?
Chloisinn.
Ní chloisinn.

Ráiteas
Chloisinn
Chloisteá
Chloiseadh sé/sí
Chloisimis
Chloiseadh sibh
Chloisidís

Déan
Ceist agus freagra
An ndéantá brabús as?
Nach ndéantá ...?
Dhéanainn.
Ní dhéanainn.

Ráiteas
Dhéanainn
Dhéantá
Dhéanadh sé/sí
Dhéanaimis
Dhéanadh sibh
Dhéanaidís

Faigh
Ceist agus freagra
An bhfaighteá laethanta saoire ag an Nollaig?
Nach bhfaighteá ...?
D'fhaighinn.
Ní fhaighinn.

Ráiteas
D'fhaighinn
D'fhaighteá
D'fhaigheadh sé/sí
D'fhaighimis
D'fhaigheadh sibh
D'fhaighidís

Feic
Ceist agus freagra
An bhfeiceadh sibh í anois is arís?
Nach bhfeiceadh sibh ...?
D'fheiceadh.
Ní fheiceadh.

Ráiteas
D'fheicinn
D'fheicteá
D'fheiceadh sé/sí
D'fheicimis
D'fheiceadh sibh
D'fheicidís

Ith
Ceist agus freagra
An itheadh sé dinnéar leat go minic?
Nach n-itheadh sé ...?
D'itheadh.
Ní itheadh.

Ráiteas
D'ithinn
D'iteá
D'itheadh sé/sí
D'ithimis
D'itheadh sibh
D'ithidís

Tabhair
Ceist agus freagra
An dtugadh sí síob duit gach maidin?
Nach dtugadh sí ...?
Thugadh.
Ní thugadh.

Ráiteas
Thugainn
Thugtá
Thugadh sé/sí
Thugaimis
Thugadh sibh
Thugaidís

Tar
Ceist agus freagra
An dtagaidís ar ais go minic?
Nach dtagaidís ...?
Thagadh.
Ní thagadh.

Ráiteas
Thagainn
Thagtá
Thagadh sé/sí
Thagaimis
Thagadh sibh
Thagaidís

Téigh
Ceist agus freagra
An dtéadh sibh ar ais ansin gach samhradh?
Nach dtéadh sibh ...?
Théadh.
Ní théadh.

Ráiteas
Théinn
Théiteá
Théadh sé/sí
Théimis
Théadh sibh
Théidís

Cleachtadh 25.1

Tabhair freagra dearfach agus freagra diúltach ar gach ceann de na ceisteanna thíos.

> Sampla: *An imríodh siad galf le chéile?*
> *D'imríodh./Ní imríodh.*

1. An sábháladh sé mórán airgid i rith an tsamhraidh? _____ _____

2. An ndódh sibh gual i gcónaí? _____ _____

3. An dtiomáinteá ansin le Siobhán i gcónaí? _____ _____

4. An bhfoghlaimíodh sí gach rud de ghlanmheabhair? _____ _____

5. An bhfaighidís an bus céanna gach maidin? _____ _____

6. An dtagtá anseo don fhéile i mí Iúil? _____ _____

7. An bhfreastalaíodh sí ar an scoil samhraidh go minic? _____ _____

8. An ndeireadh sé rudaí maslacha leat go minic? _____ _____

9. An bhfaighteá sos breá fada ag an Nollaig? _____ _____

10. An bhfeiceadh sibh í le linn na Cásca? _____ _____

Cleachtadh 25.2

Cum ceisteanna a bhféadfadh na briathra seo thíos a bheith mar fhreagraí orthu.

1. Thugadh. _____
2. D'ithinn. _____
3. D'fhaighinn. _____
4. Léadh. _____
5. Bhailíodh. _____
6. Ní imíodh. _____
7. Ní thaispeánadh. _____
8. D'imríodh. _____
9. Ní deireadh. _____
10. D'insínn. _____
11. Ní thiomáineadh. _____
12. Ní fhreastalaíodh. _____
13. Théinn. _____
14. Ní ólainn. _____
15. Chosnaíodh. _____

 Cleachtadh 25.3

Scríobh an leagan diúltach de gach briathar.

1. D'fhaighinn ardú pá gach bliain. _____
2. Deireadh sí rudaí maslacha le daoine. _____
3. D'ithinn bia Síneach. _____
4. D'ólaidís fíon dearg. _____
5. Théimis ann le chéile. _____
6. Thiomáineadh sí go Corcaigh. _____
7. D'fhoghlaimínn na freagraí de ghlanmheabhair. _____
8. D'fheicidís í ansin. _____
9. D'fhreastalaíodh sí ar na cúrsaí sin. _____
10. D'imrídís leadóg. _____

Cleachtadh 25.4

*Cuir **go** roimh gach ceann de na habairtí thíos.*

Sampla: Bhíodh sí ansin gach Satharn.
Is cuimhin liom go mbíodh sí ansin gach Satharn.

1. D'óladh sí i bhfad barraíocht.

Deirtear _____

2. Thugaidís airgead dó go minic.

Cloisim _____

3. Deireadh sé Aifreann ansin gach maidin.

Is cuimhin liom _____

4. D'itheadh sé an bia céanna, bliain i ndiaidh bliana.

Dúirt Bríd liom _____

5. Thaispeánaidís an grianghraf sin do gach duine.

Measaim _____

6. Thugtá an-tacaíocht di aimsir na scrúduithe.

Is cuimhin liom _____

7. D'fhaigheadh sé carr nua gach dara bliain.

Deirtear _____

8. D'fheicidís é gach lá.

Ceapaim _____

9. D'insíodh sí gach rud dó.

Tá barúil agam _____

10. Théidís chun na Fraince gach fómhar.

Is cuimhin liom _____

FREAGRAÍ, AGUISÍNÍ AGUS INNÉACS

- Freagraí na gCleachtaí

- AGUISÍN 1: Díochlaontaí an Ainmfhocail

- AGUISÍN 2: Logainmneacha

- AGUISÍN 3: Áiseanna ar an nGréasán agus Ríomhchláir

- AGUISÍN 4: Cúrsaí Poncaíochta

- AGUISÍN 5: Varia

- AGUISÍN 6: Na Briathra sa Chaighdeán Athbhreithnithe

- AGUISÍN 7: An Tuiseal Tabharthach sa Chaighdeán Athbhreithnithe

- Innéacs

Freagraí na gCleachtaí

Cleachtadh 1.1
Ainmfhocal: óstán, bialann, Diarmaid
Aidiacht: dubh, dathúil, te, daor, sean
Briathar: téigh, chuala, shuigh, feicim
Réamhfhocal simplí: i, le, ar
Réamhfhocal comhshuite: de bharr, ar feadh,
ar chúl, in aice
Forainm: sibh, sí, iad
Forainm réamhfhoclach: asam, roimpi, aici, leis

Cleachtadh 1.2
1. d – caol, r – caol; 2. f – leathan, l – leathan;
3. p – leathan, b – caol; 4. p – leathan, s – caol;
5. d – leathan; 6. c – leathan, d – leathan

Cleachtadh 1.3
1. ag marcáil; 2. ag bailiú; 3. ag críochnú; 4. ag ceartú;
5. ag deisiú; 6. ag diúltú; 7. ag ainmniú; 8. ag tógáil;
9. ag feiceáil; 10. ag caoineadh; 11. ag casadh;
12. ag múineadh; 13. ag cleachtadh; 14. ag scaipeadh;
15. ag féachaint; 16. ag tuiscint

Cleachtadh 1.4
1. feicfidh mé; 2. dúnfaidh tú; 3. molfaidh sé; 4. imeoidh sí;
5. ceannóimid; 6. tabharfaidh mé; 7. taispeánfaidh sé;
8. imreoidh siad; 9. fillfidh tú; 10. scríobhfaimid

Cleachtadh 2.1
1. an t-agallamh; 2. an tsrón; 3. an cháis; 4. an cheardlann;
5. an t-aischothú; 6. an fhorbairt; 7. an iarracht;
8. an t-iarratas; 9. an taithí; 10. an t-irisleabhar;
11. an ghairmscoil; 12. an t-ábhar; 13. an aincheist;
14. an Béarla; 15. an tSualainnis; 16. an t-aonarán;
17. an uachtarlann; 18. an mheánaicme;
19. an meánleibhéal; 20. an scamhóg

Cleachtadh 2.2
1. an chearnóg; 2. an íoclann; 3. an cairéal; 4. an bhainis;
5. an t-ardán; 6. an garáiste; 7. an comhghéilleadh;
8. an Ungáiris; 9. an t-oinniún; 10. an bhileog;
11. an bheoir; 12. an sáirsint; 13. an oiliúint;
14. an idirghabháil; 15. an t-iarratasóir; 16. an chiaróg;
17. an chosaint; 18. an aibhléis; 19. an paróiste; 20. an tsiúr

Cleachtadh 2.3
1. an píobaire; 2. an chlólann; 3. an athmhúscailt;
4. an t-éacht; 5. an chreidiúint; 6. an comhlacht;
7. an t-ealaíontóir; 8. an tsaint; 9. an folcadán;
10. an ghairleog; 11. an séasúr; 12. an cartún;
13. an t-ospidéal; 14. an éagóir; 15. an fhilíocht; 16. an aiste;
17. an béar; 18. an Araibis; 19. an t-anlann; 20. an chontúirt

Cleachtadh 2.4
1. drochbhia; 2. droch-chuimhne; 3. múinteoir
iar-bhunoideachais; 4. ar deargbhuile; 5. seansaighdiúir;
6. príomhchigire; 7. leas-phríomhchigire; 8. spotduais;
9. príomhshráid; 10. príomh-mholtaí

Cleachtadh 2.5
1. ábhair, lagiolra; 2. ollscoileanna, tréaniolra;
3. scrúduithe, tréaniolra; 4. bailte, tréaniolra;
5. cathracha, tréaniolra; 6. sráideanna, tréaniolra;
7. cearnóga, lagiolra; 8. seoltaí, tréaniolra; 9. poist, lagiolra;
10. úinéirí, tréaniolra; 11. folcadáin, lagiolra;
12. leapacha, tréaniolra; 13. leithris, lagiolra;
14. scátháin, lagiolra; 15. traenacha, tréaniolra

Cleachtadh 2.6
1. áiléir, lagiolra; 2. tógálaithe, tréaniolra;
3. dualgais, lagiolra; 4. uaireanta, tréaniolra;
5. íoslaigh, lagiolra; 6. oifigigh, lagiolra;
7. oifigí, tréaniolra; 8. léachtaí, tréaniolra;
9. cumainn, lagiolra; 10. slite, tréaniolra;
11. iarratais, lagiolra; 12. ticéid, lagiolra;
13. freastalaithe, tréaniolra; 14. deirfiúracha, tréaniolra;
15. deartháireacha, tréaniolra

Cleachtadh 2.7
1. na hábhair; 2. na conarthaí; 3. na cinntí; 4. na fóraim;
5. na cathracha; 6. na moltaí; 7. na freagrachtaí;
8. na foilseacháin; 9. na hinstitiúidí; 10. na próisis;
11. na príomhcheisteanna; 12. na rialtais;
13. na hionadaithe; 14. na cruinnithe; 15. na cáipéisí

Cleachtadh 2.8
1. an t-údarás; 2. an t-easpag;
3. an tUachtarán Éamon de Valera;
4. an t-iarratas; 5. an tÚdarás um Ardoideachas;
6. an tseamróg; 7. na hiarrachtaí; 8. na hIodálaigh;
9. fadhbanna na nÉireannach; 10. óráidí na n-iarrthóirí

Cleachtadh 2.9
1. na hinnill; 2. na marcaigh; 3. na dialanna; 4. na foraoisí;
5. na breithiúna; 6. na praghsanna; 7. na baintreacha;
8. na slata; 9. na ticéid; 10. na cleasa; 11. na fiacla;
12. na gníomhartha; 13. na cogaí; 14. na seoda;
15. na huibheacha; 16. na stólta; 17. na ranna;
18. na caibidlí

Cleachtadh 2.10
1. na rásaí; 2. na healaí; 3. na cánacha; 4. na heochracha;
5. na leachtanna; 6. na léachtaí; 7. na haithreacha;
8. na contaetha; 9. na léinte; 10. na naimhde; 11. na gnóthaí;
12. na traenacha; 13. na haíonna; 14. na rúnaithe;
15. na tóineanna; 16. na mainistreacha; 17. na tuilte;
18. na híomhánna

Cleachtadh 2.11
1. na scuaba; 2. na bratacha; 3. na treibheanna; 4. na sábha;
5. na cáiseanna; 6. na maidineacha; 7. na cláirseacha;
8. na codanna; 9. na cealla; 10. na pictiúir; 11. na soithí;
12. na téada; 13. na cuanta; 14. na conarthaí; 15. na tonnta;
16. na laochra; 17. na gaibhne; 18. na monarchana

Cleachtadh 2.12
1. na hollúna; 2. na bainiseacha; 3. na síolta; 4. na sceana;
5. na dréachtaí; 6. na canálacha; 7. na síleálacha;
8. na cúraimí; 9. na sloinnte; 10. na cistineacha;
11. na tiománaithe; 12. na féilte; 13. na caoirigh;
14. na healaíona; 15. na rothaí; 16. na toibreacha;
17. na leapacha; 18. na claíocha

Cleachtadh 2.13
1. bileog: an bhileog, dath na bileoige, na bileoga, dath na mbileog
2. seoid: an tseoid, praghas na seoide, na seoda, úinéir na seod
3. breitheamh: an breitheamh, obair an bhreithimh, na breithiúna, cruinniú na mbreithiúna
4. oifigeach: an t-oifigeach, pá an oifigigh, na hoifigigh, obair na n-oifigeach
5. coir: an choir, tar éis na coire, na coireanna, ag plé na gcoireanna
6. ainmniúchán: an t-ainmniúchán, de bharr an ainmniúcháin, na hainmniúcháin, de bharr na n-ainmniúchán

Aonad 3

Cleachtadh 3.1
1. gan mhaith; 2. ar deargbhuile; 3. ar conradh, ar cíos;
4. murach Bríd; 5. go hAlbain, go Sasana; 6. le hÁine;
7. do Mhícheál, d'Eoin; 8. idir pháistí agus mhúinteoirí;
9. gan cúis mhaith; 10. gan mhúineadh;
11. ó Shamhain go hAibreán; 12. roimh dheireadh;
13. seachas Máire; 14. i dTiobraid Árann, in Eochaill;
15. idir Gaillimh agus Sligeach

Cleachtadh 3.2
1. chuig Eoghan, chuig Diarmuid; 2. as Albain, i nDoire;
3. roimh fhoireann; 4. faoi Mhairéad, mar bhainisteoir;
5. go hEochaill, go Gaillimh; 6. faoi Anna, faoi Mhícheál;
7. as Baile Átha Cliath, go Gaillimh; 8. mar fhreastalaí, mar amhránaí; 9. le Máirín, le hÚna; 10. ó Dhónall, ó Mhairéad;
11. chuig ceolchoirm, i mBéal Feirste; 12. roimh mhuintir;
13. thar mhí; 14. thar bord; 15. in dhá

Cleachtadh 3.3
1. in bhur gcónaí; 2. i bPáras; 3. in Texas; 4. gan Peadar;
5. ar crith, ar Mhairéad; 6. trí pholl; 7. ar comhaois;
8. i ngan fhios; 9. ar Shiobhán; 10. ag Ciara

Aonad 4

Cleachtadh 4.1
1. faoin tuath, sa chathair; 2. don aos óg;
3. don chúlchaint; 4. leis an bhfostaí/leis an fhostaí, leis an mbainisteoir/leis an bhainisteoir; 5. ar an tolg;
6. don tsláinte; 7. ar an bpianó/ar an phianó, ar an ngiotár/ar an ghiotár; 8. sa cheol; 9. chuig an dochtúir;
10. sa bhialann; 11. roimh an Ardteist; 12. leis an mbean/leis an bhean; 13. ar an traein; 14. don seanfhear;
15. leis an úinéir; 16. ar an tsráid; 17. sa cheantar;
18. thar an gclaí/thar an chlaí

Cleachtadh 4.2
1. an t-airgead, leis an airgead; 2. an t-árasán, san árasán;
3. an sagart, don sagart; 4. an mheánscoil, ar an meánscoil/ar an mheánscoil; 5. t-oifigeach, chuig an oifigeach;
6. an chéad bhliain, faoin gcéad/faoin chéad bhliain;
7. an t-iriseoir, don iriseoir; 8. an dráma, ón dráma;
9. an téarma, roimh an téarma; 10. an aiste, leis an aiste;
11. an fhuinneog, san fhuinneog; 12. an tsúil, sa tsúil;
13. an bóthar, ar an mbóthar/ar an bhóthar;
14. an talamh, ar an talamh; 15. an deartháir, don deartháir; 16. an bhean, chuig an mbean/chuig an bhean;
17. an t-uisce, ón uisce; 18. an ollscoil, ar an ollscoil;
19. an bosca, faoin mbosca/faoin bhosca;
20. an samhradh, roimh an samhradh

Cleachtadh 4.3
1. leis na himreoirí; 2. chuig na hIodálaigh;
3. do na freastalaithe; 4. chuig na caoirigh;
5. sna bialanna; 6. faoi na healaíona; 7. do na fiacla;
8. roimh na hollúna; 9. de na caibidlí; 10. trí na cathracha;
11. faoi na praghsanna; 12. ar na héagóracha;
13. thar na teorainneacha; 14. leis na saghsanna;
15. roimh na léachtaí

Aonad 5

Cleachtadh 5.1
1. a Aogáin; 2. a Risteard; 3. a Chormaic; 4. a Mhéabh;
5. a Shinéad; 6. a Bhreandáin; 7. a Uinsionn; 8. a Éamoinn;
9. a Mhairéad; 10. a Mhichíl

Cleachtadh 5.2
1. a Naomh Ciarán; 2. a leanbh; 3. a Mhicheál beag;
4. a chathaoirligh; 5. a mhúinteoir; 6. a bhreithimh;
7. a bhean; 8. a Choilm; 9. a shiúr; 10. a easpaig

Cleachtadh 5.3
1. a Shéamais Uí Fhloinn; 2. a Dhónaill Mhic Mhaoláin;
3. a Éamoinn Mhic Giolla Bhríde; 4. a Risteard Mhic Cárthaigh; 5. a Uasail Ó Donnabháin; 6. a Uasail Mac Suibhne; 7. a Bhean Uí Dhonnabháin; 8. a Bhean Mhic Shuibhne; 9. a Bhean Mhic Guidhir; 10. a Bhean Mhic Cárthaigh

Aonad 6

Cleachtadh 6.2
1. an t-amhrán, focail an amhráin; 2. an bord, dath an bhoird; 3. an tsaotharlann, oibrithe na saotharlainne;
4. an bhrídeog, culaith na brídeoige; 5. an dúshlán, ag tabhairt an dúshláin; 6. an chanúint, tréithe na canúna;
7. an fhilíocht, fiúntas na filíochta; 8. an ceistneoir, ag líonadh an cheistneora; 9. an cheist, freagra na ceiste;
10. an bhagairt, de bharr na bagartha; 11. an samhradh, i rith an tsamhraidh; 12. an tréimhse, tar éis na tréimhse;
13. an t-árasán, doras an árasáin; 14. an t-ollmhargadh, oibrithe an ollmhargaidh; 15. an tsochraid, de bharr na sochraide; 16. an pheil, rialacha na peile

Cleachtadh 6.3
1. ar bhruach na habhann; 2. bás an athar;
3. carr na máthar; 4. tar éis na céime; 5. mic léinn na hollscoile; 6. saol an mhic léinn; 7. údar an dáin;
8. eochracha na hamharclainne; 9. ar imeall an tsráidbhaile;
10. in aice na hoifige; 11. deireadh na habairte; 12. tar éis na báistí; 13. réiteach na faidhbe; 14. doras na bialainne;
15. nuacht na maidine; 16. ar chúl an tséipéil; 17. roimh dheireadh an chonartha; 18. doras na traenach;
19. deireadh na caibidle; 20. teideal na haiste

Cleachtadh 6.4
1. doras seanteampaill; 2. easpa treorach;
3. ag déanamh éachta; 4. a lán Fraincise; 5. tinneas scornaí;
6. ord aibítre; 7. fear cathrach; 8. cos cathaoireach;
9. grá máthar; 10. tiarna talaimh/tiarna talún;
11. ag lorg múinteora; 12. mo chuid gramadaí;
13. páipéar scrúdaithe; 14. méadú pinsin;
15. tuarastal oifigigh

Cleachtadh 6.5
1. barr an leathanaigh; 2. vótaí an iarrthóra;
3. próiseas na síochána; 4. baill an choiste;
5. suíochán an tiománaí; 6. tionscal na hiascaireachta;
7. doras na hoifige; 8. pionta beorach;
9. tar éis na comhdhála; 10. bád seoil

Cleachtadh 6.6
1. ag iompar an ualaigh; 2. ceol na cláirsí; 3. saighdiúirí
na himpireachta; 4. i lár na trialach; 5. lipéad an cheirnín;
6. blas na beorach; 7. praghsanna an chlódóra; 8. dath an
tseaicéid; 9. de bharr na hearráide; 10. ceol na fáinleoige;
11. praghas an fhíona; 12. fíorú na haislinge; 13. captaen
an tsoithigh; 14. aidhmeanna na gluaiseachta; 15. cuid
uirlisí an tsiúinéara

Cleachtadh 6.7
1. Bhí mé sa Spáinn ar feadh seachtaine; 2. Feicfidh mé tú
i gceann míosa; 3. Feicfidh mé í i gceann sé mhí; 4. Tá mé
anseo le seachtain anois; 5. Beidh sé anseo ar feadh coicíse;
6. Beidh sí ar ais i gceann bliana

Cleachtadh 6.8
1. i gceann ceithre mhí; 2. i gceann míosa;
3. ar feadh seachtaine; 4. ar feadh sé seachtaine;
5. ar feadh míosa; 6. le coicís

Cleachtadh 6.10
1. comhdhálacha, tréaniolra; 2. réitigh, lagiolra;
3. gníomhaíochtaí, tréaniolra; 4. coimisiúin, lagiolra;
5. buiséid, lagiolra; 6. cathaoirligh, lagiolra;
7. caibidlí, tréaniolra; 8. Francaigh, lagiolra;
9. oibleagáidí, tréaniolra; 10. gealltanais, lagiolra;
11. sráideanna, tréaniolra; 12. agóidí, tréaniolra;
13. baintreacha, lagiolra; 14. achtanna, tréaniolra;
15. riachtanais, lagiolra

Cleachtadh 6.11
1. le linn na gcomhdhálacha; 2. ag moladh na réiteach;
3. ag comhordú na ngníomhaíochtaí; 4. obair na
gcoimisiún; 5. ag socrú na mbuiséad; 6. ceapadh na
gcathaoirleach; 7. ag léamh na gcaibidlí; 8. ceannairí
na bhFrancach; 9. ag comhlíonadh na n-oibleagáidí;
10. a lán gealltanas; 11. ag siúl na sráideanna; 12. tar éis
na n-agóidí; 13. pinsean na mbaintreach; 14. ag plé na
n-achtanna; 15. a chuid riachtanas

Cleachtadh 6.12
1. deacrachtaí na mballstát; 2. óráidí na nAirí;
3. baill na n-údarás; 4. ag plé na gcinntí;
5. oibrithe na mbialann; 6. ag dréachtú na n-iarratas;
7. ag comhlíonadh na ndualgas; 8. vótaí na
bPortaingéalach; 9. ag diúltú na bhfreagrachtaí;
10. cinneadh na bpáirtithe; 11. ag cumadh na ndánta;
12. ag liostú na n-ábhar; 13. obair na seandálaithe;
14. trasna na dteorainneacha; 15. ag seoladh na
dteachtaireachtaí

Cleachtadh 6.13
1. Níl; 2. Tá; 3. Tá; 4. Níl; 5. Tá; 6. Níl

Cleachtadh 6.14
1. imreoirí fhoireann Chill Dara; 2. ag moladh mhac cliste
Pheadair; 3. sagart paróiste na Carraige; 4. sagart pharóiste
na Carraige; 5. ag ní charr dearg an stiúrthóra; 6. tar éis
imeachtaí foirmiúla na comhdhála; 7. cúrsa traenála
phóilíní an aerfoirt; 8. stáisiún póilíní an aerfoirt; 9. foilsiú
thuarascáil dheireanach an choiste;

10. ag plé chinntí conspóideacha na cúirte; 11. deiseanna
fostaíochta bhunadh na háite; 12. caighdeán Gaeilge
fhochéimithe na Roinne; 13. tar éis sheoladh foirmiúil
fhéile bhliantúil an bhaile; 14. in ainneoin chúnamh
cineálta mo theaghlaigh; 15. de bharr thacaíocht fhial mo
chairde; 16. le linn chath deireanach an chogaidh; 17. i
rith sheachtainí deireanacha an chúrsa; 18. Airí gnóthaí
eachtracha bhallstáit na Comhairle; 19. oibrithe sealadacha
Pharlaimint na hEorpa; 20. in ainneoin fhadhbanna móra
teicniúla an bhainc

Cleachtadh 6.15
1. in aice siopa poitigéara; 2. coláistí oiliúna cheantar
Bhaile Átha Cliath; 3. tionscadal anailíse córas; 4. oifigeach
cumarsáide Dheoise Chill Ala; 5. bainisteoir seirbhísí
airgeadais; 6. an Foras Forbartha Trádála agus Gnó; 7.
obair dheonach bhaill Chumann Alzheimer na hÉireann;
8. tinneas maidine bhean Chathail; 9. ag glanadh seomra
ranga; 10. ag moladh dhíograis bhaill choiste forbartha an
pharóiste

Aonad 7

Cleachtadh 7.1
1. bean dhathúil; 2. fear dathúil; 3. anlann deas;
4. ceardlann fhada; 5. an cúrsa páirtaimseartha;
6. an scrúdú deacair; 7. an iníon chliste; 8. an mac cliste;
9. sráid fhada; 10. sráidbhaile Gearmánach; 11. cóisir mhór;
12. an bhean chineálta; 13. an múinteoir díograiseach;
14. an scuaine fhada; 15. tuarascáil bhliantúil; 16. an eitilt
dheireanach

Cleachtadh 7.2
1. teaghlaigh (consan caol) mhóra; 2. na hirisí daite;
3. na comhaid (consan caol) chéanna; 4. na fir (consan caol)
chróga; 5. na riachtanais (consan caol) shíceolaíocha;
6. tithe geala; 7. na leathanaigh (consan caol) dheireanacha;
8. éadaí deasa; 9. na féilte traidisiúnta; 10. amhráin (consan
caol) fhada; 11. sceidil (consan caol) dhúshlánacha;
12. na billí deireanacha

Cleachtadh 7.3
1. báid dheasa; 2. báid Fhrancacha; 3. na heastáit dheasa;
4. na heastáit tithíochta; 5. turais thaitneamhacha;
6. turais taighde; 7. na beartais slándála;
8. na beartais thubaisteacha; 9. beithígh feirme;
10. beithígh fhadchosacha; 11. pobail dúchais; 12. pobail
dhátheangacha; 13. riachtanais fhadtéarmacha;
14. riachtanais fuaime; 15. na caighdeáin tástála;
16. na caighdeáin dhochta

Cleachtadh 7.4
1. daoine láidre; 2. crainn mhóra, arda; 3. amhráin fhada,
shuimiúla; 4. ballaí móra, daingne; 5. oícheanta fuara,
fliucha; 6. an bhileog bhuí; 7. scríbhneoir cáiliúil; 8. fear
céile, bean chéile; 9. bialann Fhrancach; 10. gruaig fhada,
dhubh, súile donna; 11. clúdaigh ghlasa; 12. laethanta fada,
teo; 13. fir shaibhre; 14. cácaí milse; 15. eastáit dheasa

Cleachtadh 7.5
1. na cúrsaí fada; 2. na hábhair dheacra; 3. na héadaí
faiseanta; 4. na léinte glasa; 5. na hamadáin mhóra;
6. teaghlaigh Éireannacha; 7. léachtaí spéisiúla;
8. ceolchoirmeacha traidisiúnta; 9. na féilte Ceilteacha;
10. cumainn mhaithe; 11. dualgais phoiblí; 12. bialanna
Francacha; 13. na haistí deacra; 14. na bóithre sleamhna;
15. na hamhráin dhúshlánacha

Cleachtadh 7.6
1. sráidbhaile deas; 2. tír the; 3. leabhar maith; 4. cathaoir bhog; 5. fuinneog bhriste; 6. bean mhaith; 7. amhrán Gaeilge; 8. duine uasal; 9. cathair mhór; 10. lá breá; 11. tuairisc ghearr; 12. caidreamh fadtéarmach; 13. ceolchoirm fhada; 14. sráid dhainséarach; 15. rún daingean

Cleachtadh 7.7
1. an-deas, ródheas; 2. an-mhór, rómhór; 3. an-uasal, ró-uasal; 4. an-chineálta, róchineálta; 5. an-sásta, róshásta; 6. an-fhliuch, rófhliuch; 7. an-chasta, róchasta; 8. an-chrua, róchrua; 9. an-bhéasach, róbhéasach; 10. an-tiubh, róthiubh; 11. an-suimiúil, rósuimiúil; 12. an-deacair, ródheacair; 13. an-álainn, ró-álainn; 14. an-chumasach, róchumasach; 15. an-bhríomhar, róbhríomhar; 16. an-éifeachtach, ró-éifeachtach; 17. an-tostach, róthostach; 18. an-domhain, ródhomhain; 19. an-sean, róshean; 20. an-fhoighneach, rófhoighneach

Cleachtadh 7.8
1. Bhí mé ansin ar feadh míosa; 2. Bhí sí anseo seachtain ó shin; 3. Suigh anseo; 4. Tá sé thall ansin; 5. Tar anuas anseo; 6. an fear sin; 7. an bhean seo; 8. Tá an leabhar sin réasúnta maith; 9. an samhradh seo; 10. Bhí mé tinn an lá sin

Cleachtadh 7.9
1. Ní aontaím leis sin/Ní thagaim leis sin; 2. Tá an scannán sin feicthe againn go leor uaireanta roimhe seo; 3. Rinne sí tagairt dó sin; 4. Chuamar go Gaillimh ar dtús, agus ansin uaidh sin ó thuaidh go Maigh Eo; 5. Ní rachaidh sé thairis sin; 6. Chuala mé caint éigin air/faoi sin cheana; 7. Níl aon bhaint aige sin leis

Aonad 8

Cleachtadh 8.1
1. deireadh an ailt dheacair; 2. cíos an árasáin dhaoir; 3. deacrachtaí an teaghlaigh Ghaelaigh; 4. ag moladh an eagrais dheonaigh; 5. ag filleadh an chlúdaigh ghoirm; 6. barr an leathanaigh ghlais; 7. in aice an tsuíocháin chrua; 8. bás an tseanathar shaibhir; 9. ag léamh an leabhair thábhachtaigh; 10. ainm an chuairteora dheireanaigh; 11. uirlisí an cheoil thraidisiúnta; 12. ag glanadh an tseomra fholaimh

Cleachtadh 8.2
1. freagra na ceiste deacra; 2. trasna na sráide cúinge; 3. imeachtaí na féile Gaelaí; 4. obair na heagraíochta deonaí; 5. ag bun na spéire goirme; 6. ag cóipeáil na bileoige glaise; 7. ag deireadh na hoíche breátha; 8. cuid mac na seanmháthar saibhre; 9. ag scríobh na haiste deireanaí; 10. sceideal na féile Ceiltí; 11. fear céile na mná rua; 12. tar éis na léachta spéisiúla

Cleachtadh 8.3
1. tuismitheoirí an chailín dhíograisigh; 2. fadhbanna an imircigh eacnamaíoch; 3. ag deireadh an lae fhliuch; 4. foilsiú na tuarascála bliantúla; 5. foireann na bialainne Iodálaí; 6. stiúrthóirí an ghnólachta bhrabúsaigh; 7. tús na bliana acadúla; 8. deireadh an chúrsa fhada; 9. fear céile na mná finne; 10. ag cáineadh na tuairime daingne; 11. fiúntas na comhairle eolaíche; 12. tiománaí an chairr dheirg; 13. príomhthionscal na tíre saibhre; 14. athchóiriú an dlí choiriúil; 15. údar an ailt ghearr

Cleachtadh 8.4
1. na rialacha dochta (tréaniolra); 2. na bróga dubha (lagiolra); 3. na fir mhaithe (lagiolra); 4. na hoifigigh shinsearacha (lagiolra); 5. na heagraíochtaí deonacha (tréaniolra); 6. na cnoic arda (lagiolra); 7. na galair thógálacha (lagiolra); 8. na cathracha móra (tréaniolra); 9. na mic léinn Éireannacha (lagiolra); 10. na hargóintí láidre (tréaniolra)

Cleachtadh 8.5
1. ag briseadh na rialacha dochta; 2. ag deisiú na mbróg dubh; 3. ag moladh na bhfear maith; 4. dualgais na n-oifigeach sinsearach; 5. baill na n-eagraíochtaí deonacha; 6. os cionn na gcnoc ard; 7. ag leigheas na ngalar tógálach; 8. fadhbanna na gcathracha móra; 9. caighdeán oideachais na mac léinn Éireannach; 10. de bharr na n-argóintí láidre

Cleachtadh 8.6
1. Acht na gComhphobal Eorpach; 2. i gcoinne na n-athruithe móra; 3. focail na n-amhrán fada; 4. comhlíonadh na gcoinníollacha casta; 5. líon na ngearán oifigiúil; 6. fostaithe na n-eagras deonach; 7. íospartaigh na gcogaí fuilteacha; 8. cinntí na n-institiúidí tábhachtacha; 9. costas na ndeontas bliantúil; 10. os cionn na bhfuinneog mór; 11. rialtais na dtíortha contúirteacha; 12. grianghraif na bhfear dóighiúil; 13. tuairimí na nIodálach meánaicmeach; 14. gníomhartha na saighdiúirí Iosraelacha

Aonad 9

Cleachtadh 9.1
1. níos fuaire, níos fliche; 2. níos dírí; 3. níos socra, níos sásta; 4. is teo, is brothallaí; 5. is éirimiúla, is áille, is iontaí; 6. níos leisciúla, níos drochmhúinte; 7. níos déine; 8. níos daoire; 9. níos tarraingtí; 10. níos éasca; 11. níos trioblóidí; 12. níos giorra; 13. níos minice; 14. níos uaillmhianaí; 15. níos cráite

Cleachtadh 9.2
1. níos airde; 2. níos dúshlánaí; 3. níos dorcha; 4. níos iomchuí; 5. níos fadtréimhsí; 6. níos eolaíche; 7. níos cáiliúla; 8. níos casta; 9. níos míshocra; 10. níos faide; 11. níos doimhne; 12. níos saibhre; 13. níos tapa; 14. níos glóraí; 15. níos moille

Cleachtadh 9.3
1. Is í an Éigipt, is tirime; 2. Is í an Ghearmáin, is mó daonra; 3. Is iad Lucsamburg agus Catar, is saibhre; 4. Is iad tíortha na hAfraice, is boichte; 5. Is í an tSeapáin, is rathúla; 6. Is iad an tSeapáin agus an Astráil, is daoire; 7. Is é Aerfort Heathrow, is gnóthaí; 8. Is í an Earagail, is airde; 9. Is é Death Valley, is teo; 10. Is í an Abhainn Dhubh, is leithne; 11. Is iad an Iaráic agus an Afganastáin, is contúirtí; 12. Is í an Eilvéis, is glaine; 13. Is í an Amasóin, is faide; 14. Is iad na bóithre, is sábháilte; 15. Is é an galar croí, is forleithne

Cleachtadh 9.4
1. Bhí Doireann ní b'óige ná Cathal; 2. Bhí sé i bhfad ní ba fhreagraí mar dhuine; 3. Ba í Cáit an duine ab óige sa chlann; 4. Bhí Síle i bhfad ní b'fhoighní ná Colm; 5. Ba é sin an leabhar ab fhearr sa tsraith; 6. Bhí an scrúdú ní ba dheacra ná an ceann deireanach a rinne mé; 7. Bhí an ceantar ní b'áille ná mo cheantar dúchais féin; 8. Bhí an ceantar sin ní b'fhorbartha ná na ceantair atá in aice leis; 9. Bhí na daoine óga ní ba fhrithchléirí ná

a gcuid tuismitheoirí; 10. Mí na Samhna an mhí ba fhliche sa bhliain; 11. Ní raibh duine ní b'ardaidhmeannaí san áit ná í; 12. Bhí siad ní ba shásta lena gcoinníollacha oibre; 13. Bhí an ráta boilscithe ní b'airde sa tír sin; 14. Ba é Séamas an duine ba chliste sa rang

Aonad 10

Cleachtadh 10.1
1. bailígí, le bhur dtoil; 2. nígí; 3. luígí, bígí; 4. ordaígí, bhur ndinnéar; 5. ná téigí; 6. sábhálaigí; 7. brúigí; 8. luaigí; 9. ná hinsígí; 10. abraigí; 11. dúnaigí, le bhur dtoil; 12. freagraígí; 13. críochnaígí; 14. ná tugaigí; 15. tagaigí

Cleachtadh 10.2
1. Ná déan dearmad glaoch orm; 2. Iarraigí ar Dheirdre cabhrú libh; 3. A Bhríd, faigh ceann domsa; 4. A pháistí, scríobhaigí an aiste sin anois; 5. Bígí ar ais anseo ar a sé; 6. Bígí cúramach, tá na plátaí an-te!; 7. Ná habraigí tada le Seán; 8. Ná caill an t-airgead sin; 9. Inis dom cad a tharla; 10. Ná bí ag obair chomh dian sin – suigh síos agus lig do scíth!

Cleachtadh 10.3
1. déanaigí; 2. cuirigí oraibh bhur gcuid cótaí; 3. seachnaígí; 4. abraigí; 5. ná hithigí; 6. bainigí díbh bhur gcuid bróg; 7. tógaigí, bígí; 8. ná himígí; 9. tagaigí, suígí; 10. ceannaígí

Cleachtadh 10.4
1. Bhí sé ansin freisin; 2. Bhí sise ansin freisin; 3. Tá muidne anseo le huair an chloig anois; 4. Is as Gaillimh mise; 5. Is as Luimneach mé; 6. Tá sí níos sine ná Brian; 7. Tá sise níos sine ná eisean; 8. Rugadh i mBéal Feirste é; 9. Rugadh eisean i nDoire; 10. An bhfuil siadsan ag dul go Baile Átha Cliath amárach freisin?

Cleachtadh 10.5
Comhrá 1
Sinéad: Bhí Máirín an-fheargach. Fuair mise A san aiste dheireanach sin ach ní bhfuair sise ach C.
Aodh: Bhí mé ag caint le Claire ar maidin – fuair sise B.
Comhrá 2
Siobhán: Is as Baile Átha Cliath mise. Cé as tusa?
Julie: As Corcaigh.
Comhrá 3
Póilín: An bhfeiceann tú cé atá ag teacht isteach – Síle agus Deirbhile!
Nóra: Ní rómhinic a fheiceann tú iadsan ag cóisir.
Comhrá 4
Tomás: Tá muidne ag imeacht anois. Feicfimid tú amárach.
Mairéad: Fanaigí nóiméad agus beidh mise libh.
Tomás: Déan deifir, a Mhairéad. Tá mise ag éirí an-tuirseach.
Comhrá 5
Sorcha: An tusa an duine is sine i do theaghlachsa?
Máire: Ní mé. Is í Julie an duine is sine.
Sorcha: Tá sise sa ghrianghraf sin a thaispeáin tú dom.
Máire: Tá, agus chonaic tú í ar an gclár sin ar TG4 anuraidh.

Aonad 11

Cleachtadh 11.1
1. Ar fhreastail tú ar scoil lán-Ghaelach? D'fhreastail./Níor fhreastail; 2. An bhfuair tú an nuachtán? Fuair/Ní bhfuair;

3. Nár ól siad an fíon go léir aréir? D'ól/Níor ól; 4. An ndúirt sí aon rud eile? Dúirt/Ní dúirt; 5. Ar thug sí dó an t-airgead a bhí aige uirthi? Thug/Níor thug; 6. Ar chuala tú go raibh sé sa bhaile roimh an Nollaig? Chuala/Níor chuala; 7. Ar imríomar an fhoireann sin riamh? D'imir/Níor imir; 8. Nach ndeachaigh siad ar ais go Baile Átha Cliath fós? Chuaigh/Ní dheachaigh; 9. Nach ndúramar gach rud a bhí le rá? Dúirt/Ní dúirt; 10. Ar tháinig Brian abhaile aréir? Tháinig/Níor tháinig

Cleachtadh 11.2
1. Ar ól …?; 2. An ndeachaigh …?; 3. Ar bhuail …?; 4. Ar thóg …?; 5. Ar chuala …?; 6. An bhfuair …?; 7. An ndúirt …?; 8. Ar theip …?; 9. Ar thaitin …?; 10. An bhfaca …?

Cleachtadh 11.3
1. Chuaigh/Ní dheachaigh; 2. Bhuaigh/Níor bhuaigh; 3. D'ith/Níor ith; 4. Bhí/Ní raibh; 5. Fuair/Ní bhfuair; 6. D'ordaigh/Níor ordaigh; 7. D'éist/Níor éist; 8. Chaith/Níor chaith; 9. Thiomáin/Níor thiomáin; 10. Rug/Níor rug

Cleachtadh 11.4
1. shuíomar; 2. shábhálamar; 3. thiomáineamar; 4. thionólamar; 5. cheanglaíomar; 6. chosnaíomar; 7. d'fhulaingíomar; 8. tharraingíomar; 9. d'fhreastalaíomar; 10. bhagraíomar; 11. rugamar; 12. chualamar; 13. rinneamar; 14. fuaireamar; 15. chonaiceamar

Aonad 12

Cleachtadh 12.1
1. ceithre sheomra codlata; 2. cúig úll; 3. seacht n-eagrán; 4. ocht gcearc; 5. dhá phictiúrlann; 6. naoi dteach; 7. trí phost; 8. sé ábhar; 9. deich mbord; 10. cúig bhosca

Cleachtadh 12.2
1. deich mbliana; 2. ocht gcinn; 3. ceithre cinn; 4. cúig seachtaine; 5. seacht mbliana; 6. sé huaire; 7. sé bliana; 8. trí bliana; 9. cúig troithe; 10. seacht n-uaire

Cleachtadh 12.3
1. cúig huaire; 2. seacht n-oifig; 3. trí mhadra; 4. naoi mbliana; 5. cúig ábhar; 6. ocht siopa; 7. trí huaire; 8. sé phictiúrlann; 9. deich gcuideachta; 10. dhá bhileog; 11. naoi n-ábhar; 12. dhá sheomra; 13. sé troithe, ceithre horlaí; 14. trí seachtaine; 15. deich seachtaine

Cleachtadh 12.4
1. ceithre sheomra dhéag; 2. cúig eagraíocht déag; 3. seacht n-uaire déag; 4. cúig bliana déag; 5. naoi gcathaoir déag; 6. ocht n-oíche dhéag; 7. sé huaire déag; 8. cúig sheomra dhéag; 9. naoi n-orlaí déag; 10. naoi mbosca dhéag; 11. aon siopa dhéag; 12. aon chathaoir déag; 13. trí seachtaine déag; 14. ocht gcinn déag

Cleachtadh 12.5
1. an dá chathaoir sin; 2. sa dá bhosca sin; 3. na trí leabhar; 4. an chéad dá theach; 5. na hocht gcathaoir; 6. na hocht n-urlár déag; 7. don dá lá sin; 8. na cúig oíche sin

Cleachtadh 12.6
1. trí bhileog ghlasa; 2. seacht ndlúthdhiosca dhearga; 3. trí sheomra mhóra; 4. naoi seomra bheaga; 5. deich gcathaoir chompordacha; 6. trí bhord déag mhóra; 7. sé oíche dhéag fhada; 8. seacht n-oíche dhéag fhuara;

9. fiche eagras mór; 10. tríocha cáipéis thábhachtach;
11. céad carthanacht Fhrancach; 12. ceithre chéad bileog
ghlas; 13. na mílte oibrí deonach; 14. na mílte fostaí
páirtaimseartha; 15. na milliúin duine bocht

AONAD 13

Cleachtadh 13.1

1. Feicim/Ní fheicim (nó Feiceann/Ní fheiceann);
2. Bím/Ní bhím (nó Bíonn/Ní bhíonn); 3. Ithim/Ní ithim
(nó Itheann/Ní itheann); 4. Feiceann/Ní fheiceann;
5. Casaim/Ní chasaim (nó Casann/Ní chasann);
6. Éiríonn/Ní éiríonn; 7. Téann/Ní théann; 8. Cloiseann/
Ní chloiseann; 9. Tiomáineann/Ní thiomáineann;
10. Buaileann/Ní bhuaileann

Cleachtadh 13.2

1. An dtugann …?; 2. An itheann …?; 3. An bhfágann …?;
4. An bhfoghlaimíonn …?; 5. An gceannaíonn …?;
6. An mbíonn …?; 7. An dtógann …?; 8. An léann …?;
9. An dtaispeánann …?; 10. An bhfeiceann …?;
11. An gcloiseann …?; 12. An ndeir …?; 13. An ólann …?;
14. An bhfreastalaíonn …?; 15. An gcuireann …?

Cleachtadh 13.3

1. Ní théim ansin go rómhinic; 2. Ní thagaimid anseo le
linn an tsamhraidh; 3. An bhfuil sé ag obair sa bhialann
fós?; 4. Ní deir sí mórán – tá sí an-fhaiteach (an-chúthail);
5. Tá mé ag obair in oifig i gcathair na Gaillimhe; 6. Bím
ag obair ansin gach deireadh seachtaine; 7. Bím i gcónaí
gnóthach ag an Nollaig; 8. An bhfuil tú i do bhall den
chlub cispheile?; 9. Nach gcloiseann tú uaithi anois?;
10. Ní cheannaím nuachtán Domhnaigh; 11. Foghlaimímid
é de ghlanmheabhair; 12. Sábhálaimid go leor i gcónaí i
rith an tsamhraidh; 13. Ní thaispeánaimid aon rud dó;
14. Cosnaíonn sé an iomarca; 15. Freastalaímid ar an
imeacht sin go minic

Cleachtadh 13.4

1. an bhféachann tú …?; 2. an imríonn tú …?; 3. ní théann
sé; 4. itheann siad; 5. an scríobhann tú …?; 6. ní bhíonn sé;
7. an mbíonn …?; 8. fágann sí; 9. an gceapann tú …?;
10. ní thugann Máirtín

AONAD 14

Cleachtadh 14.1

1. sa chéad áit, sa cheathrú háit; 2. ar an ochtú lá déag;
3. an chéad oíche, an dara hoíche; 4. an chéad deoch;
5. an chéad chasadh, an dara ceann; 6. an seachtú bliain;
7. an chéad chruinniú, sa chúigiú seomra; 8. an t-ochtú
huair; 9. an dara téarma, an séú lá déag de mhí an Mhárta;
10. an seachtú hurlár, an tríú casadh

Cleachtadh 14.2

1. Feicfidh mé tú ar an dara lá is fiche de mhí Dheireadh
Fómhair; 2. Rugadh mé ar an gceathrú/ar an cheathrú lá
déag de mhí an Mheithimh; 3. Beidh sí ar ais ar an aonú lá
déag de mhí an Mhárta; 4. Imreofar an cluiche anois ar an
bhfichiú/ar an fhichiú lá de mhí Feabhra; 5. Beidh mé ag an
gcruinniú ar an aonú lá is tríocha de mhí Lúnasa; 6. Beidh
an cheolchoirm ar siúl ar an tríú lá de mhí na Samhna;
7. Foilseofar an leabhar ar an gceathrú/ar an cheathrú lá
déag de mhí Feabhra; 8. Tá sé i gceist agam cóisir a bheith
agam ar an dara lá déag de mhí an Mhárta

Cleachtadh 14.3

1. an chéad bhliain, an dara–an deichiú bliain;
2. an chéad–an deichiú duine; 3. an chéad–an deichiú
seomra; 4. an chéad áit, an dara–an deichiú háit;
5. an chéad fhear, an dara–an deichiú fear

Cleachtadh 14.4

1. an cúigiú bosca; 2. an naoú hoifig; 3. an dara duine;
4. an t-ochtú huair; 5. an tríú bliain; 6. an deichiú
hIodálach; 7. an chéad oifig; 8. an chéad bhliain;
9. an séú doras; 10. an seachtú casadh

Cleachtadh 14.5

1. deireadh na chéad seachtaine; 2. tar éis an chúigiú
céim; 3. faoi dheireadh an ochtú bliain; 4. baill an séú
grúpa; 5. foilsiú an chéad fhógra; 6. seoladh na chéad
teachtaireachta; 7. freagra an naoú ceist; 8. daltaí an séú
rang; 9. mic léinn na chéad bhliana; 10. léachtóirí an dara
bliain

AONAD 15

Cleachtadh 15.1

1. (c) Tháinig sé anall anseo aréir; 2. (c) Shiúil sé anuas an
staighre i mo threo; 3. (a) Chuaigh sí anonn/sall go teach
Mháirtín; 4. (b) Tá sí thall i dteach Mháirtín; 5. (c) Tháinig
sí aníos an staighre; 6. (b) Tá sé abhus anseo; 7. (a) Chuaigh
mé anonn/sall go hAlbain ar feadh seachtaine; 8. (b) Tá sé
thall i Sasana faoi láthair; 9. (b) Tá sé istigh ansin;
10. (c) Tar amach anseo ar feadh nóiméid

Cleachtadh 15.2

1. Seas suas, a Thomáis; 2. Chuaigh sé anonn go teach
Shíle; 3. Bhí mé amuigh mall aréir; 4. Rith sí síos an tsráid;
5. Tá sé thíos ansin in aice leis an doras; 6. Shiúil sí anall
chugam; 7. Tá sí thuas ina seomra faoi láthair; 8. Tá mé
abhus in Éirinn le seachtain anuas; 9. Tar isteach!; 10. Tá an
caife agus an tae istigh sa chófra sin

Cleachtadh 15.3

1. amach, amuigh; 2. thuas; 3. thall; 4. suas; 5. anuas;
6. isteach; 7. anall; 8. anonn; 9. istigh; 10. thuas

Cleachtadh 15.4

1. Chuaigh an bád ó thuaidh; 2. Tá sé ag teacht aduaidh;
3. Thiomáin siad ó dheas; 4. Tá siad ag dul soir faoi láthair;
5. Chuaigh mé siar go Baile na hAbhann; 6. Tá mé ag dul
soir ó thuaidh; 7. Tá sí ag tiomáint aneas faoi láthair;
8. Tá an bád ag dul siar ó dheas; 9. Bhí muintir an tuaiscirt
agus an deiscirt ansin; 10. Tá sé ina chónaí thiar/san iarthar

Cleachtadh 15.5

1. Bíonn sí i gcónaí anseo ar an Luan; 2. Is breá liom
an Satharn; 3. Beidh mé i mo chónaí san árasán nua
ó Dé Luain seo chugainn; 4. Beidh sé ar ais oíche Dé
Domhnaigh; 5. Beidh sé ar an teilifís maidin Déardaoin;
6. Buailfidh mé isteach chugat coicís ó inniu/ón lá inniu;
7. Tá mé ag dul ar saoire coicís ó Dé hAoine seo chugainn;
8. Coicís is an lá inniu, bhíomar inár luí ar an trá sa Spáinn;
9. Bhí mé ag caint léi arú inné; 10. D'fhág mé an tír an lá
dár gcionn

Cleachtadh 16.1
1. Cén fáth ar imir tú an cluiche inné?; 2. Cathain a bhuail tú léi?; 3. Cé dó a dtabharfaidh mé an t-airgead?; 4. Cén fhad a bhí tú ina cuideachta?; 5. Cén chaoi a dtéann tú ansin?; 6. Conas a thagann siad abhaile?; 7. Cén áit ar ith tú do lón inniu?; 8. Cad chuige a ndeachaigh siad abhaile?; 9. Cén uair a bheidh sé réidh?; 10. Cé chomh minic is a cheannaíonn tú carr nua?

Cleachtadh 16.2
1. Cén áit a mbeidh an bhainis ar siúl agus cé uilig a bheidh/a bheas i láthair?; 2. Cathain a bheidh sí sa bhaile?; 3. Cén áit ar bhuail tú léi aréir?; 4. Cén fáth a dtéann sí ansin?; 5. Cé dó ar thug tú an t-airgead sin inné?; 6. Cé mhéad duine a bheidh/a bheas leat?; 7. Cén fhad a d'fhan tú ansin aréir?; 8. Sin é an fear ar chuir/ar sheol mé an t-eolas chuige; 9. Sin í an bhean a raibh mé i ngrá léi nuair a bhí mé ar scoil; 10. Sin é an duine a chuaigh chun an choláiste i Luimneach; 11. Sin é an fear a ndeachaigh a mhac chun an choláiste i nGaillimh; 12. Conas a théann tú abhaile?; 13. Céard a rinne tú ag an deireadh seachtaine?; 14. Cén fhad a mhair an léacht sin inné?; 15. Conas a rinne tú é sin?; 16. Cén tslí a ndeachaigh sí ansin?

Cleachtadh 16.3
1. Cén fhad a bheidh/a bheas tú ansin?; 2. Céard a déarfaidh tú leis?; 3. Cathain/Cá huair a bhuail tú léi ar dtús?; 4. Cén fáth ar fhág sí?; 5. Cén t-am a tháinig sé ar ais/a d'fhill sé?; 6. Sin é an fear a bhfuair a mhac an post sa mheánscoil; 7. Cé mhéad duine a bhí ansin?; 8. Sin í an bhean a raibh taom croí aici an samhradh seo caite; 9. Cén áit a ndeachaigh sí?; 10. Cé chomh minic is a chonaic tú é?; 11. Cé chomh fada is atá sé ó bhí tú anseo go deireanach?; 12. Sin é an fear ar thug mé an t-airgead dó; 13. Cén áit ar bhuail tú léi?; 14. Cathain/Cá huair a bheidh tú ar ais?; 15. Cé a chuaigh leat?

Cleachtadh 17.1
1. triúr páistí; 2. ceathrar ceoltóirí; 3. cúigear amhránaithe; 4. seachtar ban; 5. ochtar othar; 6. seachtar iníonacha; 7. beirt deirfiúracha; 8. cúigear mac; 9. ochtar mac léinn; 10. beirt mháithreacha; 11. naonúr seoltóirí; 12. beirt seanadóirí; 13. beirt fhear; 14. seisear eachtrannach; 15. ceathrar Seapánach

Cleachtadh 17.2
1. seisear saighdiúirí; 2. beirt dochtúirí; 3. deichniúr amhránaithe; 4. triúr iníonacha; 5. beirt mhac; 6. ceathrar múinteoirí; 7. seachtar oibrithe; 8. naonúr altraí; 9. cúigear freastalaithe; 10. deichniúr fear

Cleachtadh 17.3
1. trí mhac déag; 2. aon mhúinteoir déag; 3. seacht mbean déag; 4. sé fhear déag; 5. naoi n-altra dhéag; 6. dhá aoi dhéag/dháréag aoi; 7. ceithre cheoltóir déag; 8. ocht bpáiste dhéag; 9. ceithre pholaiteoir déag; 10. fiche amhránaí; 11. naoi bhfear déag; 12. aon damhsóir déag; 13. dhá phríosúnach déag/dháréag príosúnach; 14. trí aisteoir déag; 15. seacht n-iarrthóir déag

Cleachtadh 18.1
1. Tabharfaidh/Ní thabharfaidh; 2. Léifidh/Ní léifidh; 3. Sábhálfaidh/Ní shábhálfaidh; 4. Ceannóidh/Ní cheannóidh; 5. Gheobhaidh/Ní bhfaighidh; 6. Tiocfaidh/Ní thiocfaidh; 7. Rachaidh/Ní rachaidh; 8. Déanfaidh/Ní dhéanfaidh; 9. Déarfaidh/Ní déarfaidh; 10. Íosfaidh/Ní íosfaidh

Cleachtadh 18.2
1. An dtabharfaidh …?; 2. An íosfaidh …?; 3. An bhfágfaidh …?; 4. An bhfoghlaimeoidh …?; 5. An gceannóidh …?; 6. An mbeidh …?; 7. An dtaispeánfaidh …?; 8. An bhfeicfidh …?; 9. An ndéarfaidh …?; 10. An seinnfidh …?; 11. An dtiomáinfidh …?; 12. An sábhálfaidh …?; 13. An bhfaighidh …?; 14. An ólfaidh …?

Cleachtadh 18.3
1. Tá súil agam go bhfeicfidh mé Siobhán ag an deireadh seachtaine; 2. Abair leis go dtabharfaidh mé an t-airgead dó amárach; 3. Abair léi go bhfaighidh mé tuilleadh péinte sa siopa tráthnóna; 4. Abair leo go gcuirfidh mé scéala chucu i gceann seachtaine; 5. Tá súil agam go dtaispeánfaidh sí an aiste dom; 6. Tá mé cinnte go n-íosfaidh siad an bia seo; 7. Tá gach dóchas agam go mbéarfaidh siad ar an dúnmharfóir sin; 8. Tá mé dóchasach go bhfaighimid torthaí maithe; 9. Tá barúil agam go n-inseoidh sí an scéal ar fad dó; 10. Cloisim go n-imreoidh siad an cluiche Dé Sathairn

Cleachtadh 18.4
1. Tá mé cinnte nach mbeidh sí ar buile; 2. Tá súil agam nach n-imeoidh sí amárach; 3. Tá súil agam nach gceannóidh siad an seancharr ó Dhónall; 4. Tá mé dóchasach nach n-inseoidh sé gach rud di; 5. Is dóigh liom féin nach ndéarfaidh siad tada; 6. Tá mé cinnte nach gcosnóidh sé an oiread sin; 7. Abair léi nach dtiomáinfidh siad go tapa; 8. Tá faitíos orm nach sábhálfaidh sí go leor airgid; 9. Tá mé cinnte nach n-íosfaidh siad an bia go léir; 10. Tá súil agam nach bhfoghlaimeoidh siad drochnósanna uaidh

Cleachtadh 19.1
1. do dheartháir; 2. do dheartháirse; 3. a macsan; 4. a n-iníon; 5. mo chairde; 6. mo chairdese; 7. a árasán; 8. a hárasán; 9. a árasánsan; 10. a hárasánsa

Cleachtadh 19.2
1. Thug mé síob dá máthair; 2. Fuair mé bronntanas óna haintín; 3. D'fhéach mé trína aiste; 4. D'fhéach mé trína n-aistí; 5. Fuair mé glao óna huncail; 6. Thug sé a lán cabhrach dár bhfeachtas; 7. Bhí mé ar scoil lena ndeirfiúr; 8. Tá sí an-mhaith dá hathair; 9. Rith an cat trínár ngairdín; 10. Tá sí ina haonar

Cleachtadh 19.3
1. Tá mé i mo chónaí i mBaile Átha Cliath; 2. Táimid inár gcónaí faoin tuath; 3. Bhí mé ag suí síos nuair a shiúil sí isteach an doras; 4. Chuala mé go raibh tú i do chónaí sa Fhrainc ar feadh bliana; 5. Bhíomar inár suí in aice léi ag an dinnéar; 6. Tá sé ag suí síos ansin in aice le Síle; 7. Tá sé ina shuí ansin in aice le Síle; 8. Bhí siad ina seasamh i gcúl an halla; 9. Chonaic mé í agus mé ag seasamh suas;

10. Tá siad ina gcónaí i nGaillimh

Cleachtadh 19.5
1. Bhí siad do mo bhualadh; 2. Bhí sí á múineadh;
3. Bhí sé i gcónaí dár gceartú; 4. Tá sí á dhéanamh;
5. Bhí mé á mbualadh; 6. Bhí tú á maslú; 7. Tá sibh dár
gcrá; 8. Táimid á n-aistriú; 9. Bhí siad á n-iompar;
10. Bhí sé do do chiapadh

Aonad 20

Cleachtadh 20.1
1. Tá mé in éad léi; 2. Rinne sé gearán leo; 3. Tá eagla orthu
rompu; 4. Chuir mé litir chuige; 5. Bíonn siad i gcónaí
ag magadh fúinn; 6. Thosaigh troid eadrainn; 7. Tá súile
gorma aige; 8. Tá mé an-bhuíoch díbh; 9. Tá suim agam
ionaibh; 10. Níl aon mhuinín aici asainn; 11. Táim bródúil
asaibh; 12. Tá aithne agam orthu; 13. Tá tinneas cinn orm;
14. Tá meas agam uirthi; 15. Cuireann sé déistin orm;
16. Theip orm sa scrúdú; 17. Tá gruaig fhada dhubh orthu;
18. Tá cáil uirthi mar scríbhneoir; 19. Tá fuath agam orthu;
20. Tá cion agam orthu

Cleachtadh 20.2
1. Tá aiféala uirthi; 2. Ní cuimhin leis mé; 3. Bheannaigh
mé di; 4. D'fhiafraigh sé díom cathain a bhí mé ansin;
5. Tá €100 acu orainn; 6. Ná tabhair aird ar bith orthu;
7. Lig sí béic aisti; 8. Tá an-ghealladh fúthu; 9. Tá eagla
air romhaibh; 10. Tá mé go mór in éad léi; 11. Rinne siad
neamhiontas díom; 12. D'fhiafraigh mé díobh cathain a
bheadh an cruinniú ar siúl; 13. Fágfaidh mé an cinneadh
sin fúthu féin; 14. Tá féith an cheoil inti; 15. D'éirigh
eadrainn ag an gcruinniú

Cleachtadh 20.3
1. Tá fiacla deasa aici; 2. Tá eagla orm roimhe;
3. Níl muinín ar bith agam astu; 4. Tá mé an-bhuíoch
díobh; 5. Tá uaigneas orthu; 6. Tá gruaig fhada air agus tá
súile gorma aige; 7. Tá meas agam orthu;
8. Tá siad in éad léi/Tá éad orthu léi; 9. Tá suim agam inti;
10. Tá fuath agam di/Tá fuath agam uirthi;
11. Tá eagla air rompu; 12. Chuir mé litir chucu;
13. Rinne siad gearán fúithi; 14. Braitheann siad uathu go
mór mé; 15. Rinne mé gar dóibh; 16. Bhí náire orthu;
17. Bhí sé ag magadh fúithi/uirthi; 18. Bhí siad ag magadh
fúinn/orainn; 19. Tá coinne agam leo; 20. Bheannaigh mé
dó

Aonad 21

Cleachtadh 21.1
1. Is dócha gurb í Aoife is cúis leis; 2. Ceapaim gur plean
maith é; 3. Deirtear gur amhránaí maith í; 4. Ceapaim gurb
uafásach an rud é; 5. Measaim gur le Bríd é; 6. Measaim
gurb ea; 7. Is cosúil gur as an Ísiltír í; 8. Deirtear gurb
iadsan a dhéanann an obair ar fad; 9. Sílim gur leosan an
teach; 10. Deirtear gur uirthise atá an locht; 11. Sílim gur
maith an rud é; 12. Is cosúil gurb amhlaidh atá an scéal

Cleachtadh 21.2
1. Is í/Ní hí; 2. Is ea/Ní hea; 3. Is chugam/Ní chugam;
4. Is breá/Ní breá; 5. Is ea/Ní hea; 6. Is iad/Ní hiad;
7. Is ea/Ní hea; 8. Is aoibhinn/Ní aoibhinn; 9. Is dó/Ní dó;
10. Is ea/Ní hea; 11. Is mé/Ní mé; 12. Is é/Ní hé

Cleachtadh 21.3
1. An leatsa iad seo? Is liom/Ní liom; 2. An é Cathal do
dhearthair? Is é/Ní hé; 3. Nach í sin Joanne thall ansin?
Is í/Ní hí; 4. An Francach é? Is ea/Ní hea; 5. An iad sin na
cinn atá uainn? Is iad/Ní hiad; 6. An tusa an rúnaí? Is mé/
Ní mé; 7. Nach tusa iníon Mháire? Is mé/Ní mé; 8. An
duine ionraic í? Is ea/Ní hea; 9. An é *Ros na Rún* an clár
teilifíse is fearr leat? Is é/Ní hé; 10. An é seo mo pheannsa?
Is é/Ní hé; 11. Nach meicneoir é Máirtín? Is ea/Ní hea;
12. An múinteoirí maithe iad? Is ea/Ní hea

Cleachtadh 21.4
1. Dúirt sé gurbh amhránaí maith í; 2. Ar dheirfiúracha
iad?; 3. Ar dhuine deas é Seoirse?; 4. Chuala mé gurbh
í Síle a bhí ceaptha mar bhainisteoir; 5. Ba iadsan a
dhéanadh an obair go léir; 6. Dúirt Dónall gurbh fhear
cairdiúil é an príomhoide; 7. Dúirt Seosaimhín gur dhuine
fial é Eoin; 8. Ar chairde iad nuair a bhí siad ag éirí aníos?;
9. Ar cheoltóir é Tomás freisin?; 10. Dúradh gurbh iad
Ciarán agus Gearóid an bheirt ab fhearr sa rang

Cleachtadh 21.5
1. Ba bhean dheas í; 2. Ar dhuine díograiseach é?;
3. Ba í Síle an rúnaí; 4. Níorbh é Liam a rinne an obair;
5. B'iontach an lá é; 6. Ba dheirfiúracha iad Michelle agus
Deirdre; 7. Nár chairde iad an bheirt sin?; 8. Arbh é do
chara é?; 9. Ba é Breandán a uncail; 10. B'fhiú duit é a
cheannach

Cleachtadh 21.6
1. Ba í/Níorbh í; 2. Ba ea/Níorbh ea; 3. Ba ea/Níorbh ea;
4. Ba iad/Níorbh iad; 5. Ba é/Níorbh é; 6. B'aoibhinn/
Níorbh aoibhinn; 7. B'fhearr/Níorbh fhearr; 8. Ba ea/
Níorbh ea; 9. Ba iad/Níorbh iad; 10. Ba é/Níorbh é

Aonad 22

Cleachtadh 22.1
1. Mura gcuirfimis an t-airgead chuige, bheadh fearg air;
2. Dá gceannódh sé carr nua, ní bheadh fadhbanna ar bith
aige; 3. An ólfá deoch?; 4. An gceannófá ceann domsa?;
5. Shábhálfaimis a lán airgid dá mbeadh téamh lárnach
againn; 6. Mura sábhálfainn airgead i rith an tsamhraidh,
bheinn bocht anois; 7. An léifeá an uimhir sin amach arís
dom, le do thoil; 8. Thaispeánfainn an leabhar duit dá
mbeadh sé liom; 9. Shuífeá ag éisteacht leis an oíche ar
fad; 10. Dá bhfoghlaimeoidís na dánta i gceart, ní bheadh
fadhb ar bith acu sa scrúdú

Cleachtadh 22.2
1. an molfá; 2. dá gcuirfidís; 3. dá gceannóimis, ní bheadh;
4. an gceannódh sibh, dá mbeadh; 5. d'imreoimis, dá
mbeadh; 6. ní chuirfimis; 7. d'imeodh sé, dá mbeadh;
8. thaispeánfainn; 9. dá léifidís, thuigfidís; 10. bheimis,
dá dtarlódh; 11. nach dtiomáinfidís;
12. ní fhoghlaimeoimis, mura mbeadh

Cleachtadh 22.3
1. Bheadh fearg air dá ndéarfainn sin; 2. Bheadh sí
míshásta mura gceannóinn bronntanas di; 3. Mura ndéarfá
tada, ní bheadh a fhios acu go deo; 4. Dá dtiocfaidís
anseo in am, ní bheadh fadhb ar bith ann; 5. Dá n-íosfá
do dhinnéar, ní bheadh ocras ort anois; 6. Dá ndéanfadh
sí níos mó oibre, d'éireodh níos fearr/ní b'fhearr léi sna
scrúduithe; 7. Bhí siad ag súil go gcloisfidís é ag canadh
beo; 8. Mura rachaimis chuig na léachtaí, bheadh an cheist
sin deacair; 9. Bhí sé ag súil go ndéanfainnse an obair go

léir; 10. Bhí sí ag súil go bhfaigheadh sí litir uaim

Cleachtadh 22.4
1. Dá rachainn leis go Gaillimh, chaillfinn cúig léacht;
2. Bhí siad ag súil go mbeadh sí ansin ar a hocht gach
maidin; 3. Ar mhaith leat go bhfaighidís leabhair nua nó
an bhfuil na cinn athláimhe ceart go leor?; 4. Ní íosfaidís
an dinnéar; 5. Mura dtiocfadh sibh bhí sé i gceist agam
glaoch ar bhur n-árasán; 6. Ar mhaith leat go rachaimis
leat?; 7. Ní bheimis déanach dá bhfágfaimis in am;
8. Dá bhfeicfidís ansin é, bheadh imní orthu; 9. Buíochas
le Dia go bhfuaireamar an t-airgead. Mura bhfaighimis é,
ní bheimis in ann dul amach ag an deireadh seachtaine;
10. Ní bheadh sí róshásta mura n-íosfainn an dinnéar go
léir

Cleachtadh 22.5
1. Má fheiceann sí anseo mé, beidh fearg uirthi; 2. Má
thagann sí ar ais gan mhoill, abair léi/iarr uirthi glaoch
orm; 3. Má fheiceann tú Mairéad, abair léi glaoch orm;
4. Mura dtagann sé amárach, glaofaidh mé air arís;
5. Má chuireann sí ceist ort, ná freagair í; 6. Má fuair sé dhá
mhíle euro ar a charr, fuair sé barraíocht (an iomarca);
7. Má chaill siad an t-airgead, beidh siad i dtrioblóid;
8. Mura dtugann siad go leor airgid dó, fágfaidh sé an
post; 9. Má fhaigheann tú cóip, seol ceann chugam;
10. Mura bhfaigheann tú cóip, ná bí buartha; 11. Mura
dtéim go Gaillimh amárach, rachaidh mé maidin Dé
Sathairn; 12. Má bhí sibh i láthair, ní fhaca mé sibh; 13. Má
dúirt sé é sin, níor chuala mé é; 14. Má fuair sé an post,
níor chuala mise faoi; 15. Má d'fhan sí déanach, níor thug
mise faoi deara í

Aonad 23

Cleachtadh 23.1
1. Gortaíodh/Níor gortaíodh; 2. Glantar/Ní ghlantar;
3. Baileofar/Ní bhaileofar; 4. Chonacthas/Ní fhacthas;
5. Cloistear/Ní chloistear; 6. D'ionsófaí/Ní ionsófaí;
7. Rinneadh/Ní dhearnadh; 8. Íosfar/Ní íosfar;
9. Moltar/Ní mholtar; 10. Thaispeántaí/Ní thaispeántaí;
11. Rachfar/Ní rachfar; 12. D'íoctaí/Ní íoctaí

Cleachtadh 23.2
1. Ar caitheadh ...?; 2. An imrítear ...?; 3. An ndeirtí ...?;
4. An bhfuarthas ...?; 5. An ití ...?; 6. Ar thángthas ...?;
7. An ionsaítí ...?; 8. An mbailítear ...?; 9. An inseofar ...?;
10. An ndéanfaí ...?; 11. An bhfaighfí ...?; 12. An dtugtar ...?

Cleachtadh 23.3
Aimsir chaite: níor glanadh, sábháladh, fágadh
Aimsir ghnáthchaite: deirtí, ní bhailítí, thugtaí
Aimsir láithreach: íoctar, ní shábháiltear, ní fhágtar
Aimsir fháistineach: ionsófar, ceiliúrfar, ní thaispeánfar
Modh coinníollach: d'ionsófaí, gheofaí, ní bheifí

Cleachtadh 23.4
1. Rinneadh faillí san obair; 2. An bhfacthas í le déanaí? Ní
fhacthas; 3. Thugtaí a lán cabhrach/cuidithe dom; 4. Tá mé
cinnte go molfar duit tabhairt faoin obair; 5. Ní bhfuarthas
aon fhianaise ina choinne; 6. Níor rugadh ar na coirpigh
sin fós agus tá mé cinnte nach mbéarfar orthu go deo;
7. Ceannaítear agus léitear a lán leabhar um Nollaig;
8. Níor maraíodh aon duine sa timpiste ach gortaíodh
triúr go dona; 9. Ní chríochnófar an obair in am; 10. Tá
mé cinnte go n-imreofar an cluiche roimh dheireadh an
tsamhraidh

Aonad 24

Cleachtadh 24.1
1. braite; 2. cloiste; 3. ite; 4. pógtha; 5. léimthe; 6. siúlta;
7. tagtha; 8. fógartha; 9. taispeánta; 10. coisricthe;
11. faighte; 12. ardaithe; 13. treafa; 14. achtaithe; 15. croite;
16. cíortha; 17. léite; 18. caite; 19. deighilte; 20. imeartha

Cleachtadh 24.2
1. ag seinm; 2. ag codladh; 3. ag fágáil; 4. ag tuiscint;
5. ag bua; 6. ag éirí; 7. ag tiomáint; 8. ag maisiú;
9. ag titim; 10. ag teip; 11. ag cur; 12. ag cloisteáil;
13. ag scanrú; 14. ag úsáid; 15. ag taisteal; 16. ag ligean;
17. ag freastal; 18. ag leanúint; 19. ag dó; 20. ag leagan

Cleachtadh 24.3
1. ag déanamh na hoibre; 2. ag déanamh obair mhaith;
3. ag ithe aráin; 4. ag ithe an aráin; 5. ag ithe arán donn;
6. Tá mé ag iarraidh an obair sin a chríochnú; 7. Tá sé ar
intinn aige an teach sin a cheannach; 8. Tá sí ag iarraidh an
scannán nua sin a fheiceáil; 9. Caithfidh mé an t-urlár a ní;
10. Caithfidh sí an teach a ghlanadh

Cleachtadh 24.4
1. Tá an tuarascáil á plé acu le cúpla lá anois; 2. Tá
cumhachtaí speisialta á dtabhairt acu do na póilíní ar
bhonn rialta; 3. Tá bainisteoirí á n-earcú acu i láthair na
huaire; 4. Tá an t-ionad nua á oscailt go hoifigiúil ag an
Aire inniu; 5. Tá an bhratach á hardú acu anois díreach;
6. Tá an teach á athchóiriú acu; 7. Tá na pleananna sin
á ndéanamh againn faoi láthair; 8. Tá mé cinnte go bhfuil
an fear sin á cheistiú acu mar gheall ar na coireanna;
9. Is dócha go bhfuil an scéal sin á fhiosrú aici; 10. Tá an
fhadhb sin á seachaint acu

Aonad 25

Cleachtadh 25.1
1. Shábháladh/Ní shábháladh; 2. Dhódh/Ní dhódh;
3. Thiomáininn/Ní thiomáininn; 4. D'fhoghlaimíodh/Ní
fhoghlaimíodh; 5. D'fhaigheadh/Ní fhaigheadh;
6. Thagainn/Ní thagainn; 7. D'fhreastalaíodh/Ní
fhreastalaíodh; 8. Deireadh/Ní deireadh; 9. D'fhaighinn/
Ní fhaighinn; 10. D'fheiceadh/Ní fheiceadh

Cleachtadh 25.2
1. An dtugadh sí...?; 2. An iteá ...?; 3. An bhfaighteá ...?;
4. An léidís ...?; 5. An mbailíodh sé ...?; 6. An imíodh sibh
...?; 7. An dtaispeánadh sé ...?; 8. An imríodh sí ...?; 9. An
ndeiridís ...?; 10. An insíteá ...?; 11. An dtiomáineadh sibh
...?; 12. An bhfreastalaíodh sí ...?; 13. An dtéiteá ...?;
14. An óltá ...?; 15. An gcosnaíodh sé ...?

Cleachtadh 25.3
1. ní fhaighinn; 2. ní deireadh sí; 3. ní ithinn; 4. ní ólaidís;
5. ní théimis; 6. ní thiomáineadh sí; 7. ní fhoghlaimínn;
8. ní fheicidís; 9. ní fhreastalaíodh sí; 10. ní imrídís

Cleachtadh 25.4
1. go n-óladh sí; 2. go dtugaidís; 3. go ndeireadh sé;
4. go n-itheadh sé; 5. go dtaispeánaidís; 6. go dtugtá;
7. go bhfaigheadh sé; 8. go bhfeicidís; 9. go n-insíodh sí;
10. go dtéidís

AGUISÍN 1: Díochlaontaí an Ainmfhocail

An chéad díochlaonadh

- Tá na hainmfhocail go léir firinscneach agus críochnaíonn siad ar chonsan leathan.
- Caolaítear an consan deiridh chun an tuiseal ginideach a chumadh.
- Tá lagiolra ag an gcuid is mó de na hainmfhocail, mar sin is ionann foirm don ghinideach iolra agus don ainmneach uatha (e.g. **bád**, thíos).
- Tá tréaniolra ag ainmfhocail eile, mar sin is ionann foirm don ghinideach iolra agus don ainmneach iolra (e.g. **carr**, thíos).
- Is ionann foirm don tuiseal gairmeach uatha agus don tuiseal ginideach uatha.
    Eisceachtaí:
    (i) cnuasainmneacha (e.g. **a phobal**)
    (ii) téarmaí ceana (e.g. **a rún**, **a stór**, **a leanbh**)

Uatha		Iolra	
Ainmneach	**Ginideach**	**Ainmneach**	**Ginideach**
an bád	foireann an bháid	na báid	foirne na mbád
an carr	úinéir an chairr	na carranna	ag ní na gcarranna
an t-amhrán	ag canadh an amhráin	na hamhráin	ag foghlaim na n-amhrán
an sagart	teach an tsagairt	na sagairt	tithe na sagart

An dara díochlaonadh

- Tá na hainmfhocail sa dara díochlaonadh baininscneach agus críochnaíonn siad ar chonsan.
    Seo iad na trí eisceacht atá firinscneach: **im**, **sliabh**, **teach**.
- Leis an nginideach uatha a chumadh:
    (i) Cuirtear -**e** le hainmfhocail a chríochnaíonn ar chonsan caol.
    (ii) Déantar consain leathana ag deireadh ainmfhocal a chaolú agus cuirtear -**e** leo.
    (iii) Athraítear -**ach** ag deireadh ainmfhocal ina -**aí** agus athraítear -**each** ina -**í**.
- Críochnaíonn na hainmfhocail a bhfuil lagiolra acu ar -**a** (e.g. **fuinneog**, thíos).
- Críochnaíonn na hainmfhocail a bhfuil tréaniolra acu ar -**anna**, -**í**, -**acha**, -**eacha**, -**ta**, -**te**, -**tha** (e.g. **tuairisc**, thíos).
- Is ionann foirm don ghairmeach uatha agus don ainmneach uatha.

Uatha		Iolra	
Ainmneach	**Ginideach**	**Ainmneach**	**Ginideach**
an fhuinneog	dath na fuinneoige	na fuinneoga	dath na bhfuinneog
an tuairisc	deireadh na tuairisce	na tuairiscí	ag críochnú na dtuairiscí
an oifig	doras na hoifige	na hoifigí	ag glanadh na n-oifigí
an tsráid	barr na sráide	na sráideanna	cúinní na sráideanna

An tríú díochlaonadh

- Tá ainmfhocail fhirinscneacha agus bhaininscneacha sa tríú díochlaonadh.
- Cuirtear **-a** le foirm an ainmnigh uatha (tar éis an t-ainmfhocal a leathnú, más gá) leis an nginideach uatha a chumadh.
- Tá tréaniolra ag beagnach gach ainmfhocal sa díochlaonadh seo.
- Is ionann foirm don ghairmeach uatha agus don ainmneach uatha.

Uatha		Iolra	
Ainmneach	**Ginideach**	**Ainmneach**	**Ginideach**
an cainteoir	argóintí an chainteora	na cainteoirí	argóintí na gcainteoirí
an eagraíocht	baill na heagraíochta	na heagraíochtaí	baill na n-eagraíochtaí
an t-aisteoir	ról an aisteora	na haisteoirí	ag moladh na n-aisteoirí
an saighdiúir	pá an tsaighdiúra	na saighdiúirí	bás na saighdiúirí

An ceathrú díochlaonadh

- Tá ainmfhocail fhirinscneacha agus bhaininscneacha sa cheathrú díochlaonadh.
- Tá formhór na n-ainmfhocal a chríochnaíonn ar ghuta sa díochlaonadh seo.
- Tá na hainmfhocail a chríochnaíonn ar **-ín** sa cheathrú díochlaonadh chomh maith.
- Tá an fhoirm chéanna ag gach tuiseal san uimhir uatha, agus tá an fhoirm chéanna ag gach tuiseal san uimhir iolra.

Uatha		Iolra	
Ainmneach	**Ginideach**	**Ainmneach**	**Ginideach**
an balla	dath an bhalla	na ballaí	ag tógáil na mballaí
an chomhairle	obair na comhairle	na comhairlí	baill na gcomhairlí
an cailín	cairde an chailín	na cailíní	scoileanna na gcailíní
an t-oibrí	dualgais an oibrí	na hoibrithe	coinníollacha na n-oibrithe
an siopa	úinéir an tsiopa	na siopaí	úinéirí na siopaí

An cúigiú díochlaonadh

- Tá formhór na n-ainmfhocal sa chúigiú díochlaonadh baininscneach (níl ann ach cúpla eisceacht) agus críochnaíonn siad ar chonsan caol (**-il**, **-in**, **-ir**) nó ar ghuta.
- Tarlaíonn coimriú sa ghinideach i gcás ainmfhocal ilsiollach (cailltear guta nó dhó) agus cuirtear **-ach** nó **-each** leo.
- Is ionann foirm don ghairmeach uatha agus don ainmneach uatha.

Uatha		Iolra	
Ainmneach	Ginideach	Ainmneach	Ginideach
an riail	ag briseadh na rialach	na rialacha	ag briseadh na rialacha
an abhainn	ainm na habhann	na haibhneacha	bruacha na n-aibhneacha
an chathair	muintir na cathrach	na cathracha	daonra na gcathracha
an t-athair	post an athar	na haithreacha	ag cáineadh na n-aithreacha
an tsiúr	ord na siúrach	na siúracha	obair na siúracha

AGUISÍN 2: Logainmneacha

Cúigí agus contaetha na hÉireann

Na cúigí

Connachta	Cúige Chonnacht
Laighin	Cúige Laighean
An Mhumhain	Cúige Mumhan
Ulaidh	Cúige Uladh

Na contaetha

Cúige Chonnacht

Gaillimh	Contae na Gaillimhe
Liatroim	Contae Liatroma
Maigh Eo	Contae Mhaigh Eo
Ros Comáin	Contae Ros Comáin
Sligeach	Contae Shligigh

Cúige Laighean

Baile Átha Cliath	Contae Bhaile Átha Cliath
Ceatharlach	Contae Cheatharlach
Cill Chainnigh	Contae Chill Chainnigh
Cill Dara	Contae Chill Dara
Cill Mhantáin	Contae Chill Mhantáin
An Iarmhí	Contae na hIarmhí
Laois	Contae Laoise
Loch Garman	Contae Loch Garman
An Longfort	Contae an Longfoirt
Lú	Contae Lú
An Mhí	Contae na Mí
Uíbh Fhailí	Contae Uíbh Fhailí

Cúige Mumhan

Ciarraí	Contae Chiarraí
An Clár	Contae an Chláir
Corcaigh	Contae Chorcaí
Luimneach	Contae Luimnigh
Port Láirge	Contae Phort Láirge
Tiobraid Árann	Contae Thiobraid Árann

Cúige Uladh

Aontroim	Contae Aontroma
Ard Mhacha	Contae Ard Mhacha
An Cabhán	Contae an Chabháin
Doire	Contae Dhoire
An Dún	Contae an Dúin
Dún na nGall	Contae Dhún na nGall
Fear Manach	Contae Fhear Manach
Muineachán	Contae Mhuineacháin
Tír Eoghain	Contae Thír Eoghain

Tíortha agus príomhchathracha an Aontais Eorpaigh

An Bheilg	An Bhruiséil
An Bhulgáir	Sóifia
An Chipir	An Niocóis
An Chróit	Ságrab
An Danmhairg	Cóbanhávan
An Eastóin	Taillinn
Éire	Baile Átha Cliath
An Fhionlainn	Heilsincí
An Fhrainc	Páras
An Ghearmáin	Beirlín
An Ghréig	An Aithin
An Iodáil	An Róimh
An Ísiltír	Amstardam
An Laitvia	Ríge
An Liotuáin	Vilnias
Lucsamburg	Lucsamburg
Málta	Vaileite
An Ostair	Vín
Poblacht na Seice	Prág
An Pholainn	Vársá
An Phortaingéil	Liospóin
An Ríocht Aontaithe	Londain
An Rómáin	Búcairist
An tSlóivéin	Liúibleána
An tSlóvaic	An Bhratasláiv
An Spáinn	Maidrid
An tSualainn	Stócólm
An Ungáir	Búdaipeist

Foinsí eolais

Tá liosta cuimsitheach de thíortha an domhain le fáil ar an suíomh www.focal.ie. Cliceáil ar na focail "Liostaí Aibítreacha • Alphabetical Listings" ar an leathanach baile agus, sa leathanach a osclóidh, roghnaigh "de réir bailiúcháin" agus "Ainmneacha Tíortha" sna liostaí anuas.

Tá mioneolas maidir le háitainmneacha na hÉireann le fáil ar an suíomh www.logainm.ie.

AGUISÍN 3: Áiseanna ar an nGréasán agus Ríomhchláir

1. focal.ie

Tá bunachar sonraí de théarmaí Gaeilge cruthaithe ag Fiontar, Ollscoil Chathair Bhaile Átha Cliath, agus é ar fáil ag www.focal.ie. Tá beagnach 170,000 téarma Gaeilge agus breis is 160,000 téarma Béarla ann, mar aon le thart ar 7,000 téarma i dteangacha eile, agus iad inchuardaithe faoi na leaganacha Gaeilge agus Béarla.

Cuirtear aistriúchán ar fáil i gcás gach téarma, mar aon le heolas faoi ghramadach na bhfocal Gaeilge agus téarmaí gaolmhara. Tá gluaiseanna breise ar fáil i mbosca ag bun an leathanaigh agus an téarma á úsáid i gcomhthéacs le feiceáil ann.

Tá liostaí cuimsitheacha ag baint le réimsí difriúla le fáil ach cliceáil ar "Liostaí Aibítreacha • Alphabetical Listings" ar leathanach baile focal.ie.

2. focloir.ie

Is foclóir Béarla–Gaeilge ar líne é focloir.ie, ach is féidir cuardach Gaeilge a dhéanamh ann freisin. Tá comhaid fuaime sna trí phríomhchanúint in aice le go leor de na hiontrálacha san fhoclóir agus tá eolas tugtha faoi ghramadach roinnt mhaith de na focail freisin.

Tá aistriúchán le fáil ar focloir.ie ar go leor frásaí agus coincheap Béarla nach bhfuil teacht ar leagan Gaeilge díobh áit ar bith eile. Tá ábhar níos nua-aimseartha ar fáil ann ná mar atá in WinGléacht ná in *English-Irish Dictionary* de Bhaldraithe, agus tá cora cainte ann nach bhfuil ar fáil sa bhunachar téarmaíochta focal.ie.

Agus an cuntas seo á scríobh, níl ach líon teoranta focal ar fáil ar an suíomh. Táthar ag cur le focloir.ie de réir a chéile, áfach, agus táthar ag súil go mbeidh ábhar iomlán an fhoclóra ar líne faoi dheireadh 2014.

3. An Foclóir Beag

Is foclóir Gaeilge-Gaeilge ar líne é An Foclóir Beag (www.csis.ul.ie/focloir) ach tá eolas cuimsitheach le fáil ann faoi ghnéithe éagsúla de ghramadach na Gaeilge, iad seo ina measc:

- Ainmfhocail: Tugtar inscne agus sainmhíniú i nGaeilge; an tuiseal ainmneach uatha agus iolra; an tuiseal ginideach uatha agus iolra.
- Aidiachtaí: Tugtar ainmneach uatha agus iolra; ginideach uatha, firinscneach agus baininscneach; ginideach iolra; breischéim agus sárchéim.
- Briathra: Tugtar na haimsirí agus na modhanna ar fad; an briathar saor; an t-ainm briathartha; an aidiacht bhriathartha; foirmeacha dearfacha, diúltacha agus ceisteacha.

4. acmhainn.ie

Is láithreán áiseanna do lucht na Gaeilge é acmhainn.ie. Tá neart áiseanna éagsúla ar fáil air, iad seo ina measc:

- oll-liosta inchuardaithe de théarmaí nua-aimseartha Gaeilge
- leabhair atá as cló le fada curtha ar fáil arís
- liosta de naisc chuig suíomhanna éagsúla ag baint le téarmaíocht, aistriúchán, ceartúsáid na Gaeilge, bogearraí, etc.

Ceann de na rudaí is úsáidí ar an suíomh ná fóram ríomhphoist inar féidir le daoine comhairle a iarraidh agus ceisteanna a chur ar a chéile faoi ghnéithe d'úsáid na Gaeilge. De bharr go seolann baill an fhóraim oiread teachtaireachtaí gach lá, is fiú cuntas speisialta ríomhphoist a chruthú don fhóram seo amháin.

5. InterActive Terminology for Europe

Is bunachar sonraí é IATE (http://iate.europa.eu) de théarmaí dlí agus de shaintéarmaíocht a bhaineann le hobair institiúidí an Aontais Eorpaigh i dteangacha éagsúla de chuid an Aontais, an Ghaeilge ina measc.

6. WinGléacht

Is leagan leictreonach é WinGléacht de *Foclóir Gaeilge–Béarla* Néill Uí Dhónaill agus é curtha in oiriúint le húsáid le córas oibriúcháin Microsoft Windows.

Tá na ceannfhocail uile san fhoclóir le fáil sa leagan seo móide 25% de na habairtí samplacha. Luaitear eolas cuimsitheach gramadaí le gach ceannfhocal, e.g. aimsirí na mbriathra, tuisil na n-ainmfhocal agus na n-aidiachtaí. Is féidir áiseanna cuardaigh Gaeilge–Béarla agus Béarla–Gaeilge móide córas cuardaigh saoróg a úsáid chun teacht ar an bhfocal atá uait. Le ceannach ar www.siopa.ie.

7. GaelSpell

Is seiceálaí litrithe é GaelSpell a bhfuil breis is 300,000 iontráil ann.

Oibríonn GaelSpell le ríomhchláir éagsúla de chuid Microsoft, mar Word, Outlook, FrontPage agus PowerPoint. Agus GaelSpell á úsáid agat, nuair atá tú ag clóscríobh cuirtear líne dhearg faoi aon fhocail nach bhfuil litrithe i gceart sa Bhéarla nó sa Ghaeilge. Le ceannach ar www.siopa.ie.

8. Ceart

Is seiceálaí gramadaí é Ceart. Aithníonn an t-inneall gramadaí sleachta a bhfuil an chuma orthu go bhfuil botúin iontu agus cuireann sraith fuinneog eolais é sin ar shúile an úsáideora. Déantar na frásaí agus na focail a bhfuil amhras fúthu a aibhsiú agus baintear feidhm as teachtaireacht ghairid chun cur síos achomair a dhéanamh ar an bhfadhb.

Is pacáiste bogearraí saorsheasaimh é Ceart. Tá comhéadan úsáideora an phacáiste deartha sa chaoi is gur féidir téacs ó bhogearra ar bith eile a chóipeáil agus a ghreamú isteach ann. Le ceannach ar www.siopa.ie.

9. ranganna.com

Is suíomh ríomhfhoghlama agus cianfhoghlama Gaeilge é ranganna.com. Tá réimse leathan cúrsaí ar fáil ar an suíomh agus, de bhrí gur cúrsaí idirghníomhacha iad, is féidir le foghlaimeoirí a bheith ag obair go neamhspleách ar mhúinteoir. Seo cuid de na cúrsaí atá ar an suíomh:

- cúrsa cruinnis atá bunaithe ar ábhar an leabhair seo
- cúrsaí ginearálta teanga do dhaoine atá ag iarraidh an Ghaeilge a fhoghlaim nó atá ag iarraidh feabhas a chur ar a gcuid Gaeilge
- sainchúrsaí chun freastal ar riachtanais dreamanna éagsúla, iad seo ina measc: fostaithe de chuid na hearnála poiblí; daoine atá ag dul faoi agallamh i nGaeilge; abhcóidí faoi oiliúint; agus dlítheangeolaithe
- cúrsaí do mhúinteoirí bunscoile ar cúrsaí iad a bhfuil aitheantas tugtha ag an Roinn Oideachais agus Scileanna dóibh.

Tá fáil ag na foghlaimeoirí uile ar fhóram plé, áit ar féidir leo dul i dteagmháil lena chéile agus le foireann Ghaelchultúir.

Bronnadh an Séala Eorpach Teanga ar ranganna.com in 2009. Tugtar aitheantas leis an duais seo do shlite cruthaitheacha nuálacha chun feabhas a chur ar chaighdeán múinte agus foghlama teanga.

10. aistear.ie

Tá sé mar aidhm ag an suíomh gréasáin aistear.ie cabhrú le daoine feabhas a chur ar a gcuid Gaeilge scríofa, agus sainscileanna na heagarthóireachta agus an aistriúcháin a fhorbairt.

I measc na n-ábhar atá ar an suíomh, tá cleachtaí aistriúcháin agus eagarthóireachta, cartlann téacsanna tábhachtacha a bhaineann leis an nGaeilge, agus bunachar de na hearráidí agus de na pointí deacrachta is coitianta sa Ghaeilge. Cuirtear le hábhar an tsuímh go míosúil.

Ceann de na nithe is úsáidí ar aistear.ie ná an rannóg dar teideal "Cruinneas" ar cnuasach aibítreach é de na focail agus de na struchtúir ghramadaí is minice a bhaineann tuisle as lucht na Gaeilge: focail Ghaeilge a úsáidtear sa chiall mhícheart, coincheapa Béarla atá deacair a aistriú, lochtanna stíle, trasnáil ón mBéarla agus a lán eile.

11. siopa.ie

Is siopa ar líne é siopa.ie a chuireann ar chumas daoine ó gach cearn den domhan earraí a bhaineann leis an nGaeilge agus leis an gcultúr Gaelach a cheannach.

12. Tusa agus do Ríomhaire

Tá tuilleadh comhairle agus eolais faoi acmhainní éagsúla teicneolaíochta don Ghaeilge ar fáil sa chúrsa *Tusa agus do Ríomhaire* ar shuíomh ríomhfhoghlama Ghaelchultúir, ranganna.com.

Tá sé mar aidhm ag an gcúrsa seo eolas a chur ar fáil do dhaoine a chuirfidh ar a gcumas:

- obair a dhéanamh gan dua ar an ríomhaire trí mheán na Gaeilge
- úsáid éifeachtach a bhaint as na bogearraí agus as an réimse leathan áiseanna Gaeilge atá ar fáil ar líne anois.

Is féidir triail a bhaint as aonad samplach den chúrsa saor in aisce ar ranganna.com.

AGUISÍN 4: Cúrsaí Poncaíochta

Is é atá le fáil san aguisín seo ná an stíl tí atá ag Gaelchultúr maidir le poncaíocht. I gcás gnéithe áirithe den phoncaíocht, áfach, is minic a bhíonn níos mó ná féidearthacht amháin i gceist. Nuair a bhíonn sé sin amhlaidh, ní mór nós amháin a roghnú agus cloí go docht leis sin chun comhleanúnachas a chinntiú.

1. Spásáil

(a) Ní bhíonn ach spás amháin tar éis na nithe seo:

> camóg (,), lánstad (.), idirstad (:), leathstad (;), comhartha ceiste (?), comhartha uaillbhreasa (!)

(b) Bíonn spás amháin roimh dhais (–) agus ina diaidh.

> Bhí an mac ab óige – a bhí cúig bliana déag ag an am – in éineacht léi.

(c) Ní bhíonn aon spás roimh shlais (/) ná ina diaidh de ghnáth.

> muintir an tuaiscirt/an deiscirt

Bíonn spás i gceist, áfach, nuair a thagann slais idir línte dáin.

2. Lánstad

(a) Ní chuirtear lánstad go hiondúil le nod (i.e. leagan giorraithe d'fhocal atá comhdhéanta de chéad litir [nó de chéad litreacha] agus litir dheireanach an fhocail).

> an Dr Peadar Ó Sé
> an tSr Bríd

Moltar ar an suíomh focal.ie lánstad a úsáid i gcás na nod seo, áfach:

> lch. 25
> lgh. 33-39

(b) Ní bhíonn lánstad tar éis coimriúchán aibítre ná acrainmneacha.

> uimhir ghutháin CONCOS
> cláir an BBC
> imreoirí CLG

(c) Cuirtear lánstad tar éis foirceannann (i.e. focail a bhfuil an deireadh gearrtha díobh) de ghnáth.

> Co. Shligigh
> An tUas. Ó Baoill
> An tOll. Breandán Ó Buachalla

3. Camóg

(a) Baintear úsáid as camóg tar éis réamhfhrásaí mar seo:

> Nuair a bhí an obair déanta agam, d'fhág mé an foirgneamh.
> Más mian leat suíochán a fháil, bí ansin go luath.
> Tar éis dom an aiste a chríochnú, chuaigh mé ag siopadóireacht.

(b) Baintear úsáid as dhá chamóg i lár abairte nuair a bhíonn clásal nó frása i gceist nach bhfuil riachtanach do bhrí na habairte.

> Beidh Síle, a bhfuil beirt pháistí aici, i measc na ndaoine a labhróidh ag an gcruinniú.
> Is minic a bhíonn siad an-dána. An iarraidh seo, áfach, tá siad tar éis dul thar fóir.

(c) Ní úsáidtear camóga i gcás nithe atá riachtanach do bhrí abairte.

> Tá an leabhar a fuair mé ar iasacht uait go hiontach.
> Chaill an t-iarrthóir a bhailigh an t-airgead go léir an toghchán.

(d) Cuirtear camóg idir míreanna i liosta ach ní gnách camóg a úsáid roimh **agus**, **nó** ná **ná** ag deireadh liosta.

> Dúirt sí go mbeadh níos mó drámaí, ceolchoirmeacha agus féilte ar siúl le linn an tsamhraidh as seo amach.
> Rachaidh sí ansin i mí Iúil, i mí Lúnasa nó i mí Mheán Fómhair.

(e) Baintear úsáid as camóga idir áitainmneacha, laethanta agus dátaí, seoltaí (seachas uimhir agus ainm sráide), agus teidil a théann le hainmneacha.

> Ainmníodh Birmingham, Alabama, as Birmingham, Sasana.
> Beidh an cheolchoirm ar siúl Dé Sathairn, 12 Nollaig 2015.
> Cé atá ina chónaí ag 1600 Pennsylvania Avenue, Washington, DC?
> Beidh Séamas Ó Murchú, TD, i láthair ag an ócáid.

(f) Ní bhíonn camóg i gceist nuair a bhíonn an mhí agus an bhliain le chéile in abairt mar seo:

> Beidh sí ar ais i mbun a cuid dualgas ó mhí Iúil 2016 ar aghaidh.

(g) Baintear úsáid as camóg roimh chomhartha athfhriotail.

> Dúirt sí liom agus mé ag imeacht, "Ní fheicfidh mé go deo arís thú."
> "D'éirigh liom," a dúirt sí, "an obair a chríochnú."

4. Idirstad

Baintear úsáid as an idirstad nuair a bhíonn liosta rudaí i gceist nó nuair a bhíonn eolas breise i gceist maidir le rud éigin a dúradh ag tús na habairte.

> Dírítear ar na gnéithe seo den ghramadach san alt: an tuiseal ginideach, foirm an ainmnigh in ionad an ghinidigh agus na huimhreacha sa Ghaeilge.
> Thug siad cuairt ar thrí chathair éagsúla agus iad in Éirinn: Baile Átha Cliath, Corcaigh agus Béal Feirste.
> Chuir sé comhairle mhaith orm am amháin: gan a bheith buartha faoi rudaí nach bhfuil smacht ar bith agam orthu.

5. Leathstad

(a) Baintear úsáid as leathstad le clásail neamhspleácha a cheangal le chéile atá róghaolmhar le chéile ó thaobh brí de le lánstad a chur eatarthu.

> Tá cleachtaí boilg go maith dóibh siúd ar mian leo pianta droma a sheachaint; tá sé tábhachtach suí i gceart chomh maith.
> Mhol na comhairleoirí ceithre leasú; ar an drochuair, níl ach ceann amháin acu curtha i bhfeidhm go dtí seo.

(b) Nuair a bhíonn liosta i gceist ina bhfuil camóg taobh istigh d'eilimintí an liosta sin, ba cheart leathstadanna seachas camóga a úsáid chun na heilimintí sin a scaradh óna chéile.

Seo iad na ceoltóirí atá sa ghrúpa: Peadar Ó Briain, giotár agus fidil; Muireann Nic Néill, sacsafón; agus Caoimhe Ní Mhurchú, drumaí.

6. Comharthaí athfhriotail

(a) Baintear úsáid as ceannlitir i gcás an chéad fhocail nuair a bhíonn abairt iomlán i gceist a dúirt nó a scríobh duine éigin. Ní bhaintear úsáid as ceannlitir mura bhfuil i gceist ach píosa d'abairt.

Dúirt an seanadóir leis na tuairisceoirí, "Níl aon aithne agam ar an Uasal Ó Donnabháin agus ní bhfuair mé aon íocaíocht uaidh riamh."
Dúirt an tAire Ó Murchú go dtógfadh sé "ar a laghad trí bliana" an obair a chur i gcrích.

(b) Má úsáidtear focail mar "a dúirt" chun píosa athfhriotail a roinnt ina dhá chuid, níor cheart ceannlitir a úsáid ag tús an dara cuid den phíosa athfhriotail.

"Is breá liom a bheith i nGleann Cholm Cille," a dúirt sí, "go háirithe nuair a bhíonn aimsir mhaith ann."
ach
"Is breá liom an áit seo!" arsa Siobhán. "Cheannóinn teach anseo dá mbeinn in acmhainn."

(c) Baintear úsáid as comharthaí singile athfhriotail i gcás athfhriotail taobh istigh d'athfhriotal.

Dúirt an Feisire leo siúd a bhí i láthair, "Nuair a labhair mé le Tomás an tseachtain seo caite, dúirt sé, 'Ní éireoidh mé as an bhfeachtas seo go dtí go bhfaighimid cothrom na Féinne'."

(d) Sleachta gearra
Nuair a bhíonn líne amháin as dán i gceist, scríobhtar é mar a scríobhfaí píosa gearr athfhriotail ar bith eile.

Ina dhán "Mending wall", scríobh Robert Frost: "Something there is that doesn't love a wall, / That sends the frozen-ground-swell under it."

(e) Sleachta fada
Má bhíonn trí líne nó níos mó i gceist, tá sé níos fearr é a leagan amach mar seo:

Ina dhán "Mending wall", déanann Robert Frost plé ar thógáil bacainní agus ballaí:

> Before I built a wall I'd ask to know
> What I was walling in or walling out,
> And to whom I was like to give offense.

(f) Baintear úsáid as comharthaí athfhriotail i gcás na nithe seo:

teidil amhrán, gearrscéalta, aistí, dánta agus drámaí aonghnímh;
caibidlí leabhar; ailt i nuachtáin, in irisí agus in irisleabhair;
eipeasóidí de shraitheanna raidió agus teilifíse

(g) Baintear úsáid as cló iodálach i gcás na nithe seo:

leabhair; drámaí a bhfuil trí ghníomh nó níos mó iontu; nuachtáin; irisí; irisleabhair; scannáin; albaim; saothair ealaíne; agus sraitheanna teilifíse agus raidió

(h) Ní bhaintear úsáid as comharthaí athfhriotail nuair a bhítear ag tagairt don Bhíobla ná do théacsanna naofa eile, ná do cháipéisí dlí.

(i) Baintear úsáid as cló iodálach agus focal as teanga eile á úsáid agus as comharthaí athfhriotail i gcás shainmhíniú an fhocail sin.

Is éard is brí leis an bhfocal Fraincise *démodé* ná "as faisean".

(j) Seo an nós atá ann agus rud éigin idir lúibíní ag teacht i ndiaidh comhartha athfhriotail:

> Dúirt Ó Muirí, agus é ag cáineadh easpa gnímh na comhairle, "An aidhm a bhí acu ná gan aon rud a dhéanamh" (24).

7. Uimhreacha

(a) Agus scríbhneoireacht fhoirmiúil i gceist, tá sé níos fearr na huimhreacha 1–20 a scríobh mar fhocail.

> Tá trí dhath i mbratach na hÉireann.
> Tá ceithre iarratasóir déag san iomaíocht don suíochán.

(b) Is féidir uimhreacha níos mó a scríobh mar fhigiúirí, áfach.

> Maraíodh 37 saighdiúir agus gortaíodh suas le 150 eile.
> Tá suas le 6,000 saighdiúir de chuid na Náisiún Aontaithe sa tír faoi láthair.

AGUISÍN 5: Varia

1.   *Réamhfhocal roimh bhliain ar leith*
      Seo mar a scríobhtar an réamhfhocal roimh bhliain ar leith:

> in 1845
> i 1939
> in 2011

2.   *Tréimhse deich mbliana*
      Seo an giorrúchán ba cheart a úsáid chun tréimhse deich mbliana ar leith a chur in iúl agus úsáid á baint as figiúirí:

> na 1920idí
> sna 1940idí

3.   *Iolra acrainmneacha*
      Moltar **-nna** a scríobh má chríochnaíonn an t-acrainm ar ghuta.

> na Ranna Oideachais   na ROnna

Moltar **-anna** a scríobh má chríochnaíonn an t-acrainm ar chonsan.

> na DVDanna

4.   *Dhá ainmfhocal nó trí ainmfhocal faoi réir ag réamhfhocal*
      Nuair a bhíonn dhá ainmfhocal nó trí ainmfhocal faoi réir ag réamhfhocal, is fearr an réamhfhocal a lua roimh gach ceann acu.

> Tá cairde agam i mBaile Átha Cliath, i gCorcaigh agus i nGaillimh.

5.   *Dhá ainmfhocal nó trí ainmfhocal faoi réir ag réamhfhocal + alt*
      Nuair a bhíonn réamhfhocal + alt i gceist, moltar an réamhfhocal agus an t-alt a úsáid roimh gach ainmfhocal.

> Chuir mé an cháipéis chuig an bpríomhfheidhmeannach, chuig an gcathaoirleach agus chuig an rúnaí.

6.   *An réamhfhocal i gcás liosta níos faide*
      Ní gá an réamhfhocal a chur isteach ach aon uair amháin i gcás liosta níos faide.

> Cuirfidh na ciorruithe isteach ar dhochtúirí, banaltraí, fiaclóirí agus radharceolaithe.

7.   *Ní hionann/ní hamháin*
      Cuirtear **h** roimh na forainmneacha **é, í, iad** agus **ea** nuair a leanann siad **ní**. Ní chuirtear **h** roimh ghuta i ndiaidh **ní** ar ainmfhocail, aidiachtaí ná dobhriathra ach amháin i gcorrchás, e.g., ní hamhlaidh, ní hamháin, ní haon naomh é, ní hionann an dá leabhar, ní heol dom a hainm.

8.   *Den chéad uair*
      An leagan ceart ná **den chéad uair**, seachas *__don chéad uair__.

9.   *An athuair*
      An leagan ceart ná **an athuair**, seachas *__in athuair__.

10.   *Araon/Mar aon*
      Is mar aon fhocal amháin a scríobhtar an focal **araon** agus is mar dhá fhocal éagsúla a scríobhtar **mar aon**.

11. *Uair an chloig*
Ba cheart an t-alt **an**, seachas **a**, a úsáid i gcás **uair an chloig**.

12. *An briathar saor 1*
Níl sé ceart aidiacht bhriathartha a úsáid in abairtí mar seo:

> *Bhí an cheist pléite ag an gcruinniú aréir.

Ba cheart briathar saor a úsáid ina leithéid de chás.

> Pléadh an cheist ag an gcruinniú aréir.

13. *An briathar saor 2*
Sa Ghaeilge, is fearr an briathar saor a úsáid agus tagairt á déanamh do nithe neamhbheo.

> *The report criticised members of the board.*
> Cáineadh comhaltaí den bhord sa tuarascáil.

14. *Le*
Tá an réamhfhocal **le** á úsáid go mícheart ar bhonn forleathan sa Ghaeilge anois. Seo samplaí den úsáid mhícheart sin:

> *Tháinig fear le féasóg i mo threo.
> *Tá sé pósta le triúr páistí.
> *Beidh sé fuar amárach le sioc ar maidin.

Seo iad na leaganacha cearta:

> Tháinig fear a raibh féasóg air i mo threo.
> Tá sé pósta agus tá triúr páistí aige.
> Beidh sé fuar amárach agus beidh sioc ann ar maidin.

15. *Ginideach tar éis **gach** agus tar éis na haidiachta sealbhaí*
Ní chuireann **gach** ná an aidiacht shealbhach an ginideach ar ceal.

> ag deireadh gach bliana   ag tús gach lae
> bainis mo dheirféar   cairde mo mhic

16. *Uile*
Séimhítear túschonsain tar éis **uile**.

> gach uile **dh**uine
> gach uile **ph**ost

17. *Áfach*
Ní féidir **áfach** a chur ag tús abairte – ní mór é a chur ag deireadh clásail nó ag deireadh abairte.

18. *Tar éis*
Níl sé ceart **tar éis é sin** a rá ná a scríobh. Seo an leagan is gá a úsáid:

> Ina dhiaidh sin, chuaigh mé abhaile.

19. *Cainníocht ghinearálta*
Ní shéimhítear ainmfhocal a leanann ainmfhocal baininscneach a chuireann cainníocht ghinearálta in iúl. Séimhítear aidiacht a cháilíonn an chéad ainmfhocal sin, áfach.

> acmhainn mhaith grinn
> easpa mhór saineolais

20.   *Cén + ainmfhocal*
Bíonn na gnáthrialacha maidir le hinscne ainmfhocal i gcéist tar éis **cén**, go díreach mar a bhíonn tar éis an ailt.

Firinscneach	Baininscneach
Cén sráidbhaile é sin?	Cén **mh**eánscoil ar fhreastail tú uirthi?
Cén t-am atá sé?	Cén uair a bheidh tú réidh?

21.   *Acrainmneacha*
Moltar sa doiciméad de chuid an Ghúiméad dar teideal "Treoirlínte maidir leis an Stíl Tí" déileáil le hacrainmneacha amhail is dá mba ainmfhocail neodracha gan inscne iad agus an t-alt a úsáid de réir mar is cuí.

Leagan iomlán	Moladh an Ghúim maidir le hacrainmneacha
An Chomhairle Náisiúnta Curaclaim agus Measúnachta	Bhí baill an CNCM i láthair.
An tAontas Eorpach	Nuair a bunaíodh an AE ar dtús ... Ballstáit an AE
Tionól Thuaisceart Éireann	Tionól TÉ

I gcás acrainmneacha an Bhéarla moltar an t-alt (+ réamhfhocal) a úsáid freisin.

> Ceannasaíocht an CIA
> Baill an FBI

Tá an córas thuas i bhfad níos ciallmhaire ná an ceann a mholtar sa Chaighdeán Oifigiúil Athbhreithnithe agus b'fhearr, mar sin, cloí leis. Seo thíos comparáid idir an dá chóras.

Leagan iomlán	Moladh sa COA maidir le hacrainmneacha	Moladh an Ghúim maidir le hacrainmneacha
An tAontas Eorpach	AE	an AE
idir an tAontas Eorpach agus Stáit Aontaithe Mheiriceá	idir AE agus SAM	idir an AE agus SAM
reachtaíocht an Aontais Eorpaigh	reachtaíocht AE	reachtaíocht an AE
san Aontas Eorpach	in AE	san AE
ag na Náisiúin Aontaithe	ag NA	ag na NA

AGUISÍN 6: Na Briathra sa Chaighdeán Athbhreithnithe

In *Gramadach na Gaeilge: An Caighdeán Oifigiúil, Caighdeán Athbhreithnithe* (2012), tá leaganacha canúnacha éagsúla ceadaithe i gcás foirmeacha áirithe den bhriathar. Tá réiltín (*) le feiceáil thíos in aice leis na foirmeacha sin. B'fhearr cloí leis na foirmeacha atá luaite i gcorp an leabhair seo, áfach, agus an Ghaeilge á scríobh agat.

An aimsir chaite

Tóg	Ceannaigh	Ith
thóg mé/*thógas	cheannaigh mé/*cheannaíos	d'ith mé/*d'itheas
thóg tú/*thógais	cheannaigh tú/*cheannaís	d'ith tú/*d'ithis
thóg sé/sí	cheannaigh sé/sí	d'ith sé/sí
thógamar/*thóg muid	cheannaíomar/*cheannaigh muid	d'itheamar/*d'ith muid
thóg sibh/*thógabhair	cheannaigh sibh/*cheannaíobhair	d'ith sibh/*d'itheabhair
thóg siad/*thógadar	cheannaigh siad/*cheannaíodar	d'ith siad/*d'itheadar

An aimsir láithreach

Tóg	Ceannaigh	Ith
tógaim	ceannaím	ithim
tógann tú	ceannaíonn tú	itheann tú
tógann sé/sí	ceannaíonn sé/sí	itheann sé/sí
tógaimid/*tógann muid	ceannaímid/*ceannaíonn muid	ithimid/*itheann muid
tógann sibh	ceannaíonn sibh	itheann sibh
thóg siad	ceannaíonn siad	itheann siad

An aimsir fháistineach

Tóg	Ceannaigh	Ith
tógfaidh mé/*tógfad	ceannóidh mé/*ceannód	íosfaidh mé/*íosfad
tógfaidh tú	ceannóidh tú	íosfaidh tú
tógfaidh sé/sí	ceannóidh sé/sí	íosfaidh sé/sí
tógfaimid/*tógfaidh muid	ceannóimid/*ceannóidh muid	íosfaimid/*íosfaidh muid
tógfaidh sibh	ceannóidh sibh	íosfaidh sibh
tógfaidh siad	ceannóidh siad	íosfaidh siad

An modh coinníollach

Tóg	Ceannaigh	Ith
thógfainn	cheannóinn	d'íosfainn
thógfá	cheannófá	d'íosfá
thógfadh sé/sí	cheannódh sé/sí	d'íosfadh sé/sí
thógfaimis/*thógfadh muid	cheannóimis/*cheannódh muid	d'íosfaimis/*d'íosfadh muid
thógfadh sibh	cheannódh sibh	d'íosfadh sibh
thógfaidís/*thógfadh siad	cheannóidís/*cheannódh siad	d'íosfaidís/*d'íosfadh siad

An aimsir ghnáthchaite

Tóg	Ceannaigh	Ith
thógainn	cheannaínn	d'ithinn
thógtá	cheannaíteá	d'iteá
thógadh sé/sí	cheannaíodh sé/sí	d'itheadh sé/sí
thógaimis/*thógadh muid	cheannaímis/*cheannaíodh muid	d'ithimis/*d'itheadh muid
thógadh sibh	cheannaíodh sibh	d'itheadh sibh
thógaidís/*thógadh siad	cheannaídís/*cheannaíodh siad	d'ithidís/*d'itheadh siad

AGUISÍN 7: An Tuiseal Tabharthach sa Chaighdeán Athbhreithnithe

Anseo thíos, tá leaganacha eile atá ceadaithe sa tuiseal tabharthach uatha (réamhfhocal simplí + an t-alt) sa Chaighdeán Oifigiúil Athbhreithnithe (COA). I gcomhthéacsanna foirmiúla, áfach, is fearr cloí leis an gcóras atá luaite in Aonad 4 den leabhar seo.

Sa COA, ceadaítear na nithe seo a leanas sa tuiseal tabharthach:

- urú a chur ar ainmfhocail dar tús **d** nó **t**:

    ag an ndoras
    ar an dtreoir

- urú a chur ar ainmfhocail dar tús consan tar éis **den**, **don** agus **sa**:

    den gceathrú huair
    don bhfear sin
    sa mbaile
    sa bhfarraige

- **t** a chur roimh ainmfhocail fhirinscneacha dar tús **s**:

    ar an tsagart

- **sa** a scríobh mar **insan** nó **insa**:

    insan/(in)sa mbosca
    insan/(in)sa bhféar, insan/(in)sa bhfraoch
    insan/(in)sa bhfarraige, insan/(in)sa bhFrainc, insan/(in)sa bpáirc

Leabharlanna Poibli Chathair Bhaile Átha Cliath

Dublin City Public Libraries

Innéacs